THE NEW TESTAMENT TEXT
OF GREGORY OF NYSSA

SOCIETY OF BIBLICAL LITERATURE
The New Testament in the Greek Fathers

Edited by
Gordon Fee

Number 2
THE NEW TESTAMENT TEXT OF GREGORY OF NYSSA

by
James A. Brooks

THE NEW TESTAMENT TEXT
OF GREGORY OF NYSSA

James A. Brooks

Atlanta, Georgia
Scholars Press

THE NEW TESTAMENT TEXT OF GREGORY OF NYSSA

James A. Brooks

©1991
The Society of Biblical Literature

Library of Congress Cataloging in Publication Data

Brooks, James A.
　The New Testament text of Gregory of Nyssa / James A. Brooks.
　p.　cm. — (the New Testament in the Greek Fathers ; no. 2)
　Includes bibliographical references.
　ISBN 1-55540-580-0 (alk. paper). — ISBN 1-55540-581-9 (pbk. ;
　alk. paper)
　　1. Bible. N.T.—Criticism, Textual—History. 2. Bible. N.T.—
Manuscripts, Greek. 3. Gregory, of Nyssa, Saint, ca. 335-ca. 394.
I. Title. II. Series.
BS2325.B76 1991
225.4'8—dc20　　　　　　　　　　　　　　　　91-642
　　　　　　　　　　　　　　　　　　　　　　CIP

Printed in the United States of America
on acid-free paper

In Memory of

George Dunbar Kilpatrick

In Honor of

Bruce Manning Metzger

Who taught me New Testament textual criticism

TABLE OF CONTENTS

ACKNOWLEDGMENTS

The writer wants to acknowledge that the late Oxford professor G. D. Kilpatrick first suggested to him that a study needed to be made of the textual relationships of Gregory of Nyssa's quotations from the New Testament and that Prof. Kilpatrick made many helpful suggestions for the dissertation which was the predecessor of the present work. And the writer wants to thank the following for their contribution to this work: J. K. Elliott for suggesting that the Oxford dissertation ought to be revised and published; Gordon Fee, the editor of the series, for many ideas about how to improve the dissertation form of the work; the librarians at Southwestern Baptist Theological Seminary and Bethel Theological Seminary for securing needed materials; the Ancient Biblical Manuscript Center for providing microfilms of manuscripts; his wife Beverly for doing some of the statistical work and proofreading; his former student Mark Dunn for doing much of the statistical work with a computer program he wrote; and Carlton Winbery of Louisiana College for much help on the intricacies of computer use and for doing the final printing.

EDITOR'S PREFACE

This is the second volume in a series that is designed to make the New Testament text(s) used by the various early Greek Fathers available to the larger scholarly community for greater accessibility and more general usefulness. The guidelines for the series are found in the Editor's Preface to volume 1 (Bart Ehrman, *Didymus the Blind and the Text of the Gospels*, pp. xi-xii; its rationale in Dr. Ehrman's first chapter, pp. 4-11).

Our aim is both to present and to evaluate the recoverable data from a given Father. In this case Professor James Brooks, now at Bethel Theological Seminary, St. Paul, MN, has presented the entire NT text that is recoverable from the extant writings of Gregory of Nyssa, as those are available in critical editions.

Professor Brooks is well qualified for this task. He has been working closely with patristic citations over many years. The present work is the fruition, although with considerable rewriting, of his D. Phil. dissertation, written under G. D. Kilpatrick, and submitted to Oxford University in 1979.

We are glad to make the fruit of this labor available to scholars and students alike, with the hope that such data will find their useful role in the larger tasks of writing the history of the NT text, and of determining its original form.

GORDON D. FEE

INTRODUCTION

Gregory of Nyssa (c. 330 to c. 395), along with his elder brother Basil the Great of Caesarea and their intimate friend Gregory of Nazianzus, was one of the "Great Cappadocians" whose defense of orthodoxy was a major factor in the final defeat of Arianism at the Council of Constantinople in 381. Basil was the administrator (especially in his promotion of monasticism); Nazianzus was the preacher; and Nyssa was the philosopher, theologian, and mystic.

Gregory was the fourth child of at least seven of a Christian family in Caesarea of Cappadocia (modern Kayseri, Turkey). Much of what is known about his life comes from his *Life of St. Macrina*, a biography of his sister who was a person of unusual piety and who, along with their mother Emmelia and grandmother Macrina the elder, greatly influenced him and his brother Basil. His father Basil the elder evidently wanted him to go into the priesthood, and perhaps as a first step Gregory did become a lector. Soon, however, he chose instead to become a rhetor like his father, and he may also have married.[1] Nazianzus certainly,[2] and Basil and Macrina probably, rebuked Gregory for his worldliness, and after a while he withdrew to a monastery, probably the one Basil himself had established at Annesi (exact location unknown) on the Iris River (modern Yeşilirmak). About 371, much against Gregory's will, Basil appointed him as bishop of Nyssa (pro-

---

[1] In *Virg.* 3 Gregory expresses regret that he could not know the beauty of virginity. Also Greg. Naz., *Ep.* 197, consoles his namesake for the death of Theosebia, whom he describes as "a blessed sister," one who had been "united" to Gregory, and the "wife" of a priest.

[2] Greg. Naz., *Ep.* 11.

bably modern Nevşehir, Turkey), an insignificant town some fifty miles to the west of Caesarea.[1]

At first Gregory was unequal to the task and was even castigated by his brother.[2] In 376 some Arian bishops, with the concurrence of the Arian emperor Valens, deposed and banished Gregory because of alleged irregularities in his election and his handling of finances. Upon the death of Valens in 378, however, he was triumphantly restored.[3] The following year Basil died, and for the first time Gregory was able to be his own person and assume a rightful role of leadership. The first indication of his new role was his appointment by the Synod of Antioch of 379 as "visitor" of Pontus and his election in 380 as bishop of Sebaste.[4] He soon resigned the latter and was probably instrumental in getting the position for his younger brother Peter. On the return journey from Antioch he visited his sister Macrina on her deathbed at Annesi where she was the superior of a convent.

Gregory was a leader of the orthodox party at the Council of Constantinople in 381. He gave the opening address[5] and delivered the funeral oration of Meletius of Antioch, the president of the council who died during the meeting.[6] The significance of the council is that the

---

[1] Basil, *Ep.* 225.

[2] Basil, *Ep.* 58, 59, 60, 100.

[3] *Ep.* 3.

[4] *Ep.* 15, 18, 19, 22.

[5] Socrates, *H. E.* 4.26. Jean Daniélou, *From Glory to Glory: Texts from Gregory of Nyssa's Mystical Writings* (New York: Scribner's, 1961), 6, identifies this address with the sermon *De deitate adversus Euagrium* (vulgo *In suam ordinationem*). Others, however, date this sermon in 394 at a synod in Constantinople and believe that Gregory's opening address at the council of 381 has perished.

[6] *Oratio funebris in Meletium.*

Arian cause was irretrievably lost. The council gave Gregory the oversight of Cappadocia and Pontus and sent him to Arabia to settle a dispute between two bishops.[1] On the way back he visited the Holy Land, something which was a profound disappointment to him.[2] In the following years he attended a synod in Constantinople in 383[3] and was several times invited to the capital to deliver funeral orations for members of the royal family.[4] During the last decade of his life his influence seems to have waned due to charges that his Christology was Antiochian[5] and perhaps due to the ascent of John Chrysostom at the capital. His attraction to certain aspect's of Origen's thought may also have been a factor. The last known event in his life was attendance at a synod in Constantinople in 394. He probably died soon after that.

It is not possible to give here a detailed account of Gregory's writings. A list of most of them may be found later in this introduction. Probably the most important are the dogmatic writings. *Against Eunomius*, *Refutation of the Confession of Eunomius*, and *Answer to Apollinaris* are polemical, whereas the *Great Catechism* is a positive and systematic statement of Christian doctrine. The second most important group is the ascetical and mystical writings, especially *On Virginity*, *On Perfection*, and *Life of St. Macrina*. Among the more important exegetical works are *Creation of Man*, *Six Days of Creation*,

---

[1]Some date this visit after the Synod of Antioch in 379.
[2]*Ep.* 2.
[3]*De deitate filii et spiritus sancti.*
[4]*Oratio funebris in Flacillam; Oratio consolatoria in Pulcheriam.*
[5]*Ad Theophilum; Adversus Apolinaristas.*

Life of Moses, Homilies on Ecclesiastes, Commentary on the Canticle of Canticles, On the Lord's Prayer, and *On the Beatitudes*.

The significance of Gregory in the history of theology is that he used concepts of Middle- and Neoplatonism to systematize a balanced Christology. Against Arius and more particularly his follower Eunomius, he affirmed the full divinity of Christ. Against Apollinaris he affirmed the full humanity. It was this balanced Christology which commended itself to the emperor Theodosius I and the bishops at Constantinople in 381 and to many since that time.

The purpose of the present study, however, is not to examine Gregory's significance in the history of theology but in the history of the text of the New Testament (NT). This will be done by collecting his quotations of the NT, reconstructing from them the corresponding portions of the text of his NT manuscript or manuscripts (ms. and mss.), and determining the textual relationships of his NT.

Although Gregory lived at an important time and place in the history of the development of the text of the NT, and although he quoted the NT with moderate frequency, no systematic collection has been made of his quotations, he is cited infrequently in most critical editions of the NT, and no major study of his textual relationships has been published.[1] The present study will seek to remedy the first and third of

---

[1]The present study has grown out of the author's "The New Testament Text Employed by Gregory of Nyssa," unpublished D. Phil. dissertation, Oxford University, 1979, supervised by the late Prof. G. D. Kilpatrick, but it constitutes a complete rewriting. In the former study *De instituto Christiano* was accepted as a genuine work of Gregory; in the present study it is not. In the former study Gregory's NT quotations were not presented; in the present study they are, and from them the text of his NT, or at least as much of it as he quotes, is reconstructed. In the former study only a partial collation of many Greek mss., versions, and fathers was obtained

these deficiencies and to establish Gregory's significance in the history of the NT textual tradition.

Previous Studies of Gregory's Text

H. F. von Soden

Von Soden treats together the texts of Chrysostom, the three Cappadocians (Gregory of Nazianzus, Gregory of Nyssa, and Basil the Great of Caesarea), and Theodoret of Cyrus in that order.[1] He concludes that Chrysostom for the most part attests the K^1 text (S V W Ω 0211 399 461 476 655 661) but that in his *Homilies on John* he has the I^{Ka} text (A K Π 265 489 1219 1346).[2] Then he compares Chrysostom to the Gregories and Basil.

> Sehr interessant ist nun das Verhältnis des Chrysostomus-Textes zu dem der Kappadokier, den ich allerdings nur an der Hand der Zitatlisten bei Migne bis zu Mt 12 geprüft habe. Es kann keinem Zweifel unterliegen, dass letztere in der Hauptsache alle denselben Text benutzten, und zwar den für die Purpurcodd, ob auch in verschiedenen Abwandlungen, gewählten Text Π.[3]

After citing a single example from Nazianzus, von Soden devotes a paragraph to Nyssa.

from the various critical editions of the NT; in the present study a full collation of a comparatively small number of Greek and Old Latin mss. has been obtained from editions, facsimiles, and collations of those mss. There are some differences in the methodology which is used to determine textual relationships. Some of the conclusions are different.

[1] Hermann Freiherr von Soden, *Die Schriften des Neuen Testaments in ihrer ältesten erreichbaren Textgestalt*, I. Teil, *Untersuchungen*, II. Abteilung, *Die Textformen* (Göttingen: Vandenhoeck und Ruprecht, 1911), 1460-9.

[2] Ibid., 1461.

[3] Ibid., 1466.

Etwas mehr Ausbeute gewährt Gregor von Nyssa. Zweimal ist es möglich nachzuweisen, dass er mit *H* nichts zu tun hat; er schreibt 9:2 αφεωνται, 11:29 πραος. Von 9 Stellen mit Text-varianten geht er 6 mal mit *K*, ebenso *Π* und Χρ, desgleichen Βασ, in dem sich 4 von den 6 Stellen finden. An 5 Stellen geht er mit *I*; zweimal gegen *Π* und Χρ, desgleichen das eine Mal, wo Βασ zur Stelle ist, gegen ihn, beidemal aber folgt er Origenes: 3:10 om και ρ δε, 6:12 αφηκαμεν. Einmal sind alle einig 5:48 ο ουρανιος, einmal *Π* und Χρ, während Βασ die Stelle nicht citiert, 9:2 σου αι αμαρτιαι; nur einmal bietet Βασ mit *K* ωσπερ, wogegen *Π* Χρ und Gregor mit *I* ως schreiben. Bedeutsamer noch ist, dass Gregor und Βασ 5:16 τα καλα εργα υμων, 12:28 ˡ εγω εν πνι αγιω (Χρ om εγω), Gregor, Βασ und Χρ 12:50 ουτος / αυτος schreiben, Gregor und Χρ 5:48 γινεσθε / εσεσθε υμεις. Neben diesen dem Texttyp eigentümlichen Lesarten bietet Gregor noch als Sonderlesarten 6:14 τας αμαρτιας υμων, 7:14 om η πυλη, 18 ενδυματι, 23 αποστητε.[1]

Basil is favored with a somewhat longer treatment, after which von Soden concludes:

Also der Purpurtext ist annähernd der Text des Basilius, dieser annähernd der des Chrysostomus. *Π*-19 [= N / 022] ist bekanntlich bei Cäsarea in Kappadokien aufgefunden worden. Dieser Text ist aber in allen drei Nuancen *K*-Text mit eingesprengten *I*-Lesarten. Und der von Chrysostomus bei seines Jo-Homilien bevorzugte oder für sie geschaffene *K*a-Text ist nur eine etwas anderer, im Prozentsatz beider Elemente ungefähr gleichartige Mischung von *K* und *I*.
Ganz ähnlich steht es mit Theodoret von Kyros. . . .[2]

According to von Soden, therefore, Gregory's quotations from the Gospels, as well as those of Basil, Gregory of Nazianzus, and Theodoret, reflect the Iπ text consisting of N, O, Σ, Φ, 080. Several observations are in order, however. First, the conclusion is based upon an examination of a mere twelve chapters of Matthew only. Second, it depends in part upon the assumption that Chrysostom, the Cappadocians, and Theodoret employ the same type of text. Third, it is based

---

[1]Ibid.
[2]Ibid., 1467.

upon only twenty readings of Gregory himself. Fourth, it is based upon quotations taken from precritical editions of the above fathers' works. One cannot have much confidence therefore in von Soden's conclusions. Furthermore, neither the I text in general nor the Iπ text in particular has been accepted as legitimate by many scholars.[1] Von Soden's own description of the Iπ text provides an example of the kind of problem which plagues it: "Er ist eine Mischung aus *I* und *K*1, in die nur ganz wenige weder in *I* noch in *K* vorkommenden Lesarten gedrungen sind."[2] Elsewhere he is even more specific: "Ist doch *Π* selbst nicht anders als ein durch *K* dezimierter *I*-Text. Dezimiert im Wortsinn. Denn kaum mehr als ein Zehntel der *I* von *K* unterscheidenden Lesarten sind in *Π* erhalten."[3] If the Iπ text is nine-tenths K, how can it be a part of the I text at all? As a matter of fact all of the Iπ mss. have been classified as Byzantine (the equivalent of von Soden's K) by some scholars.[4]

---

[1]Note for example the statement in F. G. Kenyon, *The Text of the Greek Bible*, 3rd ed. rev. and augmented by A. W. Adams (London: Duckworth, 1975), 194: "The constitution of the I family is the most original feature of von Soden's work, but it is to be feared it is also the least sound."

[2]*Die Schriften des Neuen Testaments*, I, ii, 1254.

[3]Ibid., 1246-7.

[4]For example by Kurt and Barbara Aland, *The Text of the New Testament*, rev. and enlarged ed. (Grand Rapids: William B. Eerdmans, and Leiden: E. J. Brill, 1989), 113, 118, 120. The Alands' Category V is their designation for the Byzantine type of text (p. 106).

A. F. J. Klijn

The primary concern of Klijn's article[1] is the question of whether Gregory was dependent upon Macarius' *Great Letter* in his *De instituto Christiano* or whether Macarius was dependent upon Gregory. He refers to an article by Quispel[2] in which the latter seeks to demonstrate that the *Great Letter* employs a "Thomas-Diatessaron" text, i. e. a Western type of text. Then Klijn goes on to say: "It is only conceivable that Gregory has used the variants in Macarius if Gregory used a quite different text elsewhere. . . . From the many writings of Gregory, however, we see that he was heavily influenced by a text which can be considered to belong to the 'Thomas-Diatessaron-group'."[3] Klijn gives fourteen examples to support his claim and then concludes: "These variant readings clearly show that Gregory used a text which was influenced by what is usually called the Western text."[4]

It is in fact possible to find a few instances where Gregory reads with Western witnesses against most others, but this does not prove that he is a Western witness. Klijn's conclusion is based upon only fourteen examples, and it is difficult to have much confidence in such a narrowly based conclusion. The method of quantitative analysis which is used in the present study shows that Gregory has less affinity with the Western text than any other. Furthermore, there is a serious

---

[1] A. F. J. Klijn, "Some Remarks on the Quotations of the Gospels in Gregory of Nyssa's 'De Instituto Christiano' and Macarius' 'Epistula Magna'," *Vigiliae Christianae* 19 (1965): 164-8.

[2] G. Quispel, "The Syrian Thomas and the Syrian Macarius," *Vigiliae Christianae* 18 (1964): 226-35.

[3] Klijn, "Quotations in Gregory," 165.

[4] Ibid., 166.

question whether *De instituto Christiano* is an authentic work of Nyssa. If it is not, the legitimacy of Klijn's work is undermined.

The Present Study of Gregory's Text

Sources of the Quotations

It is imperative to limit any collection and study of patristic quotations to those works of a father about which there is no serious question of authenticity and to those which are available in a critical edition. Because of the first limitation it is necessary to exclude quotations in *Adversus Arium et Sabellium de Patre et Filio* and *De instituto Christiano*, despite the fact that they are included in the Jaeger edition (below). Because of the second limitation the following must be omitted: *De Beatitudinibus* which is projected for vol. VII, ii of the Jaeger edition; *Epistula canonica ad Letorium episcopum* which will appear in vol. III, v; and four sermons which will appear in vol. X, ii.

Quotations from the following works of Gregory are included. The abbreviations are those which are used in the first apparatus.[1]

---

[1]For the sake of uniformity an attempt has been made to use the abbreviations in Lampe's *Patristic Greek Lexicon* (1961). The first word, however, is capitalized in accordance with the usual practice. *Hom. in Eccl.* has been simplified to *Eccl.* and *Hom. in Cant.* to *Cant.* Where the Jaeger or other editions have a different title from the one in Migne / Lampe, an appropriate abbreviation has been devised.

Those in the Jaeger edition[1]

Ant. Apol.	*Antirrheticus adversus Apolinarium*, ed. F. Mueller; III, i
Ascens.	*In ascensionem Christi oratio*, ed. E. Gebhardt; IX
Bas.	*In Basilium fratrem*, ed. O. Lendle; X.1
Benef.	*De beneficentia* (vulgo *De pauperibus amandis oratio*, I), ed. A. van Heck; IX
Cant.	*In Canticum Canticorum*, ed. H. Langerbeck; VI
Comm. not.	*Ad Graecos (Ex communibus notionibus)*, ed. F. Mueller; III, i
Eccl.	*In Ecclesiasten homiliae*, ed. P. Alexander; V
Ep.	*Epistulae*, ed. G. Pasquali; VIII, ii
Euag.	*De deitate adversus Euagrium* (vulgo *In suam ordinationem*), ed. E. Gebhardt; IX
C. Eun.	*Contra Eunomium libri*, ed. W. Jaeger; I and II
Ref. Eun.	*Refutatio confessionis Eunomii* (vulgo *C. Eun. lib.* II), ed. W. Jaeger; II
Fat.	*Contra fatum*, ed. J. A. McDonough; III, ii
Fid.	*Ad Simplicium de Fide*, ed. F. Mueller; III, i
Fil.	*In illud: Tunc et ipse Filius*, ed. J. K. Downing; III, ii
Flacill.	*Oratio funebris in Flacillam imperatricem*, ed. A. Spira; IX

---

[1] Wernerus Jaeger et al., eds., *Gregorii Nysseni Opera*, 11 bound vols. through Jan. 1990 (Leiden: E. J. Brill, 1952-).

For.	*Contra fornicarios oratio*, ed. E. Gebhardt; IX
V. Gr. Thaum.	*De vita Gregorii Thaumaturgi*, ed. G. Heil; X, i
Infant.	*De infantibus praemature abreptis*, ed. H. Hörner; III, ii
Inscsript. Pss.	*In inscriptiones Psalmorum*, ed. J. McDonough; V
Lucif.	*In luciferam sanctum Domini resurrectionem* (vulgo *In Christi resurrectionem oratio*, V), ed. E. Gebhardt; IX
Lum.	*In diem luminum* (vulgo *In baptismum Christi oratio*), ed. E. Gebhardt; IX
Maced.	*Adversus Macedonianos de Spiritu Sancto*, ed. F. Mueller; III, i
V. Macr.	*Vita S. Macrinae*, ed. V. W. Callahan; VIII, i
Mart. 1a	*In XL martyres* 1a, ed. O. Lendle; X, i
Mart. 1b	*In XL martyres* 1b, ed. O. Lendle; X, i
Mart. 2	*In XL martyres* 2, ed. O. Lendle; X, i
Melet.	*Oratio funebris in Meletium episcopum*, ed. A. Spira; IX
Mihi fecistis	*In illud Quatenus uni ex his fecistis mihi fecistis* (vulgo *De pauperibus amandis oratio*, II), ed. A. van Heck; IX
Mort.	*De mortuis oratio*, ed. G. Heil; IX
V. Moy.	*De vita Moysis*, ed. H. Musurillo; VII, i
Pascha 1	*In sanctum Pascha* (vulgo *In Christi resurrectionem oratio*, III), ed. E. Gebhardt; IX
Pascha 2	*In sanctum et salutare Pascha* (vulgo *In Christi resurrectionem oratio*, IV), ed. E. Gebhardt; IX

Perf.   *De perfectione*, ed. W. Jaeger; VIII, i

Prof. Chr.   *De professione Christiana*, ed. W. Jaeger; VIII, i

Ps. 6   *In sextum Psalmum*, ed. J. McDonough; V

Pulch.   *Oratio consolatoria in Pulcheriam*, ed. A. Spira; IX

Pyth.   *De Pythonissa*, ed. H. Hörner; III, ii

Steph. 1   *In sanctum Stephanum* 1, ed. O. Lendle; X, i[1]

Steph. 2   *In sanctum Stephanum* 2, ed. O. Lendle; X, i

Thdr.   *De sancto Theodoro*, ed. J. P. Cavarnos; X, i

Thphl.   *Ad Theophilum adversus Apolinaristas*, ed. F.
                     Mueller; III, i

Tres dei   *Ad Ablabium quod non sint tres dei*, ed. F.
                     Mueller; III, i

Trid.   *De tridui inter mortem et resurrectionem Domini
                     nostri Iesu Christi spatio* (vulgo *In Christi resur-
                     rectionem oratio*, I), ed. E. Gebhardt; IX

Trin.   *Ad Eustathium de Sancta Trinitate*, ed. F. Mueller;
                     III, i

Usur.   *Contra usurarios oratio*, ed. E. Gebhardt; IX

Virg.   *De virginitate*, ed. J. P. Cavarnos; VIII, i

---

[1]Lendle's earlier publication of this work was entitled *Gregorius
Nyssenus Encomium in Sanctum Stephanum Protomartyrem* (Leiden: E. J.
Brill, 1968).

Those in Other Critical Editions

Anim. et res.	*De anima et resurrectione*, ed. J. G. Krabinger[1]
Hex.	*Apologia in hexaemeron*, ed. G. H. Forbes[2]
Hom. opif.	*De opificio hominis*, ed. G. H. Forbes[3]
Or. catech.	*Oratio catechetica magna*, ed. J. H. Srawley[4]
Or. Dom.	*De Oratione Dominica*, ed. J. G. Krabinger[5]

Reconstruction of Gregory's NT Text

Unfortunately Gregory wrote no commentaries with a running text, nor did he often quote at one place more than two or three consecutive verses. Often, however, he quoted a single verse more than once, even a half dozen or more times. It is possible therefore to recover only fragments of his NT.

These fragments could be set forth as individual quotations, e. g. if Gregory quotes a verse six times all six quotations could be displayed. This in effect is done in the first apparatus of the present study.

---

[1] Jo. Georgius Krabingerus, *S. Gregorii Episcopi Nysseni de Anima et Resurrectione* (Lipsae: in Libraria Gustavi Wuttigii, 1837).

[2] George H. Forbes, *Sancti Patris Nostri Gregorii Nysseni Basilii Magni Fratris quae Supersunt Omnia* (Burntisland: E Typographeo de Pitsligo, 1855), 1-95.

[3] Ibid., 96-319.

[4] James Herbert Srawley, *The Catechetical Oration of Gregory of Nyssa*, Cambridge Patristic Texts (Cambridge: University Press, 1903).

[5] Io. Georgius Krabingerus, *S. Gregorii Episcopi Nysseni de Precatione Orationes V* (Landishuti: in Libraria Io. Nepom. Attenroferi, 1840).

Gordon Fee, however, has shown that a better way is to present a criti-
cally reconstructed text.[1] Whether a father quotes a verse once or a
dozen times, one critically reconstructed text is presented, which text is
then made the subject of further study of textual relationships. Not
only does this procedure reduce and simplify the material, it also facili-
tates the use of a father's adaptations and allusions as well as his direct
quotations.[2]

The first item therefore under every passage considered is the
critically reconstructed text in bold type. The following principles have
been followed in reconstructing the text from the actual quotations,
adaptations, and allusions which are presented in the first apparatus.
First, missing words—and especially introductory or transition words
which Gregory rarely reproduces—are restored in brackets on the basis
of the reading in the NT mss. to which he is most closely related. As
the study progresses it will become clear that these are mss. in the
Byzantine tradition. Second, substitution is made in parentheses for
words in the actual quotations which have little or no support in the
witnesses to the text of the NT. Each instance of possible restoration
or substitution is considered on its own merits, but as a point of
departure the reading in Gregory's work(s) is usually allowed to stand if
it is supported by two Greek mss. or one Greek ms. and one version or
one father, *regardless of the text-type of the witnesses and whether or
not they are on the select list of witnesses which are used in apparatus*

---

[1] Gordon D. Fee, "The Text of John in Origen and Cyril of
Alexandria: A Contribution to Methodology in the Recovery and Analysis
of Patristic Citations," *Biblica* 52 (1971): 357-94.

[2] On the distinction see ibid.

III. In rare instances where Gregory attests two readings, they are enclosed within the upper half of angular brackets and separated by a virgule ('. . . / . . .').

The First Apparatus

The first apparatus (designated 'I') sets forth the nature, text, source, and any variant readings of the individual quotation(s) which is or are used to produce the reconstructed biblical text above.

The individual quotations are classified as direct quotations ('CIT.'), adaptations to the context ('ADAPT.'), and allusions ('ALLUS.').[1] By the nature of the case comparatively few allusions are usable for reconstructing a father's NT and / or determining his textual relationships. Those which can in any way be used for these purposes are included in the present study, those which cannot are not included anywhere. Another kind of quotation which is unusable and which does not appear anywhere in this study is one whose source cannot be determined. This is often the case with parallel passages in the Synoptic Gospels and quotations from the OT. Still another which must be rejected is Gregory's citation from the works of another, usually an opponent such as Eunomius or Apollinaris. It is ordinarily impossible to determine if Gregory cites the passage according to his opponent's text or his own.

---

[1] For definitions of these see Fee, "Text of John in Origen and Cyril," 362, and cf. 374 ff. He uses ADAPT. for both adaptations and allusions and does not label citations.

The text of the individual quotations, including introductory formula, is given to the extent that it differs from the reconstructed text above. Where it is identical ellipses (. . .) are used to save space. Giving the text of the actual quotations will enable the reader to make his or her own evaluation of the accuracy of the reconstructed text above.

The source of the quotations is given in terms of the name of the work and its book, chapter, and section (if any)—all three in arabic numerals and separated by periods in accordance with current practice—and, following a semicolon, in terms of volume, page(s), and line(s) of the particular edition used. In the case of the Jaeger edition, no mention is made of that edition or the particular editor of the work, but the volume is designated by a upper case roman numeral, the part (if any) by a lower case roman numeral, and the page and lines in arabic numerals—all separated by commas. In the case of other critical editions, the editor's name replaces the volume and part number.

Any significant variant readings in the Greek mss. or versions (but not editions) of Gregory's works follow the indicator 'VR'. The abbreviation 'ms.' means that one Greek manuscript of Gregory's work supports the variant, 'mss.' more than one. The abbreviation 'vers.' means that a version supports the variant. The individual mss. and versions must be determined from the critical editions of Gregory's works.

The Second Apparatus

The second apparatus ('II'), if necessary, is used to explain how the biblical text was reconstructed from the actual quotation(s). In many instances textual evidence not given in the third apparatus is presented, and this evidence is usually gathered from the various critical editions of the Greek NT rather than from independent collations (cf. below). It includes witness not on the select list used in the study to determine textual relationships.

The Third Apparatus

The third apparatus is designated with a roman numeral which is followed by a hyphen and an arabic numeral to indicate the particular unit of variation within the part of the NT being studied (thus 'III-1', 'III-2', etc.). This apparatus provides the ms. evidence necessary to determine textual relationships.

For quantitative analysis a minimum of one hundred units of variation is desirable in order to correspond to full percentage points. There are more than twice that number in Gregory's quotations of the Pauline Epistles, just over that number in those from Matthew, 79% in the quotations from John, about 65% of it in those from Luke, and considerably less than 50% in those from Mark, Acts, and the Catholic Epistles. (There are no usable quotations from Revelation.) It is unlikely that less than fifty units of variation will yield accurate results. Therefore no attempt is made to determine Gregory's textual relationships in Mark, Acts, or the Catholic Epistles, and the third apparatus appears only in the chapters on Matthew, Luke, John, and the Pauline Epistles.

Selection of manuscript witnesses

A carefully selected group of Greek and Old Latin mss. of the NT is presented in the third apparatus. Three principles guided the selection of the Greek mss. First, the mss. had to be representative of the text-types and families which have been identified by various scholars. Second, they had to be extant for a substantial portion of the book or books of the NT involved. (Note, however, some exceptions to this guideline below.) And, third, their entire text had to be available in photographic facsimile (whether published edition or microfilm), transcription, or collation. The last of these makes it possible to indicate the manuscript's reading in every unit of variation which qualifies for inclusion and at which the ms. is extant, something which cannot be done by using the critical editions which are presently available for Matthew, John, and the Pauline Epistles.

The following Greek mss. are employed:

For Matthew: ℵ A B C D E K L S U V W Θ Π Σ Φ Ω 1 13 28 33
                157 544 565 700 892 1241 1424 1604

For Luke: 𝔓45 𝔓75 ℵ A B C D E K L S U V W Θ Π Ψ Ω 1 13
                28 33 157 544 565 700 892 1241 1424 1604

For John: 𝔓66 𝔓75 ℵ A B C D E K L S U V W Θ Π Ψ Ω 1 13
                28 33 157 544 565 700 892 1241 1424 1604

For Paul: 𝔓46 ℵ A B C D G K L P Ψ 049 056 075 0142 0150
                0151 33 223 2423 1739

Because of its importance in the ms. tradition, 𝔓45 is included in Luke even though it is extant in only sixteen of the units of variation which are included in the study, but it is excluded in Matthew and John because it is extant in only one unit (no. 97) and four units (nos. 44, 45, 46, 50) respectively. For the same reason C is included in all portions of the study despite its fragmentary nature. A in Matthew and W, V, and 892 in John are included despite their fragmentary nature because they are employed in the other Gospels and, with the possible exception of V, are also important in the textual tradition. F is not employed in the Pauline Epistles because it is virtually identical with G which is used.[1] The minuscules 223 and 2423 are included in the Pauline Epistles because of the desirability of including some Byzantine minuscules and because a collation happens to be available.

In addition, for reasons which will appear presently, the readings of the majority text ($\mathfrak{M}$)[2] and the Bible Societies' text (UBS)[3] are also included.

Despite the inherent differences in languages which prevent versions from being cited in every unit of variation in the Greek text, despite other uncertainties which are produced by translation and retrans-

---

[1]F and G support different readings in only two of the units of variation used in the chapter on the Pauline Epistles (nos. 19 and 139). To employ both F and G, and to retain the requirement of a minimum of two witnesses against Gregory in order to include a unit (below), would add about fifty units of variation in which F and G agree against all other witnesses. This would greatly inflate the percentages of agreement of all other witnesses.

[2]Zane C. Hodges and Arthur L. Farstad, eds., *The Greek New Testament According to the Majority Text*, 2nd ed. (Nashville: Thomas Nelson, 1985).

[3]This text is found in Kurt Aland et al., eds., *The Greek New Testament*, 3rd cor. ed. (New York, London, Edinburgh, Amsterdam, and Stuttgart: United Bible Societies, 1983) and Eberhard Nestle, Erwin Nestle, and Kurt Aland, eds., *Novum Testamentum Graece*, 26th ed., 7th cor. print. (Stuttgart: Deutsche Bibelgesellschaft, 1979/1983).

lation, and despite their fragmentary nature, six Old Latin mss. are included in the Gospels only in order to avoid having the Greek ms. D as the only Western witness. They are a, b, c, e, and k in Matthew; a, b, c, and e in Luke; and a, b, c, e, and j in John. a, k, e, and j were chosen because they are the only pure Old Latin mss.[1] k and e were also chosen because they are the chief representatives of the African Old Latin; and a, b, and c were also chosen because they are the chief representatives of the European Old Latin.[2]

The following abbreviations are used where a ms. cannot be cited: vac. = vacant / lacuna; illeg. = illegible, hom. = omission due to homoeoarcton or homoeoteleuton; and trans. = inability to determine which Greek variant is supported by the Latin translation.

Selection of units of variation

A unit of variation is a place in the NT text where the witnesses differ, a place where there are two or more individual variant readings.[3] Not every place of variation, however, is useful for the study of textual relationships. Only those where there is a significant division of the witnesses reveal anything about textual relationships. It is very difficult to define significant division. In the present study only those units are included where at least one Greek ms. on the select list supports and at least two Greek mss. or, in the Gospels, at least one

---

[1] Bruce M. Metzger, *The Early Versions of the New Testament* (Oxford: Clarendon Press, 1977), 294.

[2] Ibid., 327; cf. Kenyon-Adams, *Text*, 156; and K. and B. Aland, *Text*, 185.

[3] E. C. Colwell and E. W. Tune, "Variant Readings: Classification and Use," *JBL* 83 (1964): 253-6.

Greek and one Latin ms. on the select list oppose Gregory's reading. Where the Latin cannot be cited, an exception is made, however, in the case of Codex Bezae (D) in Matthew, Luke, and John, because in such instances it is the only Western witness employed in the study. The same is true with Codex Claromontanus (D) in the Pauline Epistles in rare instances where both F and G are not extant.[1]

Another type of unit of variation which is excluded is one which contains only itacistic or spelling variation—unless it changes the inflected form of the word. Also units where Gregory's text is uncertain (e. g. most words in parentheses and all in brackets in the reconstructed NT text) and where he has two or more readings are omitted.

The first reading in the third apparatus is that of Gregory, and Gregory himself ('Greg') is listed as the first witness supporting that reading. If the mss. and versions of Gregory's works differ, the first reading is designated 'Greg[ed]' to indicate that it is the reading accepted as original by the editor of the edition of Gregory's works and by this study. The other(s) is (are) then designated 'Greg[ms]', "Greg[mss]', or 'Greg[vers]'.

'Greg' or 'Greg[ed]' is followed by a letter in braces which indicates the degree of confidence one may have that the reading is indeed what stood in Gregory's NT ms. or mss. As in the United Bible Societies' *Greek New Testament*, {A} indicates a large amount of confidence, {B} some degree of doubt, and {C} a considerable degree of

---

[1] There is no instance where F, which is not employed in this study, is extant and G and D are not.

doubt. There is no {D} designation in apparatus III. It could appropri-
ately designate those instances where Gregory appears to attest two dif-
ferent readings, but these are not included in the apparatus. The follow-
ing have been taken into consideration in determining the ratings: the
number of times Gregory cites the passage the same way, whether there
are variations in the mss. of Gregory's work, whether the reading is that
of the text-type to which Gregory is most closely related (i. e. the
Byzantine type as this study will show), the amount and source of the
other attestation of the reading (even if that attestation is Byzantine),
the presence or absence of a citation formula, the length of the quota-
tion in which the reading is found, whether the reading is in accord with
Gregory's habits of quotation, and the nature of the variant itself.[1]

Where two or more verses are involved, the verse number of
the first is not indicated in the reconstructed quotation or in apparatuses
I, II, or III. That of the subsequent verse or subsequent verses is always
indicated in parentheses.

Determination of Textual Relationships

Following the reconstructed quotations and the three apparatus-
es in Matthew, Luke, John, and the Pauline Epistles only, an attempt
is made to determine the textual relationships of Gregory's quotations.
Two methods are employed. The first is quantitative analysis which
has become the most widely used method. This is done both in terms

---

[1]Much of what is in this paragraph was suggested to the writer by
Gordon Fee in the typescript of a forthcoming article entitled "The Use of
Greek Patristic Citations in New Testament Textual Criticism: the State of
the Question."

of Gregory's percentage of agreement with individual witnesses and his average agreement with representatives of the text-types and families which have been identified by various scholars. No attempt is made to justify these groups. That is beyond the scope of the study.

Second, the method pioneered by Gordon Fee has been employed with minor modifications.[1] It involves collation of a father's quotations against both the majority text[2] and a critical text, more specifically the Bible Societies' text (above). The latter is an approximation of the Alexandrian text.[3] In those instances where the majority text differs from the Bible Societies' text, an indication is given of the number and percentage of Gregory's agreement with each as well as the number of times he supports a third variant. Notation is made of those witnesses which join him in supporting a third variant. Then in those instances where the majority and critical texts agree and where Gregory supports a second variant, notation is made of the number of agreements of the various witnesses with him. The method used by the Alands appears to be similar to that of Fee, although they do not explain it in detail.[4] It should be noted that neither method takes into consideration the Western or Caesarean texts. The Alands do recognize a D text in the Gospels and Acts only, which, however, they distin-

---

[1] Gordon D. Fee, "The Text of John and Mark in the Writings of Chrysostom," *NTS* 26 (1979-80): 525-47.

[2] Fee used the *Textus Receptus* but eliminated the variants where it differed from the majority text. The present study simply employs the majority text as edited by Hodges and Farstad (above).

[3] If one wanted to use a text even nearer to the Alexandrian type, that of Westcott and Hort would be the obvious choice.

[4] K. and B. Aland, *Text*, 106-107.

guish from what others call the Western text.[1] How they isolated it us-
ing their method they do not say.

Something also needs to be said about other methods which
recently have been employed but which are not in the present study.
One is the Claremont Profile Method. Thus far in a published work it
has been employed only for three chapters in Luke,[2] and for this reason
alone it cannot be used in the present study. Furthermore it is intended
primarily to classify Byzantine mss. Gregory does not quote enough of
the NT to enable it to give clear results. Another is the Comprehensive
Profile Method of B. D. Ehrman.[3] This method compares a father or
any textual witness with variant readings which are supported *mainly*
by the members of one text-type (primary readings) and with those sup-
ported *only* by the members of one text-type. The latter are divided into
readings supported by *most* of the members of the group (distinctive
readings) and those supported by only a *few* members of the group
(exclusive readings). This method could possibly be used in the present
study. In fact a simplified version of it was used in the 1979,
dissertation version of the study. It is not used, however, because of
the significant number of units of variation in the Gospels where the
Old Latin cannot be cited and D is the only Western witness and be-
cause only two Western witnesses (D and G) are used in the Pauline

---

[1]Ibid., 50-52, 54-55, 68-69, 106, 109-110.

[2]Frederick Wisse, *The Profile Method for Classifying and
Evaluating Manuscript Evidence*, vol. 44 of Studies and Documents (Grand
Rapids: Eerdmans, 1982).

[3]Bart D. Ehrman, *Didymus the Blind and the Text of the Gospels*,
no. 1 of The New Testament in the Greek Fathers (Atlanta: Scholars Press,
1986) and "The Use of Group Profiles for the Classification of New
Testament Documentary Evidence," *JBL* 106 (1987): 465-86.

Epistles. There is also the problem of whether the reading of $\mathfrak{M}$ would always be the profile reading even if a majority of the individual Byzantine witnesses which are actually employed in the study support another reading.

Gregory's Habits of Quotation

A Greek ms. can be used with greater confidence in reconstructing the original text of the NT if one knows the habits of its scribe: whether he was especially prone to haplography or dittography, to substitution, to transposition, etc. The same is true of a father. Furthermore knowing the quotation habits of a father has a bearing upon the confidence one can have that the reading which has come down in the mss. of the father's works is in fact what stood in his NT.

For these reasons Gregory's quotations from Matthew and Romans were studied thoroughly. In apparatus I there are 114 individual quotations of Matthew and 84 of Romans, a sufficient sample upon which to base conclusions. The first observation is that 98 or 86% of those from Matthew and 63 or 75% of those from Romans have citation formulas. This is an indication that Gregory was conscious that he was quoting and that he wanted his readers to know that he was doing so.

A second observation—and perhaps the most important one of all—is that Gregory usually quotes accurately. Of the 114 quotations of Matthew, 53 or 46% are exact, and of the 84 of Romans, 45 or 54%

are exact.[1] If one ignores variations in initial conjunctions etc. (below), the numbers and percentages rise to 65 and 57% and 57 and 68% respectively.

Third, the one exception to the preceding is that Gregory makes no effort to reproduce introductory and transition words such as conjunctions and particles. γάρ, δέ, καί, ἀλλά, οὖν, etc. are frequently omitted (e. g. *C. Eun.* 3.2.26 / Matt. 1:20), added (e. g. *Mihi fecistis* / Matt. 5:7), or substituted for one another (e. g. *Tres dei* / Matt. 9:4). Sometimes the word is reproduced (e. g. *Eccl.* 7 / Matt. 16:26), but one gets the impression that such instances are as often by chance as intent. It is true, however, that at least some of the changes are due not to carelessness or forgetfulness but to adaptation to context (e. g. *Cant.* 10 / Matt. 25:35 where it would have been inappropriate to retain γάρ after the ὅτι which is used to introduce the quotation). Therefore it is unsafe to cite Gregory for a variant reading involving an introductory or transition word.

Fourth, although it is possible to find virtually every kind of variation among Gregory's quotations, there does not appear to be any particular tendency, i. e. undue frequency of one kind or several kinds of variation. Probably the most frequent is substitution of a synonym (e. g. of ἀπάθεια for εἰρήνη and μακαριότης for χαρά in *Hom. opif.* 19.9.95 / Rom. 14:17). Omission is more common than addition, and sometimes the omission appears to be the result of a deliberate attempt

---

[1]By 'exact' is meant that the quotation conforms to a text attested by at least two Greek mss. or by at least one Greek ms. and one version or father and therefore is included in the reconstructed quotation in the present study.

to abbreviate the quotation or merely to refer to it (e. g. *Or. Dom.* 4 / Matt. 6:33). There are several omissions of pronouns (e. g. *Or. Dom.* 3 / Matt. 5:16). The only other kind of variation of moderate frequency is change of word order (e. g. *C. Eun.* 2.223 / Rom. 1:20; in *V. Moy.* 2 / Rom. 1:26-28 there is a change of verse order).

CHAPT. I

GREGORY'S TEXT OF MATTHEW

Quotations and Apparatuses

Constant Witnesses in Apparatus III: ℵ A B C D E K L S U V W Θ Π Σ Φ Ω 1 13 28 33 157 544 565 700 892 1241 1424 1604 𝔐 UBS a b c e k

(1:20) τὸ [γὰρ] ἐν αὐτῇ γεννηθὲν ἐκ πνεύματος ἁγίου (ἐστίν).

I. ADAPT. το εν . . . πνευματος αγιου ην (*C. Eun.* 3.2.26; II, 60, 24-25. VR: ην om. ms.).

II. There is no evidence for the omission of γαρ or for ην instead of εστιν. ην is an adaptation to the context. Although the word order αγιου εστιν is supported by D L and a few other witnesses not employed in this study, it is not treated below because of uncertainties about the effect of Gregory's substitution of ην upon the word order.

III-1. γεννηθεν Greg {B} *et rel.*] γενηθεν K Ω (A Φ 13 e vac.).

(2:20) τεθνήκασι [γὰρ] οἱ ζητοῦντες τὴν ψυχὴν τοῦ παιδίου.

I. CIT. ο αγγελος . . . τω Ιωσηφ . . . φησιν οτι τεθνηκασιν οι . . . (*Ref. Eun.* 176; II, 386, 15-17).

II. There is no evidence for the omission of γαρ.

(5:4) μακάριοι οἱ πενθοῦντες, ὅτι αὐτοὶ παρακλη- θήσονται.

I. CIT. ο λογος τη ευαγγελικη . . . οτι μακαριοι . . . (*Eccl.* 6; V, 385, 21—386, 2).

III-2. πενθουντες Greg {A} *et rel.*] + νυν 33 892 (A L Φ e vac.).

(5:7) μακάριοι οἱ ἐλεήμονες, ὅτι αὐτοὶ ἐλεηθή-
σονται.

I. CIT. ταυτα βουλεται . . . ο κυριος . . . μακαριοι οι ελεη-
μονες   (*C. Eun.* 1.501; I, 171, 5-8); CIT. μακαριοι γαρ οι . . .
(*Mihi fecistis*; IX, 123, 29).

(5:8) μακάριοι οἱ καθαροὶ τῇ καρδίᾳ ὅτι αὐτοὶ τὸν
θεὸν ὄψονται.

I. ALLUS. αξιουνται δε μονοι οι καθαροι τη καρδια, οι δια
τουτο οντως μακαριοι και οντες και ονομαζομενοι, οτι αυτοι
τον θεον οψονται   (*Virg.* 23; VIII, i, 343, 10-12).

II. The first clause is virtually without variation in the Matthean wit-
nesses.

(5:14) ὑμεῖς ἐστε τὸ φῶς τοῦ κόσμου.   οὐ δύναται
πόλις κρυβῆναι ἐπάνω ὄρους κειμένη.

I. CIT. φησιν οτι υμεις . . . κοσμου   (*Cant.* 13; VI, 385, 7);
CIT. υμεις . . . κοσμου, φησι προς τους αποστολους ο κυριος
(*V. Moy.* 2; VII, i, 95, 20-21); CIT. υμεις . . . κοσμου   (*Steph.*
2; X, i, 101, 28); CIT. το παρα του κυριου λεγομενον οτι ου
δυναται . . .   (*Cant.* 7; VI, 238, 10-11. VR: επανω ορους
κειμενη κρυβηναι   ms.).

(5:16) [οὕτω] λαμψάτω τὸ φῶς ὑμῶν ἔμπροσθεν τῶν
ἀνθρώπων, ὅπως ἴδωσιν [ὑμῶν] τὰ καλὰ ἔργα καὶ
δοξάσωσι τὸν πατέρα [ὑμῶν] τὸν ἐν τοῖς οὐρανοῖς.

I. CIT. ειποντες . . . λαμψατο . . . ανθρωπων   (*Cant.* 13; VI,
385, 20-21. VR: υμων   om. mss.); ADAPT. φησιν . . . οπως
ιδωσιν οι ανθρωποι τα . . . πατερα τον . . .   (*Or. Dom.* 3;
Krabinger 54, 6-9); ALLUS. λαμψατω τα εργα υμων . . . αν-
θρωπων   (*Steph.* 2; X, i, 101, 28-29).

II. The addition of οι ανθρωποι in *Or. Dom.* is an unattested adaptation
necessitated by the omission of the first part of the verse.   The
omissions of ουτω(ς) and υμων[3] are unattested, and only 346 omits
υμων[2]. τα εργα instead of το φως in *Steph.* 2 is found elsewhere
only in Clem[pt]., although καλα εργα is found in Just Or Tert and τα
αγαθα . . . εργα in Clem[pt].

III-3. δοξασωσι(ν) Greg {B} *et rel.*] δοξασουσιν 157 1424 (A C L Φ e vac., a b c k trans.).

(5:17) [μὴ νομίσητε ὅτι] (ἦλθον) καταλῦσαι τὸν νόμον (ἢ) τοὺς προφήτας· οὐκ ἦλθον καταλῦσαι ἀλλὰ πληρῶσαι.

I. ADAPT. ου γαρ ηλθε καταλυσαι τον νομον και τους προφητας, αλλα πληρωσαι (*Steph.* 2; X, i, 101, 23-24); ADAPT. καθως εν τω ευαγγελιω φησιν οτι ουκ ηλθον καταλυσαι τον νομον αλλα πληρωσαι (*Cant.* 13; VI, 371, 13-14); ADAPT. ο ειπων ουκ ηλθον καταλυσαι τον νομον αλλα πληρωσαι (*Steph.* 1; X, i, 83, 3. VR: τον νομον om. mss.; τον νομον αλλα πληρωσαι om. ms.).

II. και instead of η in *Steph.* 2 is attested by sin cur eth Aphr. The unattested addition of τον νομον in *Cant.* and *Steph.* 1 is a necessary adaptation due to failure to cite the first part of the verse.

(5:33-37) [πάλιν] ἠκούσατε ὅτι ἐρρέθη τοῖς ἀρ-χαίοις· οὐκ ἐπιορκήσεις, ἀποδώσεις δὲ κυρίῳ τοὺς ὅρκους σου. (34) ἐγὼ δὲ λέγω (ὑμῖν) μὴ ὁμόσαι ὅλως· μήτε ἐν τῷ οὐρανῷ, ὅτι θρόνος ἐστὶ τοῦ θεοῦ, (35) . . . μήτε (εἰς Ἱεροσύλυμα), ὅτι πόλις ἐστὶ τοῦ μεγάλου βασιλέως, (36) μήτε ἐν τῇ κεφαλῇ σου ὁμόσῃς, ὅτι οὐ δύνασαι ποιῆσαι [μίαν] τρίχα λευκὴν ἢ μέλαιναν. (37) ἔστω δὲ (ὁ λόγος ὑμῶν) τὸ ναὶ ναὶ καὶ τὸ οὗ οὔ· τὸ δὲ περισσὸν τούτων ἐκ τοῦ (πονηροῦ) ἐστιν.

I. CIT. διο φησιν ηκουσατε . . . (34) . . . λεγω σοι, φησι, μη . . . (35) μητε εν Ιεροσολυμοις, οτι πολις . . . (37) εστω δε υμων ο λογος το . . . του διαβολου εστιν (*Cant.* 13; VI, 371, 19—372, 8. VR: οτι] τι ms.; τω κυριω mss.; (34) σοι om. mss.; ο θρονος mss.; θεου μητε εν τη γη οτι υπο-ποδιον εστι των ποδων αυτου mss. and vers.; (35) Ιερουσαλημ mss.; (36) ομοσεις mss., om. ms.; δυναται ms.; μιαν τριχα ms. and vers.; τριχαν ms.; μελαινα ms.; (37) εστω] εσται mss.; ο λογος υμων ms.; περισσοτερον mss.; διαβολου] πονηρου vers.); CIT. ο ευαγγελικος νομος λεγων (37) εστω δε υμων ο λογος το ναι ου (*Cant.* 13; VI, 374, 6-7. VR: ο λογος om. mss.; το] του ms.).

II. The omission of παλιν is supported by vg^ms sin sa Aug Ir Or. (34) There is no other evidence for the substitution of σοι for υμιν.

(35) The only other evidence for εν Ιεροσολυμοις is "in hierosolima" in (d) k. The change is stylistic. (36) The only other evidence for the omission of μιαν is Clem. (37) Only 1424 supports Gregory twice in the word order υμων ο λογος. το ναι ου on p. 374 of *Cant.* 13 is unattested. There is no other evidence for διαβολου.

III-4. κυριω   Greg^{ed} {C} L 1 544 1604] pr. τω   Greg^{mss} *et rel.* (A C Φ e vac., a b c k trans.).

-5. (36) ποιησαι τριχα μιαν λευκην η μελαιναν   (Greg^{ed} {C} om. μιαν) D (1 μιαν τριχα) k] μιαν ⟨τριχα⟩ λευκην ποιησαι η μελαιναν   ℵ B (L om. η) W Θ 33 UBS a b c; μιαν τριχα ποιησαι λευκην η μελαιναν   13 700; μιαν ⟨τριχα⟩ λευκην η μελαιναν ποιησαι   *rel.* (A C Φ e vac.).

-6. τριχα Greg^{ed} {C} *et rel.*] τριχαν Greg^{ms} ℵ* E L W Θ Σ 13 157 (A C Φ e vac., a b c k trans.).

-7. (37) εστω Greg^{ed} {C} *et rel.*] εσται Greg^{mss} B Σ 544 700 (A C Φ e vac.).

-8. το ναι ναι και το ου ου   Greg {C} Θ; ναι ναι και ου ου L; ναι ναι ου ου   *rel.* (A C Φ e vac., b trans.).

(5:42) **καὶ τὸν θέλοντα δανείσασθαι μὴ ἀποστραφῇς.**

I. CIT. και . . .   (*Usur.*; IX. 196. 20).

III-9. τον θελοντα Greg {B} *et rel.*] τω θελοντι D 565 700 (A C Φ e vac., a b c k trans.).

-10. θελοντα Greg {C} D k; + απο σου *rel.* (A C Φ e vac.).

(5:43) **ἀγαπήσεις τὸν πλησίον σου καὶ μισήσεις τὸν ἐχθρόν σου.**

I. CIT. ο . . . φησιν αγαπησεις . . .   (*Ep.* 3.7; VIII, ii, 21, 25-26); CIT. φησι ο νομος, οτι μισησεις . . .   (*Eccl.* 8; V, 425, 9-10).

(5:44-45) **καλῶς ποιεῖτε τοῖς μισοῦσιν ὑμᾶς, προσεύχεσθε ὑπὲρ τῶν ἐπηρεαζόντων ὑμᾶς καὶ διωκόντων, (45) ὅπως γένησθε υἱοὶ τοῦ πατρὸς ὑμῶν τοῦ ἐν οὐρανοῖς, ὅτι τὸν ἥλιον αὐτοῦ ἀνα-**

γέλλει ἐπὶ πονηροὺς καὶ ἀγαθοὺς καὶ βρέχει ἐπὶ
ϳικαίους καὶ ἀδίκους.

I. CIT. ο κυριος εν ευαγγελιοις . . . καλως . . . (*Lum.*; IX,
239, 11-17. VR: υμας¹] ημας ms.; και διωκοντων om. ms.;
διωκοντων υμας mss.; (45) ημων ms., μου ms.).

II. Verse 44 is paralleled closely in Luke 6:27-28, but v.45 has only a
remote parallel further on in Luke, i.e., in 6:35. As a result it is likely
that Gregory quotes the whole from Matthew despite the statement εν
ευαγγελιοις.

III-11. καλως ποιειτε τοις μισουσιν υμας (και) προσευχεσθε
υπερ των επηρεαζοντων (υμας) και διωκοντων (υμας) Greg {A}
et rel.] και προσευχεσθε υπερ των διωκοντων υμας ℵ B 1 UBS
k; και προσευχεσθε υπερ των διωκοντων και επηρεαζοντων
υμας a b (A C V Φ e vac.).

-12. προσευχεσθε Greg {C} W 28] pr. και *rel.* (A C V Φ e
vac.).

-13. υμας² Greg {A} *et rel.*] om. D (a b) (A C V Φ e vac., ℵ B 1
UBS k see # 11).

-14. διωκοντων Greg {C} 33] + ημας Θ*; + υμας *rel.* (A C
V Φ e vac.).

-15. (45) οπως Greg {B} *et rel.*] + αν Θ Σ (A C V Φ e vac., a
b c k trans.).

-16. ουρανοις Greg {B} ℵ B D E L W Σ Ω 1 28 157 892 UBS] pr.
τοις *rel.* (A C V Φ e vac., a b c k trans.).

(5:48) γίνεσθε [οὖν ὑμεῖς] τέλειοι ὡς 'καὶ / om.' ὁ
πατὴρ ὑμῶν ὁ οὐράνιος τέλειός ἐστιν.

I. CIT. της εντολης του κυριου η φησι, γινεσθε τελειοι ως ο
πατηρ . . . (*V. Moy.* 1; VII, i, 4, 21-23); CIT. ειπειν οτι γιν-
εσθε τελειοι ως και ο πατηρ . . . (*Prof. Chr.*; VIII, i, 138, 1-2.
VR: και om. ms.); CIT. λεγων γινεσθε τελειοι ως και ο
πατηρ . . . (*Or. Dom.* 2; Krabinger 42, 5-6).

II. There is no evidence for the omission of ουν υμεις in all three
quotations. The omission of και is supported by 16 243 346 470 482

543 1241 aur c ff[1] 1 m vg Bas[pt] Chr Or, and therefore the safest conclusion is that Gregory knew both readings.

III-17. γινεσθε   Greg {B} 157 a b c] εσεσθε   rel. (A C V Φ e vac.).

-18. ως   Greg {C} et rel.] ωσπερ   D K S U W Θ Π Ω 28 157 565 1604 𝔐   (A C V Φ e vac., a b c k trans.).

-19. ουρανιος   Greg {B} et rel.] εν τοις ουρανοις   (D* om. τοις) K S Θ Π Ω 565 700 𝔐 b c k   (A C V Φ e vac.).

(6:7) . . . ὥσπερ οἱ ἐθνικοί . . . .

I.   CIT. ειπων, ωσπερ . . .   (Or. Dom. 1; Krabinger 26, 1).

III-20.   εθνικοι   Greg {A} et rel.]   υποκριται   B 1424   (A C V 33 e vac.).

(6:12) καὶ ἄφες ἡμῖν τὰ ὀφειλήματα ἡμῶν, ὡς καὶ ἡμεῖς ἀφήκαμεν τοῖς ὀφειλέταις ἡμῶν.

I.   CIT. και . . . ημων, καθως και . . .   (Usur.; IX, 201, 16-17. VR: αφιεμεν   ms.); CIT. εδιδαξεν ο σωτηρ, αφες . . . (Usur.; IX, 203, 13-14. VR: αφιεμεν   ms.); CIT. καλως κεχρη-μεθα ταις τοιαυταις φωναις, οτι αφες . . .   (Or. Dom. 5; Krabinger 102, 30-32).

II.   καθως instead of ως in Usur., p. 201, is without other support.

III-21. αφηκαμεν   Greg[ed] {C} ℵ* B 1 UBS] αφιεμεν   Greg[mss] et rel.; αφιομεν   D E (L αφιωμεν) W Θ Σ (157 αφιοιμεν) 565 (A C V 33 e vac., a b c k trans.).

(6:14) ἐὰν ἀφῆτε τοῖς ἀνθρώποις τὰ παραπτώματα αὐτῶν, ἀφήσει καὶ ὑμῖν ὁ πατὴρ ὁ οὐράνιος (τὰ παραπτώματα) ὑμῶν.

I.   CIT. φησιν οτι εαν . . . ο ουρανιος τας αμαρτιας υμων (Inscript. Pss. 2.3; V, 76, 25-27. VR: αφητε] αφηται mss.).

II.   γαρ after εαν is omitted by D* L 59 118[c] 399 482 566 713 788 pesh(1 ms.) geo and therefore in the reconstructed text. Because of Gregory's carelessness in reproducing introductory and transition words, however, it is best not to treat the unit in apparatus III. υμων after πατηρ is omitted by 251 346 470 1229 and therefore also in the reconstruction. There is no evidence for Gregory's τας αμαρτιας, but it shows that he knew the addition of τα παραπτωματα υμων but substituted a synonym. The degree of confidence is sufficient to include the unit of variation in the third apparatus below even though the reading must be placed in parentheses above.

III-22. και υμιν   Greg {A} *et rel.*] υμιν και   D b c k; και   28; υμιν   a (A C e vac.).

-23. ουρανιος   Greg {A} *et rel.*] εν τοις ουρανοις   Θ 700 a b c k (A C e vac.).

-24. τα παραπτωματα υμων   (Greg {C} τας αμαρτιας) L 13 1604 c] om. *rel.* (A C e vac.).

(6:19-20) μὴ θησαυρίζετε [ὑμῖν] θησαυροὺς ἐπὶ τῆς γῆς . . . (20) θησαυρίζετε [ὑμῖν] θησαυροὺς ἐν οὐρανοῖς, ὅπου οὔτε σὴς οὔτε βρῶσις ἀφανίζει [καὶ] (ὅπου κλέπται οὐ διορύσσουσιν) καὶ κλέπτουσιν.

I. CIT. μη θησαυριζετε γαρ φησι θησαυρους . . . γης· (20) αλλα θησαυριζετε θησαυρους . . . αφανιζει ουτε κλεπται διορυσσουσι και . . . (*Prof. Chr.*; VIII, i, 140, 14-17. VR: θησαυρισητε ms.; (20) αφανιζουσι ms.; διορυσσουσιν ουτε mss.).

II. There is no evidence for the omission of υμιν. (20) δε after θησαυριζετε is omitted with Γ 482 g² sa (αλλα is substituted for δε in cur pesh geo¹ Or). There is no evidence for the omission of υμιν. ουρανοις is found elsewhere only in 243 1342 Or. και¹ has unanimous support. There is no evidence for Gregory's ουτε κλεπται διορυσσουσι.

III-25. (20) και κλεπτουσιν   Greg {C} ℵ 1 a b] ουτε κλεπτουσιν 700; ουδε κλεπτουσιν *rel.*; om. W k (A C D e vac.).

(6:21) ὅπου γάρ ἐστιν ὁ θησαυρὸς [ὑμῶν], ἐκεῖ (ἔσται) καὶ ἡ καρδία [ὑμῶν].

I. CIT. οπου . . . θησαυρος, εκει εστι και η καρδια   (*Or. Dom.* 2; Krabinger 44, 9-10).

II. There is no evidence for the omission of the pronouns, although in both instances ℵ B 1 372 1582 lat cop eth Bas Cyp Eus Tert substitute σου. There is no evidence for the substitution of εστι for εσται.

(6:33) (ζητεῖτε) [δὲ πρῶτον] τὴν βασιλείαν [τοῦ θεοῦ] καὶ τὴν δικαιοσύνην [αὐτοῦ], καὶ ταῦτα πάντα προστεθήσεται ὑμῖν.

I. ALLUS. αιτειτε, φησι, την βασιλειαν και την δικαιοσυνην, και . . . (Or. Dom. 4; Krabinger 90, 25-27).

II. There is no evidence for αιτειτε, and it may have been unconsciously lifted from 7:1. δε is omitted only by k arm and several of the Fathers. Even though the omission of πρωτον is supported by 61 b Chr Just and the omission of του θεου by ℵ B k 1, both are restored above and the latter not treated below because the first sentence is a mere allusion. αυτου is read by all the witnesses except Clem^Pt, 119 245 482 l^184 l^187 Geo^B (Just) which also omit και την δικαιοσυνην, and k Cyp which substitute του θεου.

(6:34) ἀρκετὸν τῇ ἡμέρᾳ ἡ κακία αὐτῆς.

I. ALLUS. αρκετον . . . αυτης, κακιαν την κακοπαθειαν λεγων (Or. Dom. 4; Krabinger 88, 12-13).

II. Ω 157 440 655 1093 f h Clem Chr add γαρ after αρκετον, but because of his carelessness with transitional words it is not safe to cite Gregory for the omission.

(7:13) εἰσέλθετε διὰ τῆς στενῆς πύλης.

I. CIT. εισελθετε γαρ, φησι, δια της στενης και τεθλιμμενης πυλης (Mihi fecistis; IX, 125, 21-22. VR: πυλης om. mss).

II. There is no evidence for γαρ, although 174 l^47 insert δε. Nor is there any support for και τεθλιμμενης which is an assimilation to v. 14.

III-26. εισελθετε Greg {B} et rel.] εισελθατε ℵ B C L W Θ Σ Φ 13 157 UBS (A D e vac., a b c k trans.).

(7:14) [τί] στενὴ καὶ τεθλιμμένη ἡ ὁδὸς ἡ ἀπάγουσα εἰς τὴν ζωήν.

I. CIT. στενη γαρ και τεθλιμμενη, φησιν, η οδος . . . (*Mihi fecistis;* IX, 125, 12-13).

II. It is much more likely that Gregory knew τι with *rel.* than οτι with ℵ* (B* οτι δε) X^c 157 700^c 1010 1071 1546^vid lect^pt sa bo arm geo Gaud Naas Or or και with 209 Chr Or. Only 2148 omits. In addition to those indicated below η πυλη is omitted by 113 182* 482 a k m and about a dozen Fathers.

III-27. στενη   Greg {C} 544 a k] + η πυλη *rel.* (A D 33 e vac.).

(7:15-16) (προσέχετε) ἀπὸ τῶν ψευδοπροφητῶν, οἵτινες ἔρχονται πρὸς ὑμᾶς ἐν ἐνδύμασι προβάτων, ἔσωθεν δέ εἰσι λύκοι ἅρπαγες. (16) ἀπὸ τῶν καρπῶν αὐτῶν ἐπιγνώσεσθε αὐτούς.

I. ADAPT. η του κυριου φωνη κελευουσα προσεχειν απο . . . ερχονται, φησι, προς . . . (*Ant. Apol.*; III, i, 131, 1-5); CIT. φησι γαρ οτι (16) εκ των καρπων . . . (*Ant. Apol.*; III, i, 131, 11-12).

II. There is no evidence for the adaptation προσεχειν. In the reconstruction δε before απο is omitted with ℵ B Ω 565 1424 others, but it is not treated in apparatus III because it is the kind of transition word about which Gregory is indifferent. (16) Only c k Just have the εκ των καρπων in line 11, and it is therefore unlikely that Gregory had mss. with both readings.

(7:17) [οὕτω] πᾶν δένδρον (ἀγαθὸν) καρποὺς καλοὺς ποιεῖ.

I. ALLUS. παν δενδρον καλον καρπους . . . (*Eccl.* 2; V, 301, 12-13).

II. ουτω(ς) is omitted only by cur. There is no evidence for καλον.

III-28. καρπους καλους ποιει   Greg {A} *et rel.*] καρπους αγαθους ποιει   700; καρπους ποιει καλους   B; καλους καρπους ποιει a b (k)   (A D e vac.).

(7:18) οὐ δύναται δένδρον (ἀγαθὸν) καρποὺς πο-νηροὺς ποιεῖν οὐδὲ δένδρον σαπρὸν καρποὺς (κα-λοὺς) ποιεῖν.

I. CIT. καθὼς φησι που ο κυριος· ου . . . δενδρον καλον
καρπους . . . καρπους αγαθους ποιειν (*Ant. Apol.*; III, i. 179,
27-29); ALLUS. οντως εκ του καρπου το δενδρον επιγινωσ-
κομεν· ου δυναται δενδρον σαπρον καρπους ποιησαι (*Mart.*
1b; X, i, 154, 28—155, 2. VR: ποιησαι καλους ms.).

II. There is no evidence for the reversal of the adjectives meaning 'good'
in *Ant. Apol.*, and it would seem that Gregory's memory slipped.
There is perhaps an allusion to v. 16 in the first part of the quotation
from *Mart.*, but it is too remote to use.

III-29. ποιειν . . . ποιειν Greg {A} *et rel.*] ενεγκειν . . .
ποιειν B; ποιειν . . . ενεγκειν ℵ* (A D 28 e vac.).

(7:23) ὅτι οὐδέποτε ἔγνων ὑμᾶς.

I. CIT. λεγει ο τα παντα ειδως οτι ουδεποτε . . . (*Hom.
opif.* 21.1.97; Forbes 226, 10-12).

(7:25) κατέβη ἡ βροχὴ (καὶ ἦλθον οἱ ποταμοὶ καὶ
ἔπνευσαν οἱ ἄνεμοι).

I. CIT. εν τω ευαγγελιω ο κυριος λεγων . . . κατεβη η βροχη
και επνευσαν οι ανεμοι και ηλθον οι ποταμοι (*Cant.* 4; VI,
109, 17-20. VR: και . . . ανεμοι om. ms.; διεπνευσαν ms.;
ηλθον οι ποταμοι om. mss.).

II. Only b c g¹ q (pal) reverse the clauses as does Gregory.

(8:26) τί δειλοί ἐστε, ὀλιγόπιστοι;

I. CIT. φησι . . . τι . . . (*Ref. Eun.* 230; II, 409, 16-17).

(9:4) (καὶ) ἰδὼν ὁ Ἰησοῦς τὰς ἐνθυμήσεις αὐτῶν
. . . .

I. CIT. ιδων γαρ, φησιν, ο . . . (*Tres dei;* III, i, 45, 9-10. VR:
Ιησους] θεος excerptor).

II. It is more likely that Gregory's NT had και than δε, the latter of
which has the support of N Σ Θ 71 240 244 1194 a h m sa eth arm.
There is no evidence for γαρ; it is an adaptation to context.

III-30. ιδων   Greg {B} *et rel.*] ειδως   B (Θ) Π^{txt} 1 (157 ιδως) 565 700 1424 1604   (A 28 1241 e vac.).

(10:16) γίνεσθε (οὖν) φρόνιμοι ὡς οἱ ὄφεις καὶ ἀκέραιοι ὡς αἱ περιστεραί.

I. CIT. γινεσθε γαρ, φησι, φρονιμοι . . .   (*Virg.* 17; VIII, i, 315, 19-20).

II. ουν is omitted only by f ff¹ k geo¹ Hil. There is no evidence for γαρ.

III-31. ως οι οφεις   Greg {A} *et rel.*] ωσει οφεις   L 700; ωσει οι οφεις   157*; ως ο οφις   ℵ* (A 1241 e vac., a b c k trans.).

(10:36) ἐχθροὶ τοῦ ἀνθρώπου οἱ οἰκιακοὶ αὐτοῦ.

I. CIT. περι ων φησιν ο κυριος, οτι εχθροι . . .   (*Eccl.* 8; V, 431, 7-8. VR: οι εχθροι   mss.; τω ανθρωπω   ms^{cor.}; οικειακοι mss., οικειοι   ms.; αυτοι   ms.).

(10:39) ὁ εὑρὼν τὴν ψυχὴν αὐτοῦ ἀπολέσει αὐτήν, καὶ ὁ ἀπολέσας τὴν ψυχὴν αὐτοῦ ἕνεκεν ἐμοῦ εὑρήσει αὐτήν.

I. CIT. ταυτα παρα της του κυριου φωνης μεμαθηκαμεν· ο ευρων . . .   (*Eccl.* 7; V, 403, 9-11. VR: αὐτοῦ^{twice}] αὐτοῦ mss.).

(11:10) οὗτός ἐστι περὶ οὗ γέγραπται· ἰδοὺ ἐγὼ ἀποστέλλω τὸν ἄγγελόν μου πρὸ προσώπου σου.

I. CIT. λεγει γαρ περι εκεινου ο λογος, ουτος . . .   (*C. Eun.* 3.9.29; II, 274, 19-21).

II. γαρ after ουτος is omitted with ℵ B D Z 892 b g¹ k sin cur bo^{mss} eth Or. It is not safe, however, to treat in apparatus III variants involving introductory conjunctions.

(11:17) ηὐλήσαμεν ὑμῖν καὶ οὐκ ὠρχήσασθε, ἐθρηνήσαμεν καὶ οὐκ ἐκόψασθε.

I. CIT. εν οις φησιν, ηυλησαμεν . . .   (*Eccl.* 6; V, 388, 20-21.
VR: ηυλισαμεν   ms.; ορχησασθε   mss.; εθρηνησαμεν υμιν
mss.).

II. The use of εκοψασθε rather than εκλαυσατε would seem to indicate
that Gregory is quoting Matthew rather than Luke 7:32. (*f* [13],
however, has εκοψασθε there.)

III-32. εθρηνησαμεν   Greg {B} ℵ B D 1 892 c k] + υμιν *rel.* (A
1241 e vac.).

   -33. εκοψασθε   Greg {A} *et rel.*] κοψασθαι   Θ; εκλαυσασθαι   W
(A 241 e vac., a b c k trans.).

(11:27) οὐδεὶς (ἐπιγινώσκει) τὸν υἱὸν εἰ μὴ ὁ
πατήρ, (οὐδὲ) τὸν πατέρα (τις) ἐπιγινώσκει εἰ μὴ ὁ
υἱὸς καὶ ᾧ ἂν βούληται ὁ υἱὸς ἀποκαλύψαι.

I. CIT. τον ειποντα . . . και οτι, ουδεις οιδε τον υιον . . .
πατηρ, και οτι και τον πατερα ουδεις επιγινωσκει ει μη ο
υιος   (*Ref. Eun.* 28; II, 322, 26—323, 5. VR: και[2] om. ms.);
CIT. ινα τας υψηλοτερας παρωμεν φωνας, . . . και, ουδεις
οιδε τον υιον . . . πατηρ   (*C. Eun.* 3.6.64; II, 209, 5-8); CIT.
ουδεις γαρ, φησιν, εγνω τον πατερα, ει μη . . .   (*C. Eun.*
1.459; I, 159, 27—160, 2. VR: εαν   ms.).

II. Only ff[1] h Ath Bas Cyr Did[pt] Tert support the substitution of οιδε
in the first two quotations for επιγινωσκει[1]. There is no evidence for
the substitution in the second and third quotations of ουδεις for ουδε
. . . τις. Only it (exc. ff[1] h) vg Antioch Clem Did[pt] Eus Ir Just
Marcus Mcion Or Ps-Clem (Tat) support the substitution in the third
quotation of εγνω for επιγινωσκει[2].

III-34. αν   Greg {C} D 33] εαν *rel.* (A 1241 e vac., a b c k trans.).

   -35. βουληται   Greg {A} *et rel.*] βουληθη   33; βουλεται   (L
βουλετε) W Σ 157 544 1424 (A 1241 e vac., a b c k trans.).

(11:29) ἄρατε τὸν ζυγόν μου ἐφ' ὑμᾶς (καὶ) μάθετε
ἀπ' ἐμοῦ, ὅτι πρᾷός εἰμι καὶ ταπεινὸς τῇ καρδίᾳ.

I. CIT. αρατε, φησι, τον . . . υμας   (*Mihi fecistis*; IX, 122, 7);
CIT. καθως φησιν οτι μαθετε . . .   (*Cant.* 4; VI, 126, 11-12);
CIT. μαθετε γαρ, φησιν, απ . . .   (*Perf.*; VIII, i, 196, 17-18).

II. και is read by all witnesses, γαρ in *Perf.* by none.

III-36. πραος Greg {A} *et rel.*] πραυς ℵ B C* D UBS (A 33 1241 e vac., a b c k trans.).

(12:28) εἰ δὲ ἐγὼ ἐν πνεύματι θεοῦ ἐκβάλλω τὰ δαιμόνια. . . .

I. CIT. ο μονογενης θεος . . . λεγων ει . . . (*Ref. Eun.* 223; II, 406, 14-17); CIT. λεγει γαρ ει . . . (*Tres dei*; III, i, 50, 8-9. VR: λεγει . . . θεου om. ms. vers.; ει δε] ιδε ms.; εν πνευματι θεου om. mss.; εκβαλλει vers.).

II. The use of πνευματι rather than δακτυλω indicates that the quotation is from Matthew rather than Luke 11:20.

III-37. εγω εν πνευματι θεου Greg {B} 157 1424] εγω εν πνευματι θεου εγω 1; εν πνευματι θεου b c k; εν πνευματι θεου εγω *rel.* (A 1241 e vac., 33 hom.).

(12:34-35) ἐκ γὰρ τοῦ περισσεύματος τῆς καρδίας τὸ στόμα λαλεῖ. (35) . . . ἐκ τοῦ πονηροῦ θη- σαυροῦ. . . .

I. CIT. εκ γαρ του περισσευματος, φησι, της . . . λαλει (*C. Eun.* 1.540; I, 182, 27—183, 1); ALLUS. καθως φησι που το ευαγγελιον, αγαθα λαλειν τω πονηρος ειναι, αλλ εκ του περισσευματος της καρδιας φθεγγεσθαι (35) και εκ του πονηρου θησαυρου προχειριζεσθαι (*C. Eun.* 1.77; I, 49, 4-7).

II. The absence of αυτου, which is firm in Luke 6:45, points toward a Matthean quotation.

(12:40) ὥσπερ 'Ιωνᾶς ἦν ἐν τῇ κοιλίᾳ τοῦ κήτους [τρεῖς ἡμέρας καὶ τρεῖς νύκτας], οὕτως ἔσται καὶ ὁ υἱὸς τοῦ ἀνθρώπου ἐν τῇ καρδίᾳ τῆς γῆς [τρεῖς ἡμέρας καὶ τρεῖς νύκτας].

I. CIT. προς τους Φαρισαιους μεν γαρ φησιν οτι ωσπερ . . . κητους, ουτως . . . γης κατα το τριημερον του χρονου διαστημα (*Trid.*; IX, 290, 21—291, 2. VR: ην Ιωνας ms.; μεν ην ms.; και om. mss.).

II. Gregory's omission of γαρ after ωσπερ is supported by 472 565 only. The word order Ιωνας ην is found only in 047 252 892. There is

no evidence for the omission of τρεις . . . νυκτας twice, and
Gregory's reference to το τριημερον του χρονου makes it certain
that he knew the clause.

III-38. ωσπερ   Greg {A} *et rel.*] ωσπερι (for ωσπερει ?) D; om.
565 (A 33 1241 e vac., a b c k trans.).

-39. ην   Greg {A} *et rel.*] εγενετο   Θ 1424; om. D (A 1241 e
vac., a b c k trans.).

-40. και² Greg^{ed} {C} D E L W Σ 544 1424 a b k] om. Greg^{mss}
et rel. (A 33 1241 e vac.).

(12:50) ὃς γὰρ ἂν ποιήσῃ τὸ θέλημα τοῦ πατρός
μου τοῦ ἐν τοῖς οὐρανοῖς, οὗτός (μου ἀδελφὸς) καὶ
ἀδελφὴ καὶ μήτηρ ἐστίν.

I. CIT. ος . . . ποιηση, φησι, το . . . ουτος αδελφος μου και
. . . (*Cant.* 4; VI, 115, 8-10. VR: put ποιηση after μου¹ ms.;
τοις om. mss.; μητηρ μου ms. vers.).

II. Gregory's του πατρος μου rather than του θεου insures that the
passage is Matthean rather than from Mark 3:35. There is no evidence
for the word order αδελφος μου.

III-41. ος   Greg {C} L Σ e k] οστις   *rel.* (A 1241 vac.).

-42. αν   Greg {B} *et rel.*] εαν   13; om. D (A 1241 vac., 565
illeg., a b c e k trans.).

-43. ποιηση   Greg {B} *et rel.*] ποιη   C 700; ποιησει   K L Θ 13
28 544 1424; ποιει   D (A 1241 vac., a b c e k trans.).

-44. τοις   Greg {C} 33] om. *rel.* (A 1241 vac., a b c e trans., k
om. του εν (τοις) ουρανοις).

-45. ουτος   Greg {B} L Σ 28 157 700 1424 1604 k] εκεινος   e;
αυτος   *rel.* (A 1241 vac.).

-46. αδελφος   Greg {A} *et rel.*] pr. και   Θ 13 544 700 1424 b e
(A 1241 vac.).

(13:39) ὁ [δὲ] θερισμὸς συντέλεια τοῦ αἰῶνός ἐστιν.

I. CIT. εκ της του κυριου φωνης, η τουτο φησιν οτι ο θε-
ρισμος . . . (Cant. 5; VI, 155, 21—156, 1. VR: ο om. ms.; η
συντελεια ms.).

II. δε is attested by all witnesses.

III-47. συντελεια   Greg^ed {B} et rel.] pr. η   Greg^ms 28 1424 (A
vac., ℵ hom., a b c e k trans.).

-48. συντελεια (του) αιωνος εστιν   Greg {A} et rel.] εστιν
συντελεια του αιωνος   1424; συντελεια εστιν του αιωνος   Σ;
συντελεια   700 (A vac., ℵ hom.).

-49. του   Greg {A} et rel.] om.   B D Θ 13 33 UBS (A [700 cf. #
48] vac., ℵ hom., a b c e k trans.).

(13:43) τότε οἱ δίκαιοι λάμψουσιν ὡς ὁ ἥλιος.

I. CIT. καθως φησιν εν τω ευαγγελιω ο λογος, οτι τοτε
. . . (Ps. 6; V, 190, 1-2. VR: εκλαμψουσι   mss.) CIT. ειπον-
τος . . . και τοτε . . . (Cant. 13; VI, 385, 20-22. VR: εκλαμ-
ψουσιν mss.).

III-50. λαμψουσιν   Greg^ed {C} D 1424] εκλαμψουσιν   Greg^mss et
rel. (A vac., a b c e k trans.).

(15:13) πᾶσα φυτεία ἣν οὐκ ἐφύτευσεν ὁ πατήρ μου
ὁ οὐράνιος ἐκριζωθήσεται.

I. CIT. πασα γαρ φυτεια . . . (Eccl. 6; V, 382, 8-9).

II. There is no evidence for γαρ after πασα.

(16:26) τί γὰρ ὠφελεῖται ἄνθρωπος ἐὰν τὸν κόσμον
ὅλον κερδήσῃ τὴν δὲ ψυχὴν αὐτοῦ ζημιωθῇ;

I. CIT. τι . . . (Eccl. 7; V, 403, 15-16. VR: κερδησει ms.;
put κερδηση after εαν ms.; και ζημιωθη την ψυχην αυτου ms.).

III-51. ωφελειται   Greg {A} et rel.] ωφεληθησεται   ℵ B L Θ 1 13
33 157 700 892 UBS e; ωφελησει   1424 1604; ωφεληση   Φ   (A k
vac.).

-52. ανθρωπος   Greg {A} *et rel.*] ανθρωπον   1424 1604 a? b? c?
(A k vac.).

-53. εαν   Greg {A} *et rel.*] οταν   157 892 (A k vac., 1424 hom.,
a b c e trans.).

-54. ολον   Greg {A} *et rel.*] om. Θ b c e (A k vac., 1424 hom.).

-55. κερδηση   Greg^{ed} {B} *et rel.*] κερδησει   Greg^{ms} L 28 (A k
vac., 1424 hom., a b c e trans.).

(17:20) ἐὰν ἔχητε πίστιν ὡς κόκκον σινάπεως,
ἐρεῖτε τῷ ὄρει τούτῳ. . . .

I. CIT. ειπεν ο κυριος οτι εαν . . .   (*Cant.* 5; VI, 141, 19—
142, 1. VR: πιστιν θεου   ms.).

II. The sentence is completed by quoting the secondary parallel in Mark
11:23.

(18:7) ἀνάγκη [γὰρ] ἐλθεῖν τὰ σκάνδαλα.

I. ALLUS. αναγκη ελθειν . . .   (*Ant. Apol.*; III, i, 232, 9).

II. Only 1170 omits γαρ.

III-56. ελθειν   Greg {B} B L Θ Σ Φ 1 33 544 700 1241 1424 UBS]
pr. εστιν   *rel.* (A C k vac.).

(18:10) ὅτι οἱ ἄγγελοι [αὐτῶν] [ἐν οὐρανοῖς] διὰ
παντὸς βλέπουσι τὸ πρόσωπον τοῦ πατρός μου τοῦ
ἐν τοῖς οὐρανοῖς.

I. CIT. ειρηται οτι δια . . . ουρανοις οι αγγελοι   (*Trin.*; III, i,
13, 11-12. VR: του² om. mss.).

II. There is no evidence for Gregory's transposition of οι αγγελοι or
the omission of αυτων.   It is a problem to decide whether his omis-
sion of εν ουρανοις after αυτων is due to loose quotation or to what
appeared in his NT.   The omission is attested by N O Γ Σ 1 13 22 245
291 1093 1200 1279 1396 1574 1582 aur e ff¹ gig k sin pesh sa Bas
Chr Clem Cosm Eus Hil Or Tat Thdot.   This is certainly enough evi-
dence to support the real possibility that Gregory's NT did not have
these words.   But the words are naturally associated with οι αγγελοι,

and Gregory's transposition would have brought the two instances of
ουρανοις into intolerable proximity. His unattested omission of
αυτων may have further contributed to the omission of the two words
which immediately followed in his NT. It is therefore best to restore
the words in the reconstruction, but because they do not actually appear
in the quotation they cannot be treated in apparatus III.

III-57. δια παντος βλεπουσι το προσωπον του πατρος μου του
εν (τοις) ουρανοις   Greg {A} *et rel*.] βλεπουσι δια παντος το
προσωπον του πατρος του εν ουρανοις   700 e; βλεπουσι του
πατρος μου του εν ουρανοις το προσωπον δια παντος   28 (A
C k vac.).

-58. τοις   Greg {B} D V Σ Φ 33 892] om. *rel*. (A C k vac., a b c
e trans.).

(18:32-34)   δοῦλε   πονηρέ,   πᾶσαν   τὴν   ὀφειλὴν
ἐκείνην ἀφῆκά σοι, ἐπεὶ παρεκάλεσάς με·   (33)   οὐκ
ἔδει καὶ σὲ ἐλεῆσαι τὸν σύνδουλόν σου, ὡς καὶ ἐγώ
σε ἠλέησα;   (34)   καὶ ὀργισθεὶς ὁ κύριος [αὐτοῦ]
παρέδωκεν αὐτὸν τοῖς βασανισταῖς ἕως οὗ ἀποδῷ
πᾶν τὸ ὀφειλόμενον αὐτῷ.

I. CIT. Ματθαιος δε εν παραβολαις εκραξε λεγων . . . δουλε
. . .   (34) κυριος παρεδωκεν . . .   (*Usur.*; IX, 204, 15-20. VR:
(34) οργισθεις] ωρκισθεις ms.).

II. There is no evidence for the omission of αυτου in v. 34.

III-59. (33) εδει   Greg {A} *et rel*.] + ουν   D Θ a b c   (A Φ k
vac.).

-60. και εγω   Greg {B} *et rel*.] καγω   ℵ B D L (Θ καιγω) 33 892
1604 UBS (A Φ k vac., a b c e trans.).

-61. (34) ου   Greg {A} *et rel*.] om. B 892 (A Φ k vac., a b c e
trans.).

-62. αυτω   Greg {A} *et rel*.] om. B D Θ 700 1424 UBS a b c e
(A Φ k vac.).

(19:14) ἄφετε τὰ παιδία καὶ μὴ κωλύετε αὐτὰ
ἔρχεσθαι πρός με.

I. CIT. ηκουσατε γαρ λεγοντος του κυριου· αφετε . . .
(*Pulch.*; IX, 465, 2-4).

II. On the whole the citation is closer to Matthew than Mark 10:14 or
Luke 18:16.

III-63. παιδια . . . (ερχεσθαι) προς (με) Greg {A} *et rel.*] παιδια
ερχεσθαι προς (με) . . . (28 om. και . . . αυτα) 157 1424 e (A Π
k vac.).

-64. κωλυετε Greg {A} *et rel.*] κωλυσητε D 13 (A Π k vac.,
28 hom., a b c e trans.).

-65. ερχεσθαι Greg {C} 28 157 1424] ελθειν *rel.* (A Π k vac.,
a b c e trans.).

-66. με Greg {B} *et rel.*] εμε ℵ L (A Π k vac., a b c e trans.).

(19:29) πᾶς ὅστις ἀφῆκεν οἰκίας ἢ ἀδελφοὺς ἢ
ἀδελφὰς ἢ πατέρα ἢ μητέρα ἢ γυναῖκα ἢ τέκνα ἢ
ἀγροὺς [ἕνεκεν τοῦ ὀνόματός μου,] ἑκατοντα-
πλασίονα λήψεται καὶ ζωὴν αἰώνιον κληρονομήσει.

I. CIT. Πετρου γαρ ερωτωντος και λεγοντος· (27 // Mark
10:28 // Luke 18:28) ιδου ημεις αφηκαμεν παντα και ηκολου-
θησαμεν σοι· τι αρα εσται ημιν; (28 // Mark 10:29 // Luke
18:29) αμην λεγω υμιν, φησι, (29) πας . . . αγρους εκατον-
ταπλασιονα . . . (*Usur.*; IX, 199, 15-19).

II. Because of the close parallels it is not safe to use the first part of
the quotation in reconstructing the text of any Gospel. The last part,
however, is certainly Matthean. There is no evidence for the omission
of ενεκεν του ονοματος μου, although there is for the substitution of
εμου ονοματος (ℵ B Θ 124).

III-67. οστις Greg {B} *et rel.*] ος S U V Ω 28 1424 𝔐 a b (A Π
k vac.).

-68. οικιας Greg {B} *et rel.*] οικιαν K Θ 33 544 565 700 a b c;
om. ℵ* (A k vac.).

-69. οικιας η αδελφους η αδελφας η πατερα η μητερα η
γυναικα η τεκνα η αγρους Greg {B} *et rel.*] οικιας η αδελφους
η αδελφας η πατερα η μητερα η τεκνα η αγρους B (E η

αδελφους η αδελφους) UBS a; οικιας η αδελφους η αδελφας η μητερα η τεκνα η αγρους D b; αδελφους η αδελφας η πατερα η μητερα η γυναικα η τεκνα η αγρους η οικιας C L 892; αδελφους η αδελφας η πατερα η μητερα η γυναικα η τεκνα η αγρους א*; αδελφους η αδελφας η γονεις η τεκνα η αγρους η οικιας 1; οικιας η αγρους η αδελφους η αδελφας η τεκνα η γονεις e (A Π k vac.).

-70. εκατονταπλασιονα Greg {A} et rel.] πολλαπλασιονα B L (A Π k vac.).

-71. κληρονομησει Greg {A} et rel.] κληρονομηση 1424; κληρονομησαι Θ (A Π 33 k vac., a b c e trans.).

(20:13-15) ἑταῖρε, οὐκ ἀδικῶ σε· οὐχὶ δηναρίου συνεφώνησά σοι; (14) (ἆρον) τὸ σὸν [καὶ ὕπαγε.] θέλω δὲ καὶ [τούτῳ] τῷ ἐσχάτῳ (δοῦναι ὡς) καὶ σοί· (15) (ἢ οὐκ ἔξεστί μοι ποιῆσαι) ὃ θέλω ἐν τοῖς ἐμοῖς; ἢ ὁ ὀφθαλμός σου πονηρός [ἐστιν] ὅτι ἐγὼ ἀγαθός εἰμι;

I. ALLUS. φησι προς τινα των χαλεπαινοντων ο δικαιος κριτης οτι εταιρε . . . σοι την ημεραν; (14) ιδου εχεις το σον· θελω δε και τω εσχατω χαρισασθαι ωσπερ και σοι. (15) μη ουκ εχω εξουσιαν εν τοις εμοις ποιειν ο θελω; η . . . πονηρος οτι . . . (C. Eun. 3.9.17-18; II, 270, 9-14. VR: η²] ει mss.).

II. There is no evidence for Gregory's την ημεραν. (14) There is no evidence for ιδου εχεις instead of αρον. It may be an assimilation to 25:25. Nor is there evidence for the omission of και υπαγε or τουτω or for the substitution of χαρισασθαι for δουναι or ωσπερ for ως. (15) The first part of Gregory's allusion is so loose that one can only conjecture that his NT read like those mss. to which he is most closely related. There is no evidence for the omission of εστιν.

III-72. (13) συνεφωνησα σοι Greg {B} L Σ Ω 33 892 (e)] συνεφωνησας μοι rel. (A a k vac.).

-73. (14) και² Greg {C} E 1424 a b c] om. rel. (A 33 k vac.).

-74. (15) η² Greg^ed {C} et rel.] ει Greg^mss S 1 13 28 1241 1604 𝔐 a b c (A k vac.).

(21:43) ἀρθήσεται ἀφ' ὑμῶν ἡ βασιλεία [τοῦ θεοῦ] καὶ δοθήσεται ἔθνει ποιοῦντι τοὺς καρποὺς αὐτῆς.

I. CIT. ο ειπων . . . οτι αρθησεται . . . βασιλεια και . . . (*Inscript. Pss.* 2.14; V, 147, 16-19. VR: αφ υμων om. ms.; εθνη ms., εθνος ms.).

II. There is no other evidence for the omission of του θεου.

(22:12) πῶς εἰσῆλθες ὧδε μὴ ἔχων ἔνδυμα γάμου;

I. CIT. προς ον ερει παντως η δικαια φωνη· πως . . . (*Perf.*; VIII, i, 207, 2-3).

III-75. εισηλθες   Greg {A} *et rel.*] ηλθες   D (a) b c e (A C k vac.).

(22:30) ἐν γὰρ τῇ ἀναστάσει οὔτε γαμοῦσιν οὔτε γαμίσκονται.

I. CIT. εν . . . αναστασει, φησιν, ουτε . . . (*Hom. opif.* 18.2.90; Forbes 210, 10-12. VR: γαμιζονται   mss., εκγαμιζονται ms.).

III-76. γαμισκονται   Greg^{ed} {C} W Θ 33 157 700] γαμιζονται Greg^{mss} ℵ B D L 1 892 1424 UBS; εκγαμιζονται   Greg^{ms} *et rel.* (A C k vac., a b c e trans.).

(22:40) ἐν ταύταις ταῖς δυσὶν ἐντολαῖς ὅλος ὁ νόμος ʿκαὶ οἱ προφῆται κρέμανται / κρέμαται καὶ οἱ προφῆταιʾ.

I. CIT. ουτως ειποντος του κυριου οτι εν . . . κρεμανται (*Cant.* 14; VI, 418, 6-8. VR: put κρεμανται before και   mss. vers.); CIT. ολος ο νομος κρεμαται . . . προφηται, καθως φησι που το ευαγγελιον   (*Trid.*; IX, 277, 12-13. VR: κρεμαται   om. mss.).

II. One can only conclude that Gregory probably knew both readings. και οι προφηται κρεμανται is found in E K S U V W Π Φ Ω 1 13 28 157 544 565 700 1241 1424 1604 𝔐, κρεμαται και οι προφη-ται in ℵ B D L Θ Σ 33 892. Furthermore Gregory's brother attests both readings.

III-77. ολος   Greg {A} *et rel.*] om. ℵ* 1424 (A C k vac.).

(22:43) [πῶς οὖν] Δαβὶδ ἐν πνεύματι καλεῖ αὐτὸν κύριον;

I. ADAPT. ο δε Δαβιδ . . . κυριον, καθως λεγει το ευαγ⁻ γελιον (*Steph.* 1; X, i, 92, 4-5). VR: αυτον καλει mss.; κυριον] Ιησουν ms.).

II. πως ουν is omitted only by 1473 sa bo. It is restored above, however, because Gregory must have deliberately omitted the words in order to change the question to a declarative sentence.

III-78. καλει αυτον κυριον Greg {C} (B*) D (Θ) UBS a b c] καλει κυριον αυτον א L 892; κυριον αυτον καλει *rel.* (A C k vac.).

(22:45) εἰ (οὖν) Δαβὶδ ἐν πνεύματι καλεῖ αὐτὸν κύριον, πῶς υἱὸς αὐτοῦ ἐστιν;

I. CIT. ει γαρ Δαβιδ εν πνευματι, φησι, καλει . . . (*C. Eun.* 3.5.15; II, 165, 10-11).

II. The use of ει points to Matthew rather than Mark 12:37 or Luke 20:44 as the source of the quotation. ουν is omitted only by sin.

III-79. εν πνευματι Greg {B} D K Θ Π 13 28 157 565 1241 1424 a b c] om. *rel.* (A C V k vac.).

(23:8-9) [ὑμεῖς δὲ] μὴ (κληθῆτε) ('Ραββί)· εἷς γάρ ἐστιν ὑμῶν καθηγητής, ὁ Χριστός, [πάντες δὲ ὑμεῖς ἀδελφοί ἐστε.] (9) καὶ μὴ καλέσητε πατέρα ἐπὶ τῆς γῆς· εἷς γάρ ἐστιν ὑμῶν [ὁ] πατὴρ ὁ ἐν τοῖς οὐρανοῖς.

I. ALLUS. λεγεσθαι ειπων μη καλεσητε καθηγητην επι της γης· εις . . . Χριστος. (9) και . . . υμων πατηρ . . . (*C. Eun.* 3.8.45; II, 255, 21-25. VR: εστιν om. mss.; υμων] ημων ms.; (8-9) Χριστος . . . υμων om. mss.).

II. There is no evidence for the omission of υμεις δε, for the sub-stitution of καλεσητε for κληθητε or καθηγητην for ραββι, for επι της γης in v. 8 as well as v. 9, for the omission of παντες δε υμεις αδελφοι εστε. Only 473 1555 1604 omit o before καθηγητης/ διδασκαλος. (9) There is no evidence for the omission of o.

III-80. εστιν υμων ο (καθηγητης) Greg {A} *et rel.*] εστιν υμιν ο (καθηγητης) e; υμων εστιν ο (καθηγητης) 700 1424 (1604 om. o); εστιν ο (καθηγητης) υμων W a b c (A C V Φ k vac.).

-81. καθηγητης Greg {A} *et rel.*] διδασκαλος B U 33 892* 1604 UBS (A C V Φ k vac., a b c e trans.).

-82. ο Χριστος Greg {A} *et rel.*] om. ℵ B D L W Θ Π 1 33 565 892* UBS a b c e (A C V Φ k vac.).

-83. (9) καλεσητε Greg {C} 1241 1424] + υμιν D Θ a b c e; + υμων *rel.* (A C V Φ 33 k vac.).

-84. εστιν υμων ο πατηρ Greg {B} ℵ B U Σ 33 892 UBS] εστιν ο πατηρ υμων *rel.* (A C V Φ k vac.).

-85. εν τοις ουρανοις Greg {A} *et rel.*] εν ουρανοις D W Θ Σ 1; ουρανιος ℵ B L 13 33 892 UBS (A C V Φ k vac., a b c e trans.).

(23:35) **(Ζαχαρίου) [υἱοῦ Βαραχίου ὃν] (ἐφονεύσατε) μεταξὺ τοῦ ναοῦ καὶ τοῦ θυσιαστηρίου.**

I. ADAPT. Ζαχαριας μεταξυ . . . θυσιαστηριου σφαγεις (*Mart.* 2; X, i, 168, 24—169, 1).

II. There is no evidence for the omission of ον or the substitution of σφαζω for φονευω. The omission of υιου Βαραχιου is found in ℵ* only, and Gregory's omission is more likely due to loose quotation than ms. dependence.

(23:37) **ποσάκις ἠθέλησα ἐπισυναγαγεῖν τὰ τέκνα σου ὃν τρόπον ὄρνις [ἐπι]συνάγει τὰ νοσσία ὑπὸ τὰς πτέρυγας αὐτῆς.**

I. CIT. το παρα του κυριου . . . ειρημενον, οτι ποσακις . . . ορνις συναγει τα . . . (*Cant.* 15; VI, 447, 9-11. VR: νοσσια αυτης mss.; αυτης²] εαυτης ms.).

II. Only Caes and Clem support συναγει.

III-86. ορνις επισυναγει (Greg {B} συναγει) *et rel.*] επισυναγει ορνις C E S U V W Π Σ Ω 28 157 544 565 1241 1424 𝔐 (A k vac.).

-87. νοσσια   Greg {C} B* 700] + αυτης   ℵ* D W Σ Φ 33 544 892 1424; εαυτης   *rel.* (A k vac., a b c e trans.).

-88. αυτης   Greg {B} 28 1424 a b c e] om. *rel.* (A k vac.).

(24:30) (ὄψονται) τὸν υἱὸν τοῦ ἀνθρώπου ἐρχόμενον ἐπὶ τῶν νεφελῶν τοῦ οὐρανοῦ μετὰ (δυνάμεως καὶ δόξης) πολλῆς.

I. CIT. οψεσθε, φησι, τον . . . μετα δοξης και δυναμεως πολλης   (*Ant. Apol.*; III, i, 229, 25-27).

II. The presence of του ουρανου would seem to indicate that Gregory is citing Matthew rather than Mark 13:26 or Luke 21:27. There is no evidence for οψεσθε instead of οψονται or for the word order δοξης και δυναμεως.

III-89. και δοξης πολλης   Greg {A} *et rel.*] πολλης και δοξης   D (A C k vac., a b c e trans.).

(24:31) καὶ ἀποστελεῖ τοὺς ἀγγέλους αὐτοῦ μετὰ σάλπιγγος φωνῆς μεγάλης, καὶ ἐπισυνάξει τοὺς ἐκλεκτοὺς αὐτοῦ.

I. CIT. και αλλαχου παλιν σαφεστερον· και . . . (*Steph.* 1; IX, 261, 22-24).

II. There is no question that the quotation is from Matthew rather than Mark 13:27, although Gregory's επισυναξει could be an assimilation to Mark rather than the reading in his ms(s). of Matthew. In addition to those indicated below, it is attested by 1375 sin Hil Hip.

III-90. αποστελει   Greg {A} *et rel.*] αποστελλει   (Θ αποστελλη) Σ 1241 (A C k vac.).

-91. σαλπιγγος φωνης   Greg {A} *et rel.*] σαλπιγγος και φωνης D 544 1241 a b c; σαλπιγγος   ℵ L W Θ 1 700 892^{txt} 1424 UBS e (A C k vac.).

-92. επισυναξει   Greg {C} ℵ 1604] επισυναξουσι *rel.* (A C k vac.).

-93. αυτου^2 Greg {A} *et rel.*] αυτων   Σ Φ; om. Θ 565 (A C k vac.).

(25:1) τότε ὁμοιωθήσεται ἡ βασιλεία. . . .

I. ALLUS. τοτε . . . βασιλεια, και μυρια τοιαυτα δια πασης εστι της γραφης εις αποδειξιν του προκειμενου λαβειν (*C. Eun.* 3.7.40; II, 229, 23-25).

III-94. ομοιωθησεται   Greg {A} *et rel.*] ωμοιωθη   W 892 (A a e k vac.).

(25:34) δεῦτε οἱ εὐλογημένοι τοῦ πατρός μου, κληρονομήσατε τὴν ἡτοιμασμένην ὑμῖν βασιλείαν ἀπὸ καταβολῆς κόσμου.

I. CIT. η φησι προς τους εκ δεξιων, δευτε . . . (*Inscript. Pss.* 2.5; V, 83, 8-10); CIT. οτε φησιν ο κυριος τοις αγαθον πεποιηκοσιν, οτι δευτε οι ευλογημενοι, κληρονομησατε . . . βασιλειαν (*Eccl.* 8; V, 441, 10-12. VR: κληρονομησατε . . . βασιλειαν om. ms.; βασιλειαν + απο καταβολης κοσμου ms.); CIT. η φησι . . . δευτε . . . βασιλειαν προ καταβολης κοσμου (*Cant.* 2; VI, 69, 16-19. VR: του πατρος μου om. mss.; μου και mss.; κληρονομησατε την υμιν βασιλειαν προ ms.; προ] απο mss.); CIT. ο βασιλευς λεγει· δευτε . . . βασιλειαν (*Cant.* 15; VI, 462, 11-13. VR: του πατρος μου om. mss.); CIT. αναγνωθι το ευαγγελιον· δευτε . . . μου (φησι ταυτα προς τους δεξιους ο κριτης), κληρονομησατε . . . βασιλειαν (*Flacill.*; IX, 487, 6-8); CIT. φησι δευτε . . . μου (*Mihi fecistis*; IX, 113, 14-15. VR: του πατρος μου om. mss.); CIT. δευτε, φησιν, οι ευλογημενον (*C. Eun.* 2.328; I, 322, 1-2); CIT. εκεινην φωνην οτι δευτε οι ευλογημενοι (*Mihi fecistis*; IX, 112, 5-6. VR: ευλογημενοι του πατρος μου mss.).

II. There is no evidence for the omission of του πατρος μου from *Eccl.* or the omission of απο καταβολης κοσμου from *Eccl., Cant.* 15, and *Flacill.* Only Hip Epiph support *Cant.* 2 in substituting προ for απο.

(25:35) ἐπείνασα [γὰρ] καὶ ἐδώκατέ μοι φαγεῖν, ἐδίψησα καὶ ἐποτίσατέ με.

I. CIT. οις μαρτυρει ο επι του θρονου καθημενος οτι επει- νασα και . . . φαγειν . . . προς ους τουτο φησιν οτι εδιψησα . . . (*Cant.* 10; VI, 307, 14-19. VR: και ουκ ms.).

II. The omission of γαρ is supported only by Tat.

(25:40) ἐφ' ὅσον ἐποιήσατε ἑνὶ τούτων τῶν ἐλαχίστων, ἐμοὶ ἐποιήσατε.

I. CIT. εφ . . . (*Flacill.*; IX, 487, 11-12); CIT. εφ . . . τουτων, εμοι εποιησατε (*Mihi fecistis*; IX, 113, 13-14. VR: τουτων των ελαχιστων mss.).

II. There is no evidence for the omission of των ελαχιστων in *Mihi fecistis*.

III-95. τουτων Greg {C} B* 1424] + των μικρων των αδελφων μου Σ; + των αδελφων μου *rel.* (C e k vac.).

(25:41) πορεύεσθε ἀπ' ἐμοῦ οἱ κατηραμένοι εἰς τὸ πῦρ τὸ αἰώνιον.

I. CIT. του ειποντος οτι πορευεσθε απ εμου εις . . . (*Mihi fecistis*; IX, 121, 13-14); CIT. φησιν . . . πορευεσθε οι κατηραμενοι (*C. Eun.* 2.328; I, 322, 2); CIT. εκεινην φωνην . . . οτι πορευεσθε οι κατηραμενοι (*Mihi fecistis*; IX, 112, 5-7).

II. There is no evidence for the omission of απ εμου from *C. Eun.* or *Mihi fecistis*, p. 112, or of οι κατηραμενοι from *Mihi fecistis*, p. 121.

III-96. πορευεσθε Greg {A} *et rel.*] υπαγετε ℵ 1424 (C e k vac., a b c trans.).

-97. οι Greg {A} *et rel.*] om. ℵ B L 33 (C e k vac., a b c trans.).

(25:45) ἐφ' ὅσον οὐκ ἐποιήσατε ἑνὶ τούτων [τῶν ἐλαχίστων,] οὐδὲ ἐμοὶ ἐποιήσατε.

I. CIT. εφ οσον γαρ ουκ . . . τουτων, φησιν, ουδε . . . (*Mihi fecistis*; IX, 121, 14-15. VR: ουδε εμοι εποιησατε om. ms.).

II. There is no support for the inclusion of γαρ or the omission of των ελαχιστων.

(26:39) εἰ δυνατὸν παρελθέτω ἀπ' ἐμοῦ τὸ ποτήριον τοῦτο.

I. CIT. η φησιν ει . . . παρελθετω το ποτηριον τουτο απ εμου   (*Ant. Apol.*; III, i, 179, 11-12).

II. There are no witnesses to Gregory's transposition of απ εμου. His omission of εστι(ν) after δυνατον is supported only by 990 1402 1515 Ath Bas Chr Cyr Did Eus Or^pt Ps-Ath Val.

III-98. παρελθετω   Greg {B} *et rel.*] παρελθατω   ℵ A C D E L Θ Σ 28 33 UBS (13 e k vac., a b c trans.).

(27:9) καὶ ἔλαβον τὰ τριάκοντα ἀργύρια, τὴν τιμὴν τοῦ τετιμημένου.

I. CIT. ουτω γαρ και παρα της προφητειας Ιερεμιου το γεγονος ονομαζεται· και . . .   (*Inscsript. Pss.* 2.8; V, 99, 12-14).

II. The wording and attribution to Jeremiah make it certain that the source is Matthew rather than Zech. 11:12.

(27:25) τὸ αἷμα αὐτοῦ ἐφ' ἡμᾶς καὶ ἐπὶ τὰ τέκνα ἡμῶν.

I. CIT. οτε εβοων εκεινην την ατακτον και ολεθριον φωνην . . . το αιμα . . .   (*Lucif.*; IX, 317, 2-4).

(27:46) θεέ μου θεέ μου, ἱνατί με ἐγκατέλιπες;

I. CIT. φησι δε ο πασχων οτι θεε . . .   (*Ant. Apol.*; III, i, 168, 7-8).

II. The wording is that of Matthew, not Ps. 21:2.

III-99. εγκατελιπες   Greg {B} *et rel.*] εγκατελειπες   A E K W Π* (Φ -λειπας) 33 1424 1604 (C 13 28 e k vac., a b c trans.).

(28:1) ὀψέ σαββάτων.

I. CIT. οψε σαββατων, ο Ματθαιος βοα   (*Trid.*; IX, 289, 5).

II. δε is omitted by H L 047 4 6 33 243 245 262 273 346 348 837 1187 1194 1241 1295 1375 1424 1675 l^184 and other lectionaries geo Or and therefore in the reconstruction above. It is also plausible that Gregory omitted δε to adapt the brief quotation to the context.

III-100. σαββατων   Greg {B} *et rel.*] σαββατω   L 565 (13 e k vac., a b c trans.).

(28:19-20) πορευθέντες μαθητεύσατε πάντα τὰ ἔθνη, βαπτίζοντες αὐτοὺς εἰς τὸ ὄνομα τοῦ πατρὸς καὶ τοῦ υἱοῦ καὶ τοῦ ἁγίου πνεύματος,   (20) διδάσκοντες [αὐτοὺς] τηρεῖν πάντα ὅσα ἐνετειλάμην ὑμῖν· [καὶ] ἰδοὺ [ἐγὼ] μεθ' ὑμῶν εἰμι πάσας τὰς ἡμέρας.

I. CIT. πορευθεντες, φησι, μαθητευσατε . . . πνευματος   (*C. Eun.* 3.9.62; II, 287, 23-25); CIT. πορευθεντες, φησι, μαθητευ- σατε . . . πνευματος   (*Ep.* 5.4; VIII, ii, 32, 15-17); CIT. περι ου ειπων ο κυριος οτι βαπτιζοντες . . . ονομα   (*Ref. Eun.* 14; II, 318, 3-4); CIT. καθως εδιδαχθημεν υπο της του κυριου φωνης, εις . . . πνευματος   (*Ref. Eun.* 18; II, 319, 17-19); CIT. φησι . . . βαπτιζοντες . . . πνευματος   (*Lum.*; IX, 229, 5-7); CIT. πορευθεντες γαρ, φησι, μαθητευσατε . . . (20) διδασ- κοντες τηρειν . . . υμιν   (*Ep.* 24.1; VIII, ii, 75, 9-12); CIT. ιδου γαρ, φησι, μεθ . . . (*Mihi fecistis*; IX, 112, 14-15).

II. It was difficult to decide whether to include unit 102 because the issue is whether to omit or include an introductory word. Despite Gregory's carelessness about such words, it was finally decided to include the unit because ουν plays such an important part in this the climactic passage of Matthew that if Gregory had a NT with the word it seems likely that he would have included it. (20) There is no evidence for the omission of και and εγω, and αυτους is omitted by vg[ms] only.

III-101. πορευθεντες   Greg {A} *et rel.*] πορευεσθαι   D e (C L k vac.).

-102. πορευθεντες   Greg {C} ℵ A E K S U V Ω 28 157 544 700 1424 𝔐] + νυν   D a b; + ουν   *rel.* (C L k vac.).

-103. βαπτιζοντες   Greg {A} *et rel.*] βαπτισαντες   B D (C L k vac., a b c e trans.).

-104. του[2]   Greg {A} *et rel.*] om. D (C L k vac., a b c e trans.).

-105. (20) μεθ υμων ειμι   Greg {A} *et rel.*] ειμι μεθ υμων   ℵ D (C L k vac., a b c e trans.).

Textual Relationships

The percentage of agreement of the various witnesses with one another in the 105 units of variation in Matthew are found in Table 1, pages 58-59.

One can begin to get an impression of Gregory's textual affinities by arranging the witnesses in descending order of his agreement with them. This is done in Table 2.

Table 2

Percentage of Agreement of
Gregory with All Witnesses

Witness	With	Against	Total	% With
A	8	3	11	72.7
V	60	27	87	69.0
1241	59	29	88	67.0
E	69	36	105	65.7
1	68	36	104	65.4
33	62	33	95	65.3
Ω	68	37	105	64.8
U	68	37	105	64.8
544	68	37	105	64.8
Φ	49	27	76	64.5
Σ	67	38	105	63.8
157	67	38	105	63.8
C	34	20	54	63.0
K	66	39	105	62.9
S	66	39	105	62.9
𝔐	66	39	105	62.9
1604	65	40	105	61.9
28	62	39	101	61.4
892	64	41	105	61.0
Π	57	39	96	59.4
W	62	43	105	59.0
UBS	61	43	104	58.7
565	60	44	104	57.7

13	58	43	101	57.4
1424	58	44	102	56.9
L	55	43	98	56.1
700	58	46	104	55.8
k	15	12	27	55.6
B	57	47	104	54.8
ℵ	54	47	101	53.5
D	51	49	100	51.0
c	30	31	61	49.2
Θ	50	55	105	47.6
a	27	32	59	45.8
b	24	36	60	40.0
e	14	21	35	40.0

Table 2 does not give a clear picture of Gregory's textual relationships. Of the top eleven on the list Metzger classifies four (A, E, V, Ω) as Byzantine, two (33, 1241) as Later Alexandrian, one (1) as Pre-Caesarean, and four (U, Σ, Φ, 544) not at all, although he does mention that the last four were treated as weak representatives of the Caesarean text by B. H. Streeter.[1] Of the same eleven mss. the Alands classify six or seven (E, U, V, Σ, Φ, Ω, and perhaps A) as Category V (Byzantine), two or three (1, 1241, and perhaps A) as Category III (mixed text ?), and one (33) as Category II (later Alexandrian ?).[2] Little significance should be attached to A because it is extant in only eleven units of variation, but even without it a majority of the ten remaining is classified as Byzantine by both Metzger and the Alands. Although

---

[1]Bruce M. Metzger, *A Textual Commentary on the Greek New Testament*, cor. ed (London and New York: United Bible Societies, 1975), xxviii-xxxi. The same classifications are found in idem, *The Text of the New Testament*, 2nd ed. (New York and Oxford: Oxford University Press, 1968), 213-216.

[2]K. and B. Aland, *Text*, 96-140 (the page numbers are to their section on the classification of all Greek mss. and not just the ones mentioned above).

Table 1

Percentage of Agreement
of All Witnesses

	Greg	ℵ	A	B	C	D	E	K	L	S	U	V	W	Θ	Π	Σ	Φ	Ω
Greg	-	53	73	55	63	51	66	63	56	63	65	69	59	48	59	64	64	65
ℵ	53	--	64	73	77	57	70	65	71	66	68	69	68	58	65	63	67	66
A	73	64	--	46	xx	46	100	91	xx	82	82	82	82	82	82	73	82	82
B	55	73	46	--	74	58	66	63	65	65	69	70	63	61	67	63	74	65
C	63	77	xx	74	--	68	89	85	72	87	89	89	83	70	89	82	85	85
D	51	57	46	58	68	--	59	59	52	58	56	60	58	57	58	52	58	58
E	66	70	100	66	89	59	--	87	71	89	89	91	83	64	88	81	83	89
K	63	65	91	63	85	59	87	--	64	92	90	92	77	70	94	71	87	92
L	56	71	xx	65	71	52	71	64	--	64	64	64	69	61	64	70	66	66
S	63	66	82	65	87	58	89	92	64	--	96	98	79	66	94	75	86	96
U	65	68	82	69	89	56	89	90	64	96	--	99	79	64	92	77	87	94
V	69	69	82	70	89	60	91	92	64	98	99	--	83	67	95	80	88	97
W	59	68	82	63	83	58	83	77	69	79	79	83	--	67	80	77	83	79
Θ	48	58	82	61	70	57	64	70	61	66	64	67	67	--	70	63	71	64
Π	59	65	82	67	89	58	88	94	64	94	92	95	80	70	--	72	87	92
Σ	64	63	73	63	82	52	81	71	70	75	77	80	77	63	72	--	83	77
Φ	64	67	82	74	85	58	83	87	66	86	87	88	83	71	87	83	--	86
Ω	65	66	82	65	85	58	89	92	66	96	94	97	79	64	92	77	86	--
1	65	74	73	75	80	59	78	76	70	80	78	82	76	65	80	69	80	77
13	57	67	xx	66	80	56	81	85	70	83	81	82	74	70	83	71	82	80
28	61	59	100	56	77	52	81	83	61	86	84	86	71	57	85	68	71	84
33	65	68	82	71	70	55	74	73	67	71	75	76	71	65	72	71	82	71
157	64	63	82	62	76	50	81	79	67	81	81	83	77	64	82	73	75	81
544	65	63	82	63	80	55	84	86	68	86	86	85	77	64	82	78	82	84
565	58	62	73	64	83	61	83	88	63	88	87	90	77	71	94	72	81	87
700	56	60	82	64	72	51	70	77	60	76	74	73	66	67	74	64	73	74
892	61	74	73	75	74	58	75	74	71	76	80	82	74	60	76	71	83	78
1241	67	61	73	63	86	58	84	86	65	90	88	90	76	68	89	78	81	85
1424	57	49	73	50	55	39	66	66	51	66	66	65	60	53	68	58	58	64
1604	62	62	73	65	78	50	80	84	65	86	86	84	73	62	85	69	84	82
𝔐	63	66	82	65	87	58	89	92	64	100	96	98	79	66	94	75	86	96
UBS	59	81	82	87	87	64	78	73	74	75	79	80	74	72	75	71	83	75
a	46	49	xx	47	52	69	58	54	46	54	53	57	58	53	54	39	49	51
b	40	45	xx	41	48	70	52	53	42	53	48	54	52	60	53	33	47	48
c	49	51	xx	50	59	68	57	64	50	61	56	59	59	67	63	43	58	56
e	40	41	xx	49	42	54	43	43	58	40	40	43	54	51	47	40	48	46
k	56	50	xx	41	46	78	52	48	50	52	48	43	52	41	48	52	38	48
	Greg	ℵ	A	B	C	D	E	K	L	S	U	V	W	Θ	Π	Σ	Φ	Ω

xx = less than ten units of variation in common

Table 1 , continued
Percentage of Agreement
of All Witnesses

1	13	28	33	157	544	565	700	892	1241	1424	1604	𝔐	UBS	a	b	c	e	k	
65	57	61	65	64	65	58	56	61	67	57	62	63	59	46	40	49	40	56	Greg
74	67	59	68	63	63	62	60	74	61	49	62	66	81	49	45	51	41	50	ℵ
73	xx	100	82	82	82	73	82	73	73	73	73	82	82	xx	xx	xx	xx	xx	A
75	66	56	71	62	63	64	64	75	63	50	65	65	87	47	41	50	49	41	B
80	80	77	70	76	80	83	72	74	86	55	78	87	87	52	48	59	42	46	C
59	56	52	55	50	55	61	51	58	58	39	50	58	64	69	70	68	54	78	D
78	81	81	74	81	84	83	70	75	84	66	80	89	78	58	52	57	43	52	E
76	85	83	73	79	86	88	77	74	86	66	84	92	73	54	53	64	43	48	K
70	70	61	67	67	68	63	60	71	65	51	65	64	74	46	42	50	58	50	L
80	83	86	71	81	86	88	76	76	90	66	86	100	75	54	53	61	40	52	S
78	81	84	75	81	85	87	74	80	88	66	86	96	79	53	48	56	40	48	U
82	82	86	76	83	86	90	73	82	90	65	84	98	80	57	54	59	43	43	V
76	74	71	71	77	77	77	66	74	76	60	73	79	74	58	52	59	54	52	W
65	70	57	65	64	64	71	67	60	68	53	62	66	72	53	60	67	51	41	Θ
80	83	85	72	82	82	94	74	76	89	68	85	94	75	54	53	63	47	48	Π
69	71	68	71	73	78	72	64	71	78	58	69	75	71	39	33	43	40	52	Σ
80	82	71	82	75	82	81	73	83	81	58	84	86	83	49	47	58	48	38	Φ
78	80	84	71	81	84	87	74	78	85	64	82	96	75	51	48	56	46	48	Ω
--	76	70	70	73	76	77	72	79	82	58	78	80	83	52	49	57	54	56	1
76	--	77	71	75	78	79	72	72	85	59	80	83	77	52	51	63	51	38	13
70	77	--	59	79	75	77	66	65	80	69	77	86	66	51	47	54	43	44	28
70	71	59	--	63	73	70	64	79	72	54	71	71	80	53	46	58	52	43	33
73	75	79	63	--	74	79	69	70	80	69	75	81	69	47	45	56	49	44	157
76	78	75	73	74	--	80	78	72	89	70	77	86	71	54	50	54	43	48	544
77	79	77	70	79	80	--	74	72	85	59	80	88	72	53	52	64	43	48	565
72	72	66	64	69	78	74	--	65	75	63	72	76	69	44	47	51	54	44	700
79	72	65	79	70	72	72	65	--	73	55	74	76	82	49	42	56	57	48	892
82	85	80	72	80	89	85	75	73	--	71	82	90	74	50	49	61	41	55	1241
58	59	69	54	69	70	59	63	55	71	--	65	66	54	45	47	48	41	41	1424
78	80	77	71	75	77	80	72	74	82	65	--	86	73	49	45	61	43	44	1604
80	83	86	71	81	86	88	76	76	90	66	86	--	75	54	53	61	40	52	𝔐
83	77	66	80	69	71	72	69	82	74	54	73	75	--	59	53	60	54	52	UBS
52	52	51	53	47	54	53	44	49	50	45	49	54	59	--	88	75	41	59	a
49	51	47	46	45	50	52	47	42	49	47	45	53	53	88	--	82	46	62	b
57	63	54	58	56	54	64	51	56	61	48	61	61	60	75	82	--	49	59	c
54	51	43	52	49	43	43	54	57	41	41	43	40	54	41	46	49	--	xx	e
56	38	44	43	44	48	48	44	48	55	41	44	52	52	59	62	59	xx	--	k
1	13	28	33	157	544	565	700	892	1241	1424	1604	𝔐	UBS	a	b	c	e	k	

Table 2 does not give a clear picture, it does suggest that Gregory may be more closely related to the Byzantine text than any other.

A more accurate indication of Gregory's textual relationships can be made by showing his average agreement with the representatives of the various textual groups which have been identified. This is done in Tables 3-5. The first are those of Prof. Metzger.

Table 3

Gregory's Average Agreement
with the Groups of Metzger

Proto-Alexandrian

Witness	With	Against	Total	% With
א	54	47	101	53.5
B	57	47	104	54.8
	111	94	205	54.1

Later Alexandrian

Witness	With	Against	Total	% With
(C)[1]	34	20	54	63.0
L	55	43	98	56.1
33	62	33	95	65.3
892	64	41	105	61.0

---

[1]In all portions of the NT Metzger places C in his Later Alexandrian category, but he puts it in parentheses to indicate that it is mixed in character. Mark R. Dunn, "An Examination of the Textual Character of Codex Ephraemi Syri Rescriptus (C, 04) in the Four Gospels," Dissertation, Southwestern Baptist Theological Seminary, 1990, has done much to clarify the textual character of C. He has used quantitative analysis and profile methods to show that C is a weak Byzantine witness in Matthew, a weak Alexandrian in Mark, and a strong Alexandrian in John. In Luke C's textual relationships are unclear. What Dunn has not done is to examine whether the mixture is more or less evenly distributed throughout each book or whether there is block mixture.

1241	59	29	88	67.0
	274	166	440	62.3

All Alexandrian

With	Against	Total	% With
385	260	645	59.7

Western

Witness	With	Against	Total	% With
D	51	49	100	51.0
a	27	32	59	45.8
b	24	36	60	40.0
c	30	31	61	49.2
e	14	21	35	40.0
k	15	12	27	55.6
	161	181	342	47.1

Pre-Caesarean

Witness	With	Against	Total	% With
1	68	36	104	65.4
13	58	43	101	57.4
28	62	39	101	61.4
	188	118	306	61.4

Caesarean Proper

Witness	With	Against	Total	% With
Θ	50	55	105	47.6
565	60	44	104	57.7
700	58	46	104	55.8
	168	145	313	53.7

All Caesarean

With	Against	Total	% With
356	263	619	57.5

Byzantine

Witness	With	Against	Total	% With
A	8	3	11	72.7
E	69	36	105	65.7
K	66	39	105	62.9
S	66	39	105	62.9
V	60	27	87	69.0
W	62	43	105	59.0
Π	57	39	96	59.4
Ω	68	37	105	64.8
	456	263	719	63.4

The highest percentage of agreement is with the Byzantine type of text with 63.4%, which, however, is only 1.1% more than with the Later Alexandrian and 2.0% more than with the Pre-Caesarean. Inasmuch as it is a priori improbable that Gregory is closely related to the Alexandrian type of text, an explanation is needed of his comparatively high percentage of agreement with the Later Alexandrian group of Metzger. A possible explanation is that Later Alexandrian witnesses, while preserving a significant number of Alexandrian readings, nevertheless have been significantly assimilated to the Byzantine text, the one to which Gregory is most closely related. There appears to be no instance in Matthew where Gregory agrees with Alexandrian witnesses against all, or at least most, others.[1] Furthermore most of the Later Alexandrians have a larger percentage of agreement with UBS (representing the Alexandrian text) than with 𝔐 (representing the Byzantine

---

[1] If only the witnesses which are used in apparatus III are considered, units 14, 21, and 44 show Gregory agreeing with Alexandrian mss. against all or most others, but when witnesses not on the select list are added this is no longer true.

text),[1] but Gregory has a larger agreement with 𝔐—thus showing that he is not a Later Alexandrian. Also if the Alexandrian text is considered as a whole, Gregory's distance from it increases to 3.7%.

Likewise Gregory's closeness to the Pre-Caesarean group could be explained if, as some now think, the Caesarean text is not a legitimate type but an early and weak form of the Byzantine text. And if the Caesarean text is treated as a whole, the gap widens to 5.9%. Therefore, even if the Caesarean is a legitimate text-type, it is difficult to make a case for Gregory as a Caesarean witness in Matthew.

Gregory is the furthest removed from the Western type, in fact by 16.3%. He is further removed than thirty of the thirty-six other witnesses used in the study. There are no units of variation where he agrees with Western witnesses against all others and only two units (5 and 10) where he agrees with Western witnesses against most others, including witnesses not used in apparatus III.

Therefore after exploring several other possibilities one must return to the preliminary conclusion that Gregory is most closely related to Metzger's Byzantine group. Even so Gregory is not much closer to the Byzantine text than he is to several other types. Recently Kurt and Barbara Aland have devised a new scheme of classifying mss.,[2] and

---

[1] The exceptions are C with the same amount of agreement with UBS and 𝔐, and 1241 with 16% more agreement with 𝔐 (K. and B. Aland, *Text*, 134, however, put 1241 in their Category III, and if they are correct Metzger may not be correct in classifying 1241 as Later Alexandrian. The textual relationships of 1241 need to be restudied!) See also the footnote above on the textual relationships of C.

[2] K. and B. Aland, *Text*, 96-138 and especially 106-107.

Gregory's average agreement with the representatives of these groups is
the subject of Table 4.[1]

Table 4

Gregory's Average Agreement
with the Groups of the Alands

Category I

Witness	With	Against	Total	% With
ℵ	54	47	101	53.5
B	57	47	104	54.8
	111	94	205	54.1

Category II

Witness	With	Against	Total	% With
C	34	20	54	63.0
L	55	43	98	56.1
Θ	50	55	105	47.6
33	62	33	95	65.3
892	64	41	105	61.0
	265	192	457	58.0

Category III

Witness	With	Against	Total	% With
W	62	43	105	59.0
1	68	36	104	65.4
13	58	43	101	57.4
157	67	38	105	63.8
565	60	44	104	57.7
700	58	46	104	55.8

---

[1]The uncial A is excluded from consideration. In their first
English edition (1987) the Alands put A in category III. In the second
edition they say: "category: Gospels III—strictly V." The present writer
finds such a statement to be unintelligible.

1241	59	29	88	67.0
	432	279	711	60.8

Category IV

Witness	With	Against	Total	% With
D	51	49	100	51.0

Category V

Witness	With	Against	Total	% With
E	69	36	105	65.7
K	66	39	105	62.9
S	66	39	105	62.9
U	68	37	105	64.8
V	60	27	87	69.0
Π	57	39	96	59.4
Σ	67	38	105	63.8
Φ	49	27	76	64.5
Ω	68	37	105	64.8
28	62	39	101	61.4
1424	58	44	102	56.9
1604	65	40	105	61.9
	755	442	1197	63.1

The results are similar to those obtained by observing Gregory's agreement with the textual groups of Bruce Metzger. The highest percentage of agreement is with Category V, "manuscripts with a purely or predominantly Byzantine text."[1] In second place, 2.3% behind, is Category III, "manuscripts of a distinctive character with an independent text, usually important for establishing the original text, but particularly important for the history of the text."[2] In third place, with 5.1% less agreement, is Category II, "manuscripts of a special

---

[1] K. and B. Aland, *Text*, 106.
[2] Ibid.

quality, but distinguished from manuscripts of category I by the presence of alien influences (particularly of the Byzantine text), and yet of importance for establishing the original text (e. g., the Egyptian text belongs here)."[1] Category II approximates Metzger's Later Alexandrian, but its percentage of agreement with Gregory is less because of the presence of Θ and the absence of 1241.

There is some value in comparing Gregory with several other textual groups which have been identified by various scholars. This is done in Table 5.

Table 5

Gregory's Average Agreement
with Other Textual Groups

Streeter's Tertiary and
Supplementary Caesarean[2]

Witness	With	Against	Total	% With
U	68	37	105	64.8
Σ	67	38	105	63.8
Φ	49	27	76	64.5
157	67	38	105	63.8
544	68	37	105	64.8
1424	58	44	102	56.9
1604	65	40	105	61.9
	442	261	703	62.9

---

[1]Ibid., 105-6.

[2]Burnett Hillman Streeter, *The Four Gospels* (London: Macmillan, 1924), 108, 575-81.

Champlin's Family E[1]

Witness	With	Against	Total	% With
E	69	36	105	65.7
S	66	39	105	62.9
U	68	37	105	64.8
V	60	27	87	69.0
Ω	68	37	105	64.8
	331	176	507	65.3

Geerlings' Family Π[2]

Witness	With	Against	Total	% With
K	66	39	105	62.9
Π	57	39	96	59.4
	123	78	201	61.2

Von Soden's Iπ Text[3]

Witness	With	Against	Total	% With
Σ	67	38	105	63.8
Φ	49	27	76	64.5
	116	65	181	64.1

Gregory exhibits a high percentage of agreement with each of the above groups. He has a larger amount of agreement with two of them, Champlin's Family E and von Soden's Iπ text, than with either Metzger's Byzantine (63.4%) or the Alands' Category V (63.1%). None of this is surprising, however, because all of the mss. in the four groups except 157 and 544 are classified as Byzantine by Metzger and /

---

[1]Russell Champlin, *Family E and Its Allies in Matthew*, Studies and Documents 28 (Salt Lake City: University of Utah Press, 1966).

[2]Jacob Geerlings, *Family Π in Matthew*, Studies and Documents 24 (Salt Lake City: University of Utah Press, 1964).

[3]von Soden, *Die Schhriften des NT*, 1:1245-59.

or the Alands. The only significance is that Gregory is closer to some
Byzantine witnesses than to others. Whether Family E is a legitimate
subdivision of the Byzantine text has not been substantiated by other
scholars,[1] and it is not within the domain of the present study to do so.

No full account is given here or elsewhere of Gregory's rela-
tionship to all the groups of von Soden because it is doubtful whether
most of them are legitimate, but von Soden's Iπ text is included above
because he is one of the few who has attempted to classify Gregory's
quotations and because, as indicated in the Introduction, he placed Greg-
ory in that subgroup. More specifically neither the I text in general nor
the Iπ text in particular has found much favor among textual critics,
the most notable exceptions being Merk[2] and Bover[3] who follow von
Soden closely in their classification of mss. Even if N, O, Σ, Φ, and
080 should prove to be a legitimate textual group, it does not appear
that Gregory is a part of it. There are in fact nine mss. employed in
this study with which he has a higher percentage of agreement than
with Σ or Φ.[4]   Furthermore Gregory has a higher percentage of agree-

---

[1]For example von Soden's Ki text contains only E F G H.

[2]Augustinus Merk, *Novum Testamentum Graece et Latine*, 10th ed.
(Rome: Pontifical Biblical Institute, 1984), 38*.

[3]Jose Maria Bover and Carlo M. Martini, *Nuevo Testamento
Trilingüe* (Madrid, Biblioteca de Autores Cristianos, 1977), lvix.

[4]See Table 2. It should be noted that all the statistics employed
above are based on 105 units of variation extending over the entire Gospel.
If, however, the comparison is limited to Matt. 1-12, as was von Soden's
examination of Gregory's quotations, the percentage of agreement with Σ
falls to 56.5% and with Φ to 55.6%. The fact that Φ is vacant until Matt.
6:3, i. e. in the first nineteen units of variation employed in the present
study, adds to the problems with von Soden's study. Gregory's agreement
with the other mss. in the first twelve chapters, units 1-46, has not been
computed, however.

ment with three of von Soden's other groups than with Iπ: 64.8 with
Io, 65.4 with Iηa , and 65.7 with Ki.[1]

It is clear therefore that on the basis of simple quantitative
analysis Gregory is most closely related to the Byzantine type of text.
Therefore if Gregory is to be classified at all, it must be as a Byzantine
witness. If he is a representative of that text, how good a one is he? If
𝔐 is accepted as the standard of the text, Gregory stands at the bottom
of the list. Table 6 shows the percentages of agreement with 𝔐 of all
the mss. which are classified as Byzantine by either Metzger or the
Alands, with of course the addition of Gregory himself.

Table 6

Percentage of Agreement of
Byzantine Witnesses with 𝔐

Witness	With	Against	Total	% With
S	105	0	105	100.0
V	85	2	87	97.7
U	101	4	105	96.2
Ω	101	4	105	96.2
Π	90	6	96	93.8
K	97	8	105	92.4
E	93	12	105	88.6
28	87	14	101	86.1
1604	90	15	105	85.7
Φ	65	11	76	85.5
A	9	2	11	81.8
W	83	22	105	79.0
Σ	79	26	105	75.2
1424	67	35	102	65.7
Greg	66	39	105	62.9

---

[1]It should be noted, however, that only one ms. in each group is
used in this study: U, 1, and E respectively.

The Majority Text is the consensus of medieval minuscule mss. Gregory, however, if he is a Byzantine witness at all, is one of the earliest members of that text-type, and one should not expect him to have as high a percentage of agreement with 𝔐 as do most other members. Aside from Gregory, the earliest witnesses on the list are A (fifth century), W (fifth century), Σ (sixth century), and Φ (sixth century). Although they have considerably more agreement with 𝔐 than Gregory, they also have considerably less than such later members as S, V, U, and Ω. Furthermore, no father or version will likely have as high a percentage of agreement as a continuous-text Greek ms. of the same textual group—that because of the involved mechanics of quotation and translation. Even so it is perplexing that even ℵ and B have a higher percentage of agreement with 𝔐 than Gregory (see Table 1). The most one could claim is that Gregory is an early and weak Byzantine witness.

Fee's unnamed method gives similar results. Where 𝔐 and UBS have different readings, Gregory agrees with 𝔐 fourteen times (units 11, 26, 36, 49, 51, 60, 62, 69, 81, 82, 85, 91, 98, and 102) and with UBS ten times (units 16, 18, 19, 21, 56, 67, 74, 78, 84, and 86). In these twenty-four units Gregory agrees with 𝔐 58.3% and with UBS 41.7%. The percentage of agreement is significantly in favor of a Byzantine rather than an Alexandrian orientation for Gregory, but 58.3% is not a very high amount of agreement and would seem to indicate that at best Gregory is a weak Byzantine witness. Nyssa supports a third variant only in units 5 and 76 where he is joined by D W Θ 1

33 157 700 k once each. Nothing can be made out of such a tiny amount of evidence.

There are twenty-seven instances where 𝔐 and UBS agree but Gregory supports another reading (units 4, 8, 10, 12, 14, 17, 24, 25, 27, 32, 34, 37, 40, 41, 44, 45, 50, 58, 65, 72, 73, 79, 83, 87, 88, 92, and 95). In these Gregory agrees with 1424 ten times; D and a seven times; L b c k six times; Σ 33 157 five times; and 28 1604 four times. The others agree with Gregory either three, two, one, or zero times in the twenty-seven units. Little significance should be attached to so few examples, but five of the twelve (D a b c k) are Western according to Metzger, four (Σ 28 1424 1604) are Category V = Byzantine according to the Alands (Metzger treats 28 as Pre-Caesarean), two (L 33) are Later Alexandrian / Category II, and one (157) is Category III. Two conclusions may be drawn from those instances where Gregory supports a reading different from the one supported by 𝔐 and UBS. The Byzantine element is still prominent—all the more so when it is remembered that Later Alexandrian / Category II and Category III mss. have a significant number of Byzantine readings. And there is also a noticeable Western element. By the nature of the case the Western element in Gregory is most apparent when he has a reading not supported by either 𝔐 or UBS.

In conclusion therefore, Gregory's quotations from the Gospel of Matthew are undoubtedly most closely related to the Byzantine type of text, but the amount of agreement is not high and there are also some Western and even Alexandrian elements. One could do no more than say that Gregory's is a mixed text, but it is also quite possible,

even probable, that he should be looked upon as an early and weak
Byzantine.

GREGORY'S TEXT OF MARK

(2:21) αἴρει τὸ πλήρωμα τὸ καινὸν τοῦ παλαιοῦ καὶ χεῖρον σχίσμα γίνεται.

I. CIT. αιρει γαρ, φησι, το πληρωμα . . . (*Cant.* 9; VI, 329, 6-7. VR: το σχισμα ms., σχημα mss.).

II. Gregory's omission of αυτου or απ αυτου after πληρωμα is supported by D ƒ¹³ 28 72 349 517 954 1424 1675 a b c e f ff² g² i q r¹ vg.

(4:39) σιώπα, πεφίμωσο.

I. CIT. τη θαλασση λεγει σιωπα πεφιμωσο (*Cant.* 5; VI, 153, 11-12. VR: σιωπα om. ms.).

(9:25) ἐγὼ ἐπιτάσσω σοι. . . .

I. CIT. ο μονογενης θεος ο λεγων τω δαιμονι οτι εγω επιτασσω σοι (*Ref. Eun.* 223; II, 406, 14-15); ALLUS. και εγω επιτασσω σοι (*Ant. Apol.*; III, i, 166, 31-32).

II. Gregory's word order is supported by B C L W Δ Ψ 33 579 892 ff² k vg^cl sin pesh pal har sa bo eth geo.

CHAPT. III

GREGORY'S TEXT OF LUKE

Quotations and Apparatuses

Constant Witnesses in Apparatus III: 𝔓45 𝔓75 ℵ A B C D E K L S
U V W Θ Π Ψ Ω 1 13 28 33 157 544 565 700 892 1241 1424 1604 𝔐
UBS a b c e

**(1:2) καθὼς παρέδωκαν ἡμῖν οἱ ἀπ' ἀρχῆς αὐτόπται
καὶ ὑπηρέται τοῦ λόγου γενόμενοι.**

I. CIT. ημεις καθως . . . γενομενοι δια των αγιων γραφων πε-
πιστευκαμεν (*C. Eun.* 3.3.36; II, 120, 14-16. VR: οι om. ms.);
ALLUS. οι τε απ . . . υπηρεται . . . (*C. Eun.* 1.157; I, 74,
14-15. VR: γενομενοι του λογου mss.); ALLUS. αυτοπται και
υπηρεται του λογου (*Hom. opif.* 17.15.89; Forbes 206, 2-3).

II. The word order του λογου γενομενοι is also found in 123 *l*[184] Cyr
Thdrt.

III-1. καθως   Greg {A} *et rel.*] καθα   D (𝔓45 𝔓75 C a vac., b c e
trans.).

-2. παρεδωκαν   Greg {B} K Π Ψ* 544 892] παρεδοσαν   *rel.*
(𝔓45 𝔓75 C a vac., b c e trans.).

**(1:15) καὶ πνεύματος ἁγίου πλησθήσεται ἔτι ἐκ κοι-
λίας μητρός.**

I. CIT. καθως η του αγγελου περι αυτου μηνυει φωνη λε-
γουσα· και . . . (*Ant. Apol.*; III, i, 175, 6-8).

III-3. εκ κολιας   Greg {A} *et rel.*] εν κολια   W c e (𝔓45 𝔓75 Ω
vac.).

(1:17) . . . ἐν πνεύματι καὶ δυνάμει 'Ηλίου. . . .

I. ALLUS. ο εν . . . (*Bas.*; X, i, 113, 12).

III-4. Ἡλιου   Greg {A} *et rel.*] Ἡλεια / Ἡλια   ℵ B* L W 565 (𝔓45
𝔓75 Ω a vac., b c e trans.).

(1:28) χαῖρε, κεχαριτωμένη.

I. CIT. χαιρε γαρ, φησι, κεχαριτωμενη   (*Cant.* 13; VI, 389, 9-
10).

(1:78) ἐν οἷς ἐπεσκέψατο ἡμᾶς ἀνατολὴ ἐξ ὕψους.

I. CIT. κατα την λεγουσαν περι αυτου προφητειαν·
εν . . .   (*Steph.* 2; X, i, 101, 14-16).

III-5. επεσκεψατο   Greg {A} *et rel.*] επισκεψεται   ℵ* B L W Θ
UBS (𝔓45 𝔓75 E Π vac.).

**(1:79) (ἐπιφᾶναι) τοῖς ἐν σκότει καὶ σκιᾷ θανάτου
καθημένοις. . . .**

I. ALLUS. οταν επιφανη το φως το αληθινον τοις . . .
(*Cant.* 5: VI, 145, 7-8. VR: σκιας   ms.); ALLUS. νυν τοις
. . . καθημενοις η εξ υψους ανατολη επισκεπτεται   (*Trid.*; IX,
280, 12-13. VR: τους . . . καθημενους   mss.).

II. It is not safe to cite Gregory for the addition of φως after επιφαναι
(with D d r¹). το φως το αληθινον is an assimilation to John 1:9.

**(2:6-7) ἐπλήσθησαν αἱ ἡμέραι τοῦ τεκεῖν αὐτήν,   (7)
καὶ ἔτεκε.**

I. CIT. και οτι επλησθησαν . . .   (*C. Eun.* 3.2.26; II, 60, 25-26).

**(2:10-11) [εἶπεν αὐτοῖς] (ὁ ἄγγελος . . . εὐαγγελίζ-
ομαι ὑμῖν χαρὰν μεγάλην ἥτις ἔσται) παντὶ τῷ λαῷ,
(11) . . . ὅς ἐστι Χριστὸς κύριος. . . .**

I. ADAPT. οτε ευηγγελιζοντο τοις ποιμεσιν οι αγγελοι την
μεγαλην χαραν την εσομενην παντι τω λαω επι τη γενεσει
του σωτηρος,   (11) ος εστι, φησι, Χριστος κυριος προσφορως
ονομαζομενος κατα τον λογον του Γαβριηλ . . .   (*Ant. Apol.*;
III, i, 225, 16-19. VR: ος] ο mss.).

II. The quotation is too loose to cite Gregory against the omission of ο αγγελος in A* 700 b.

III-6. (11) Χριστος κυριος   Greg {A} *et rel.*] κυριος Χριστος   W; Χριστος Ιησους κυριος   e (𝔓45 𝔓75 C Π vac.).

(2:13) ἐγένετο . . . πλῆθος οὐρανίου στρατιᾶς αἰνούντων τὸν θεόν.

I. CIT. αφ ων παρα της θεοπνευστου γραφης ακηκοαμεν . . . εγενετο γαρ, φησι, πληθος . . . (*Eccl.* 8; V, 435, 6-9. VR: στρατιας ουρανιου ms., στρατος ουρανιος mss.); ALLUS. οτι μεν ουν η δοξα παρα της ουρανιου στρατιας αναπεμπεται . . . (*Cant.* 15; VI, 442, 16).

II. Only 544 Chr support Gregory's word order ουρανιου στρατιας.

III-7. ουρανιου   Greg {A} *et rel.*] ουρανου   B* D*; ουρανιων   b c (𝔓45 𝔓75 C Π vac.).

(2:14) δόξα ἐν ὑψίστοις θεῷ, [καὶ] ἐπὶ γῆς εἰρήνη ἐν ἀνθρώποις εὐδοκίας.

I. ADAPT. καθως φησιν επι των ποιμενων η επουρανιος στρατια, οτε ειδον οι αγγελοι επι γης την ειρηνην την υπερ της εν ανθρωποις ευδοκιας τω βιω ημων επιφανεισαν, οτι δοξα εν υψιστοις θεω   (*Inscript. Pss.* 2.14; V, 158, 18-21. VR: εν om. mss.); ADAPT. οτι μεν ουν η δοξα παρα της ουρανιου στρατιας αναπεμπεται τω εν υψιστοις θεω υπερ της εν ανθρωποις ευδοκιας εν ταις ακοαις των ποιμενων, οτε ειδον γεννηθεισαν επι γης την ειρηνην (*Cant.* 15; VI, 442, 16—443, 1. VR: ευδοκια ms.).

II. There is no evidence for Gregory's omission of και or of his article before ειρηνην.

III-8. ευδοκιας   Greg^ed {B} ℵ* A B* D W UBS a b c e] ευδοκια Greg^ms *et rel.* (𝔓45 𝔓75 C Π vac.).

(2:29-30) νῦν ἀπολύεις τὸν δοῦλόν σου, δέσποτα, κατὰ τὸ ῥῆμά σου ἐν εἰρήνῃ· (30) ὅτι εἶδον οἱ ὀφθαλμοί μου τὸ σωτήριόν σου.

I. CIT. αι του Συμεωνος φωναι, ος φησι *νυν* . . .   (*Cant.* 5;
VI, 164, 10-12. VR: δεσποτα   om. mss; (30) μου] σου   ms.).

(2:42, 51) (ἐτῶν δώδεκα) . . . **(51) ἦν ὑποτασσό-
μενος (αὐτοῖς).**

I. ALLUS. ο φησι το κατα Λουκαν ευαγγελιον οτι ην
υποτασσομενος τοις γονευσιν εις δωδεκατον προελθων ετος ο
κυριος   (*Fil.*; III, ii, 7, 19-20. VR: εις] ως   ms.; ετος προελθων
mss.).

III-9. ετων   Greg {A} *et rel.*] αυτω ετη   D L a b (𝔓45 𝔓75 C
vac.).

-10. δωδεκα   Greg {A} *et rel.*] δεκαδυο   W 1 (𝔓45 𝔓75 C
vac., a b c e trans.).

**(2:52) Ἰησοῦς προέκοπτεν ἡλικίᾳ καὶ σοφίᾳ καὶ
χάριτι.**

I. CIT. Ιησους γαρ προεκοπτεν, φησιν, ηλικια . . .   (*C. Eun.*
3.4.60; II, 157, 15-16); ALLUS. οτι προεκοπτεν Ιησους ηλικια
. . .   (*Ant. Apol.*; III, i, 149, 13); CIT. πειθομενοι τω ευαγγελιω
ουτωσι διεξιοντι οτι Ιησους δε προεκοπτεν . . .   (*Ant. Apol.*;
III, i, 175, 12-14).

III-11. σοφια   Greg {A} *et rel.*] pr. εν τη   ℵ L UBS; pr. τη   B W
(𝔓45 𝔓75 vac., a b c e trans.).

-12. ηλικια και σοφια   Greg {C} D L a b c e] σοφια και ηλικια
rel. (𝔓45 𝔓75 vac.).

**(4:23) πάντως ἐρεῖτέ μοι τὴν παραβολὴν ταύτην·
ἰατρέ, θεράπευσον σεαυτόν.**

I. CIT. ο κυριος τουτο προς εαυτον λεγων·   παντως . . .
(*Hom. opif.* 26.12.114; Forbes 264, 2-4).

**(4:25) ἐκλείσθη ὁ οὐρανὸς ἐπὶ ἔτη τρία καὶ μῆνας
ἕξ.**

I. CIT. ουτω φησιν η γραφη, οτι εκλεισθη . . .   (*Hex.* 44;
Forbes 60, 29-31).

III-13. επι Greg {A} *et rel.*] om. B D 1241 (𝔓45 𝔓75 vac., a b c e trans.).

(5:21) τί οὗτος λαλεῖ βλασφημίας; τίς δύναται ἀφι-
έναι ἁμαρτίας εἰ μὴ μόνος ὁ θεός;

I. CIT. περι του πατρος λεγοντες· τι ουτος, φησιν, λαλει
. . . (*Or. Dom.* 3; Krabinger 66, 7-9); ADAPT. ειρηται γαρ οτι
ουδεις δυναται . . . (*Or. Dom.* 5; Krabinger 92, 13-14).

II. There is only patristic evidence for Gregory's substitution of ουδεις
for τις in *Or. Dom.* 5, and it is probably the result of adaptation.

III-14. τι ουτος   Greg {C} D] τις εστιν ουτως ος   13; τις
εστιν ος   544; τις εστιν ουτος ος   *rel.* (𝔓45 𝔓75 vac.).

-15. αφιεναι αμαρτιας   Greg {A} *et rel.*] αμαρτιας αφιεναι   L
1 c e; αμαρτιας αφειναι   B D (𝔓45 𝔓75 vac.).

-16. μονος   Greg {A} *et rel.*] εις   D Ψ 28 a   (𝔓45 𝔓75 vac.).

-17. ο   Greg {A} *et rel.*] om. D* (𝔓45 𝔓75 vac., a b c e trans.).

(5:31) οὐ χρείαν ἔχουσι οἱ ὑγιαίνοντες ἰατροῦ ἀλλ'
οἱ κακῶς ἔχοντες.

I. CIT. καθως λεγει το ευαγγελιον, τους κακους ιατρουοντος·
ου χρειαν γαρ εχουσι, φησι, οι . . . (*Or. catech.* 8; Srawley 48,
3-5).

II. The quotation is probably from Luke rather than Mark 2:17 or
Matt. 9:12 because of the absence of ισχυοντες.

III-18. υγιαινοντες   Greg {A} *et rel.*] ισχυοντες   Ψ 13 1424 1604
(𝔓45 𝔓75 vac.).

-19. αλλ   Greg {B} *et rel.*] αλλα   A B W UBS (𝔓45 𝔓75 vac., a
b c e trans.).

(6:34) καὶ (ἐὰν) δανείζετε, παρ' ὧν ἐλπίζετε ἀπο-
λαβεῖν.

I. CIT. λεγουσα· και ει δανειζετε . . . (*Usur.*; IX, 201, 8.
VR: ει] ου ms.).

II. There is no evidence for ει.

III-20. δαν(ε)ιζετε   Greg {B} *et rel.*] δαν(ε)ιζητε   U V Θ Π Ψ 1
565 700 1604 𝔐; δαν(ε)ισητε   𝔓75ᵛⁱᵈ (א) B* (W) 157 892 UBS
(𝔓45 C vac., a b c e trans.).

-21. απολαβειν   Greg {A} *et rel.*] λαβειν   𝔓75ᵛⁱᵈ א B L W
UBS; λαμβανειν   157 (C vac., a b c e trans.).

(6:36) γίνεσθε [οὖν] οἰκτίρμονες. . . .

I. CIT. ταυτα βουλεται παλιν ο κυριος και ημας γινεσθαι τε
και ονομαζεσθαι· γινεσθε γαρ οικτιρμονες . . . (*C. Eun.*
1.501; I, 171, 5-7).

II. Gregory's γαρ is unattested, and it is unsafe to cite him for either
the omission (𝔓75 א B D L W 1 33 157 700 *al.* a b c e) or inclusion
(A E K S U V Θ Π Ψ Ω 13 28 544 565 892 1241 1424 1604 𝔐) of
ουν.

(6:40) κατηρτισμένος [δὲ] (πᾶς ἔσται) ὡς ὁ δι-
δάσκαλος αὐτοῦ.

I. CIT. δια τουτο φησι· κατηρτισμενος εσται πας μαθητης ως
. . . (*Ep.* 17.24; VIII, ii, 56, 23-24); ALLUS. κατηρτισμενος γαρ
εσται μαθητης ως . . . (*Bas.*; X, i, 134, 9-10). VR: εστω   mss.;
ο μαθητης   ms.; πας μαθητης   ms.).

II. In *Ep.* Gregory omits δε before εσται with Δ Ξ 205 348* Const
Tat, whereas in *Bas.* he reads γαρ with 1279 gat pesh sa. Because his
testimony is divided between two poorly attested readings, and because
he is very careless about conjunctions, it is best to conclude that his
NT had δε with *rel.* The word order εσται πας in *Ep.* is attested only
by 1195 2613 c gat q Const, whereas the omission of πας in *Bas.* is
found only in א 157 716 1443 b. Because Gregory has two different,
poorly supported readings it is best to restore πας εσται. Because
Gregory does not quote the first part of the verse he has interpolated
μαθητης from it.

III-22. εσται   Greg^ed {B} *et rel.*] εστω   Greg^mss ℵ Θ 157; εσεσθε
e (𝔓45 𝔓75 vac.).

(7:13-15) ἰδὼν αὐτὴν ὁ Ἰησοῦς ἐσπλαγχνίσθη . . .
(14) καὶ προσελθὼν ἤψατο τῆς σοροῦ, οἱ δὲ
(βαστάζοντες) ἔστησαν, καὶ (εἶπεν·) νεανίσκε, σοὶ
λέγω, ἐγέρθητι. **(15)** καὶ . . . παρέδωκεν αὐτὸν τῇ
μητρὶ αὐτοῦ.

I. CIT. ιδων γαρ αυτην ο Ιησους, φησιν, εσπλαγχνισθη, (14)
και προσελθων . . . δε βαστασαντες εστησαν· και λεγει τω
νεκρω, νεανισκε . . . εγερθητι, (15) και . . . αυτου ζωντα
(*Hom. opif.* 26.10.112; Forbes 260, 7-11. VR: (14) σοι λεγω
νεανια   mss.; (15) ζωντα τη μητρι   ms., τη μητρι ζωντα
mss.).

II. (14) There is no evidence for βαστασαντες or λεγει τω νεκρω.
(15) There is no evidence for the addition of ζωντα. The substitution
of παρεδωκεν for εδωκεν is also attested only by eth.

III-23. αυτην   Greg {A} *et rel.*] om. D 1241 (𝔓45 vac.).

-24. Ιησους   Greg {C} D W 1 700 1241] κυριος   *rel.* (𝔓45
vac.).

-25. εσπλα(γ)χνισθη   Greg {A} *et rel.*] ευσπλαγχνισθη   13 157
1424 (𝔓45 vac.).

-26. (14) νεανισκε   Greg {A} *et rel.*] +νεανισκε (sic) D a 𝔓45
vac.).

-27. (15) παρεδωκεν   Greg {C} 1241] απεδωκεν   A 33 c;
εδωκεν   *rel.* (𝔓45 vac.).

(7:45) φίλημά μοι οὐκ ἔδωκας.

I. CIT. διο μοι δοκει τω λεπρω Σιμωνι το τοιουτον
ονειδιστικως τροφερειν ο κυριος, οτι φιλημα . . . (*Cant.* 1;
VI, 33, 5-6).

II. Note how Gregory has confused 7:45 and Matt. 26:6.

(8:45) ἐπιστάτα, οἱ ὄχλοι συνέχουσί σε καὶ ἀπο-
θλίβουσιν.

I. CIT. ο Πετρος ιδων απεκρινατο λεγων, οτι επιστατα . . .
(*Mart.* 1a; X, i, 137, 11-12).

(10:18) ἐθεώρουν τὸν σατανᾶν ὡς ἀστραπὴν πεσόντα
ἐκ τοῦ οὐρανοῦ.

I. CIT. περι ου και ο κυριος αποκαλυπτων τοις μαθηταις τα
μυστηρια ελεγεν· εθεωρουν . . . (*C. Eun.* 1.281; I, 109, 7-9.
VR: εκ του ουρανου πεσοντα ms.).

III-28. ως αστραπην πεσοντα εκ του ουρανου Greg^{ed} {C} 𝔓75
e] εκ του ουρανου ως αστραπην πεσοντα B; ως αστραπην εκ
του ουρανου πεσοντα Greg^{ms} *et rel.*

(10:19) δέδωκα ὑμῖν τὴν ἐξουσίαν τοῦ πατεῖν ἐπά-
νω ὄφεων καὶ σκορπίων.

I. CIT. λεγει οτι δεδωκα υμιν εξουσιαν . . . (*Cant.* 5; VI,
143, 8-9. VR: ιδου δεδωκα vers.; ημιν ms.); ALLUS. την
. . . οφεων απολεσαι (*Eccl.* 2; V, 300, 10-11).

II. The omission of the article before εξουσιαν in *Cant.* only is
supported by Apophth-Patr Ath Chr Cyr Did Diod Eus Gennad Nil Or
Pall Thdrt.

III-29. δεδωκα Greg {B} 𝔓75 ℵ B C* L W 1 700 892 1241 1424
UBS b e] διδωμι *rel.* (a vac.).

-30. του Greg {A} *et rel.*] om. W 1 (a b c e trans.).

-31. οφεων και σκορπιων Greg {A} *et rel.*] των οφεων και
των σκορπιων D; των οφεων και σκορπιων 157 (a b c e
trans.).

(10:20) τὰ ὀνόματα ὑμῶν ἐγγέγραπται ἐν τοῖς οὐρα-
νοῖς.

I. CIT. λεγοντος οτι τα . . . (*Cant.* 13; VI, 385, 15-16. VR:
γεγραπται mss.).

III-32. ἐγγέγραπται / ἐνγέγραπται   Greg^{ed} {C} 𝔓75 ℵ B* L 1 33
1241 UBS] γέγραπται   Greg^{mss} Θ;   ἐνέγραφη   157; ἐγραφη
rel. (a b c e trans.).

-33. τοῖς ουρανοις   Greg {A} *et rel.*] τω ουρανω   D a b c e.

(10:29) καὶ τίς ἐστί μου πλησίον;

I. CIT. εν τω λεγειν· και . . .   (*Cant.* 14; VI, 427, 11-12).

(11:1) δίδαξον ἡμᾶς προσεύχεσθαι.

I. CIT. και μοι δοκει την τοιαυτην ο κυριος εννοιαν παρα-
διδοναι τοις ειπουσι προς αυτον οτι διδαξον . . . (*Inscript.*
Pss. 2.3; V, 76, 22-23).

(11:2) ἐλθέτω ἡ βασιλεία σου, ἐλθέτω τὸ ἅγιον
πνεῦμά σου ἐφ' ἡμᾶς καὶ καθαρισάτω ἡμᾶς.

I. CIT. καθως ημιν υπο του Λουκα . . . ουτω γαρ εν εκεινω
τω ευαγγελιω φησιν, αντι του ελθετω . . .   (*Or. Dom.* 3;
Krabinger 60, 5-11).

II. The famous addition is also attested in a slightly different form by
162 Max Mcion.

III-34. ελθετω¹   Greg {B} *et rel.*] ελθατω   ℵ C W 13 1241 (𝔓45
𝔓75 illeg., a b c e trans.).

-35. ελθετω² . . . ημας   Greg {C} (700)] om. *rel.* (𝔓45 vac.).

(11:7) ἤδη ἡ θύρα κέκλεισται καὶ τὰ παιδία μετ'
ἐμοῦ ἐπὶ τῆς κοίτης ἐστίν.

I. CIT. εκ της του κυριου φωνης διδασκομεθα . . . ηδη . . .
(*Cant.* 6; VI, 198, 3-6. VR: θυρα μου κρουεται   ms.; κοιτης
μου   ms.).

II. επι της κοιτης is attested only by 118 205 209 Tat, επι της
κλινης by 2757, εν τη κοιτη by D Bas, and εις την κοιτην by *rel.*

III-36. παιδια   Greg {B} C 1 157 700 1241 b c] + μου *rel.* (𝔓45 a
e vac.).

-37. εστιν   Greg {C} D W] εισιν   *rel.* (𝔓45 a e vac.).

(12:5) φοβήθητε τὸν μετὰ τὸ ἀποκτεῖναι ἔχοντα ἐξ-
ουσίαν ἐμβαλεῖν εἰς τὴν γέενναν τοῦ πυρός.

I. CIT. λεγει ο κυριος·   φοβηθητε . . .   (*Cant.* 15; VI, 462 14-
16. VR: φοβηθη   ms.).

II. του πυρος (// Matt. 5:22) is also added by *l*[1663] Aug.

III-38. φοβηθητε   Greg {A} *et rel.*] om. ℵ D 157* a (C 544 vac.).

-39. εχοντα εξουσιαν   Greg {B} *et rel.*] εξουσιαν εχοντα   𝔓45
E S U V Ω 28 565 1424 1604 𝔐   (C 544 vac.).

-40. εμβαλειν   Greg {A} *et rel.*] εμβαλλειν ℵ; βαλειν   D W
(C 544 vac.).

-41. την   Greg {A} *et rel.*] om. D Ψ 157 700 (C 544 vac., a b c e
trans.).

-42. του πυρος   Greg {C} 1424] om. *rel.* (C 544 vac.).

(12:19) φάγε, πίε, καὶ εὐφραίνου.

I. CIT. οτι φαγε και πιε και ευφραινου   (*Fil.*; III, ii, 20, 21).

II. The addition of και[1] is attested by geo Tat and that of και[2] by 69 f
g[1] gat arm Hil Tat.

(12:35) ἔστωσαν ὑμῶν αἱ ὀσφύες περιεζωσμέναι καὶ
οἱ λύχνοι καιόμενοι.

I. CIT. λεγων εστωσαν . . .   (*Cant.* 11; VI, 317, 5-6. VR:
ημων ms.; λυχνοι υμων vers.).

II. It is not safe to cite Gregory for the omission of δε after εστωσαν
with 700 1005 1365 1604 2372 2613 b f ff[2] i l q r[1].

III-43. υμων αι οσφυες περιεζωσμεναι   Greg {B} *et rel.*] αι
οσφυες υμων περιεζωσμεναι   A K Θ Π 157 1604 a b c e; υμων η
οσφυς περιεζωσμενη   D (C 544 vac.).

(12:36) καὶ ὑμεῖς ὅμοιοι ἀνθρώποις προσδεχομένοις τὸν κύριον ἑαυτῶν, πότε ἀναλύσει ἐκ τῶν γάμων, ἵνα ἐλθόντος καὶ κρούσαντος εὐθέως ἀνοίξωσιν αὐτῷ.

I. CIT. δι ων φησιν οτι και . . . (Cant. 11; VI, 317, 18—318, 2. VR: ημεις mss.; κυριον] θεον mss.; αναλυση mss.; του γαμου ms.; ινα . . . γαμων (p. 318, line 3) om. ms.; κρουοντος mss.; ευθεως om. mss; αυτον mss.).

III-44. εαυτων   Greg {A} et rel.] αυτων   D W Ω 1 13 33 700 892 1241 1424 (C 544 vac., a b c e trans.).

-45. αναλυσει   Greg^ed {B} K Ψ 1 13 28 157 565 700 892 1424 1604 𝔐]   αναλυση Greg^mss et rel.; ερχεται   e (𝔓45 C 544 vac., a b c trans.).

-46. κρουσαντος   Greg {A} et rel.] + αυτου   A 1241 (C 544 vac.).

-47. αυτω   Greg^ed {B} et rel.] αυτον   Greg^mss 28 157 1424 (𝔓45 C 544 vac., a b c e trans.).

(12:37) μακάριοι οἱ δοῦλοι ἐκεῖνοι, οὓς ἐλθὼν ὁ κύριος εὑρήσει (οὕτως ποιοῦντας).

I. CIT. μακαριοι γαρ, φησι, οι . . . ευρησει ποιουντας ουτως (Cant. 11; VI, 319, 3-5. VR: κυριος αυτων vers.; ευρησει ο κυριος mss.).

II. There is no evidence for Gregory's transitional γαρ.

III-48. μακαριοι   Greg {A} et rel.] + εισιν   1241 1604 (𝔓45 C 544 vac.).

-49. ελθων ο κυριος   Greg {A} et rel.] ο κυριος ελθων   L Ψ 33 892 (𝔓45 C 544 vac.).

-50. ουτως ποιουντας   (Greg {C} ποι. ουτ.) 1424] γρηγορουντας   rel. (C 544 vac.).

(15:9) συγχάρητέ μοι, ὅτι εὗρον τὴν δραχμὴν ἣν ἀπώλεσα.

CIT. συγχαρητε γαρ μοι, φησιν, οτι . . .   (*Virg.* 12; VIII, i, 301, 21-22).

III-51. τὴν δραχμην ην απωλεσα   Greg {A} *et rel.*] ην απωλεσα δραχμην   D e; την δραχμην   b (𝔓45 C E 33 vac.).

(15:18 / 21)   πάτερ, ἥμαρτον εἰς τὸν οὐρανὸν καὶ ἐνώπιόν σου.

I. CIT. εφησε γαρ εκει· πατερ . . .   (*Or. Dom.* 2; Krabinger 38, 23-24).

II. There is no way to tell which verse is intended. It is doubtful that Gregory intended one as opposed to the other.

(18:1) [τὸ] δεῖ πάντοτε προσεύχεσθαι καὶ μὴ ἐκκακεῖν.

I. ADAPT. ουκουν τουτο χρη προτερον υμας διδαχθηναι τω λογω, οτι δει . . .   (*Or. Dom.* 1; Krabinger 6, 35-37).

II. There is no evidence for the omission of το. δει instead of δειν is found in 047 1071* 1319 Mac.

III-52. δει   Greg {C} L] δειν   *rel.* (𝔓45 𝔓75 C 33 vac., a b c e trans.)

-53. προσευχεσθαι   Greg {B} D E 1 28 157 1424] + αυτους *rel.* (𝔓45 C 33 vac.).

-54. εκκακειν   Greg {C} *et rel.*] εγκακειν / ενκακειν ℵ A B D K L U Θ Π 13 UBS (𝔓45 𝔓75 C 3 vac., a b c e trans.).

(19:10) ἦλθεν (γὰρ ὁ υἱὸς τοῦ ἀνθρώπου) ζητῆσαι καὶ σῶσαι τὸ ἀπολωλός.

I. ALLUS. ηλθεν ο κυριος ζητησαι . . .   (*Ref. Eun.* 173; II, 385, 10).

II. There is no evidence for Gregory's ο κυριος, undoubtedly an adaptation.

(20:36) οὔτε γὰρ ἀποθανεῖν ἔτι δύναται, ἰσάγγελοι γάρ εἰσιν καὶ υἱοὶ θεοῦ εἰσιν τῆς ἀναστάσεως υἱοὶ ὄντες.

I. CIT. φησιν . . . ουτε . . . (Hom. opif. 18.2.90; Forbes 210, 11-13. VR: ουδε mss.; εισιν θεου mss.; om. εισιν ms.).

III-55. ουτε Greg^{ed} {C} et rel.] ουδε Greg^{mss} A B D L Θ 157 UBS; ου 892 (𝔓45 𝔓75 C 28 33 b vac., a c e trans.).

-56. ετι Greg {A} et rel.] om. W 1 1424 (𝔓45 𝔓75 C 28 33 565* b vac.).

-57. δυναται Greg {A} et rel.] μελλουσιν D W Θ (𝔓45 𝔓75 C 28 565* b vac.).

-58. και υιοι εισιν (Greg^{ed} {B} cf. # 60) et rel.] και υιοι Greg^{ms} Π 1; om. D 157 a c e (𝔓45 𝔓75 C 28 33 b vac.).

-59. θεου Greg {B} ℵ A B L (157) 892 UBS] του θεου rel.; τω θεω D (𝔓45 𝔓75 C 28 33 b vac., a c e trans.).

-60. θεου εισιν Greg^{ed} {C} ℵ] εισιν (του) θεου Greg^{mss} et rel. (𝔓45 𝔓75 C 28 33 b vac., Π 1 om. εισιν above).

(22:35) ὅτε ἀπέστειλα ὑμᾶς. . . .

I. CIT. και οτε απεστειλα υμας, . . . και μυρια τοιαυτα δια πασης εστι της γραφης εις αποδειξιν του προκειμενου λαβειν, . . . (C. Eun. 3.7.40; II, 229, 22-25).

(23:42) ['Ιησοῦ] κύριε, μνήσθητί μου ἐν τῇ βασιλείᾳ σου.

I. ALLUS. κυριε . . . μου ειπων εν . . . (Mart. 1b; X, i, 156, 9-10). VR: κυριε . . . σου om. mss.; ειπων om. ms.).

II. Ιησου is omitted by one pesh ms. only. κυριε is found before μνησθητε in Greg Q aur c e f ff² g¹ gat l vg sin cur and some fathers, after μου in A R W Θ Ψ (0124) 0135 f¹ f¹³ 𝔐, and not at all in 𝔓75 ℵ B C* (D) L M* Π 1241 al. pal^{mss} sa^{mss} geo² and some fathers. Because no Greek ms used in this study places it before μνησθητε, it

cannot be treated in apparatus III. οταν ελθης is omitted with Q 472
827 1009 1365 *l*²⁵³* *l*¹⁷⁶¹ and several fathers.

III-61. εν τη βασιλεια   Greg {A} *et rel.*] εις την βασιλειαν   𝔓75
B L c e (𝔓45 vac.).

(23:43) σήμερον μετ' έμοῦ ἔση έν τῷ παραδείσῳ.

I. CIT. εδειξε την επι παντων εξουσιαν εν οις φησι σημερον
. . . (*Ref. Eun.* 141; II, 373, 15-16); CIT. προς δε τον ληστην
οτι σημερον . . . (*Trid.*; IX, 291, 3-5); CIT. ειπεν ο κυριος οτι
σημερον . . . (*Mart.* 1b; X, i, 156, 5-6. VR: εση μετ εμου
ms.); ALLUS. ως δε προς τον ληστην εν τω παραδεισω (*Ant.
Apol.*; III, i, 153, 19-20).

III-62. σημερον   Greg {A} *et rel.*] + οτι   L 892 b c (𝔓45 vac.).

(23:46) πάτερ, είς χείράς σου 'παρατίθεμαι / παρα-
τίθημι' τὸ πνεῦμά μου.

I. CIT. ο . . . κυριακος ανθρωπος . . . εν τω σταυρω προσ-
εφωνει λεγων· πατερ . . . σου παρατιθημι το . . . (*Steph.* 2;
X, i, 100, 5-7. VR: παραθησομαι   ms.); CIT. ο ειπων προς τον
ιδιον πατερα οτι εν ταις χερσι σου παρατιθεμαι το . . . (*C.
Eun.* 3.3.68; II, 132, 11-13. VR: παρατιθημι   mss.); CIT. ως
μεν προς τον πατερα φησιν οτι εν ταις χερσι σου παρατιθημι
το . . . (*Ant. Apol.*; III, i, 153, 17-19); CIT. προς δε τον
πατερα οτι εις χειρας σου παρατιθημι το . . . (*Trid.*; IX, 291,
4-5. VR: τας χειρας ms.; παρατιθεμαι   ms.).

II. The only other evidence for εν ταις χερσι in *C. Eun.* and *Ant.
Apol.* is the Old Latin ms. a, and the reading is probably the result of
faulty memory. παρατιθεμαι is the reading of 𝔓75 ℵ A B C K M P Q
U W X Θ Π Ψ 0124 33 1241 *al.* παρατιθημι is supported by D R 1
544 892 *al.* It would appear that Gregory knew both readings, and
therefore both are incorporated into the reconstruction. One might
expect him to have known παραθησομαι, the reading of E G H L S V
Y Γ Δ Λ Ω 0117 0135 13 28 157 565 700 1424 1604 𝔐. It is a
variant in *Steph.* 2.

III-63. πατερ   Greg {A} *et rel.*] om. 28* 1604 (𝔓45 vac.).

(24:5) τί ζητεῖτε τὸν ζῶντα μετὰ τῶν νεκρῶν;

I. CIT. φησι γαρ και ο αγγελος τοις εν τω μνηματι ζητουσι τον κυριον· τι . . . νεκρων; ουκ εστι ωδε, ηγερθη. ιδε ο τοπος εν ω εκειτο (*Inscript. Pss.* 2.16; V, 171, 3-6. VR: ιδον mss.).

II. ουκ εστιν ωδε ηγερθη could as well be from Mark 16:6 or Matt. 28:6, and ιδε ο τοπος εν ω εκειτο is certainly from one of these.

(24:39) ψηλαφήσατέ με καὶ ἴδετε ὅτι πνεῦμα σάκα καὶ ὀστέα οὐκ ἔχει (καθὼς) ἐμὲ θεωρεῖτε ἔχοντα.

I. CIT. ειπειν ταυτα τον κυριον οτι ψηλαφησατε με [και ιδετε] και γνωτε, οτι το πνευμα . . . εχει, ωσπερ εμε . . . (*Ant. Apol.*; III, i, 150, 23-25. VR: και ιδετε om. mss.; το om. ms.); CIT. φησι προς τους μαθητας ο αυτος οτι ψηλαφησατε με (*C. Eun.* 3.10.4; II, 290, 8).

II. There is no evidence for the addition of και γνωτε or for the substitution of ωσπερ for καθως in *Ant. Apol.* το before πνευμα, also in *Ant. Apol.*, is found elsewhere only in Isid Tat (D seems to substiturte το for οτι).

III-64. με   Greg {A} *et rel.*] om. D W Θ a b c e (𝔓45 C vac.).

-65. σαρκα και οστεα ουκ εχει   Greg {A} *et rel.*] σαρκας και οστεα ουκ εχει   𝔓75 ℵ*; οστεα ουκ εχει και σαρκας   D (𝔓45 C vac.).

Textual Relationships

The percentages of agreement of the various witnesses with one another in the 65 units of variation in Luke are set forth in Table 7, pp. 90-91.

Table 7
Percentage of Agreement
of All Witnesses

	Greg	𝔓45	𝔓75	ℵ	A	B	C	D	E	K	L	S	U	V	W	Θ	Π	Ψ	Ω
Greg	--	69	64	62	66	58	71	45	70	71	62	69	66	68	52	58	67	66	67
𝔓45	69	--	69	63	81	69	xx	50	100	88	75	100	100	100	63	81	88	88	94
𝔓75	64	69	--	89	72	94	77	42	74	75	86	78	78	78	72	75	78	72	75
ℵ	62	63	89	--	72	78	81	43	73	72	75	74	75	74	69	74	75	66	73
A	66	81	72	72	--	77	84	54	84	88	72	86	86	85	63	83	87	77	84
B	58	69	94	78	77	--	65	48	71	71	80	72	74	72	68	72	73	65	71
C	71	xx	77	81	84	65	--	52	90	90	68	90	90	90	71	81	90	84	90
D	45	50	42	43	54	48	52	--	54	52	45	52	52	51	45	54	52	49	52
E	70	100	74	73	84	71	90	54	--	90	73	98	95	97	67	84	88	86	97
K	71	88	75	72	88	71	90	52	91	--	72	92	92	91	63	86	95	89	90
L	62	75	86	75	72	80	68	45	73	72	--	74	74	72	58	72	70	68	73
S	69	100	78	74	86	72	90	52	98	92	74	--	97	98	68	85	90	88	98
U	66	100	78	75	86	74	90	52	95	92	74	97	--	98	66	88	93	88	95
V	68	100	78	74	85	72	90	51	97	91	72	98	98	--	68	86	92	89	97
W	52	63	72	69	63	68	71	45	67	63	58	68	66	68	--	66	65	60	71
Θ	58	81	75	74	83	72	81	54	84	86	72	85	88	86	66	--	88	78	83
Π	67	88	78	75	87	73	90	52	88	95	70	90	93	92	65	88	--	87	88
Ψ	66	88	72	66	77	65	84	49	86	89	68	88	88	89	60	78	87	--	86
Ω	67	94	75	73	84	71	90	52	97	90	73	98	95	97	71	83	88	85	--
1	70	69	69	64	67	63	84	45	79	77	64	78	78	80	69	70	77	75	79
13	65	88	72	71	80	66	84	51	86	89	68	88	88	86	65	78	83	85	89
28	68	100	67	66	80	64	84	53	93	86	66	92	88	90	59	78	82	85	89
33	71	81	74	73	88	71	84	54	91	88	79	91	89	89	63	82	87	84	93
157	60	56	58	66	72	62	81	49	75	75	60	74	72	74	49	74	72	72	71
544	71	xx	70	69	85	63	87	50	94	96	67	96	92	94	62	81	91	92	96
565	67	100	75	73	81	71	87	48	93	90	71	95	95	97	70	84	88	89	96
700	74	75	67	68	75	66	90	51	84	85	66	86	86	88	68	77	82	86	87
892	69	81	75	71	78	71	90	46	83	86	75	85	83	85	65	75	82	86	86
1241	69	69	67	68	75	66	84	49	79	77	65	82	78	80	65	71	73	72	83
1424	69	81	61	62	71	60	87	43	86	80	62	85	82	83	62	69	73	78	86
1604	63	100	67	66	80	65	84	45	89	89	65	91	91	92	60	82	87	88	89
𝔐	69	94	75	72	83	71	90	49	95	92	71	97	97	98	66	85	90	91	95
UBS	66	75	92	86	86	89	81	48	81	80	83	82	83	82	72	82	82	74	79
a	58	xx	67	68	75	65	79	73	68	78	68	73	73	73	63	73	77	73	72
b	59	60	67	64	72	67	86	56	68	74	72	69	69	69	64	72	77	64	68
c	53	70	67	56	74	67	64	51	63	72	70	67	67	67	58	67	74	63	69
e	55	50	77	57	64	67	65	50	60	67	64	62	62	62	62	64	68	57	63
	Greg	𝔓45	𝔓75	ℵ	A	B	C	D	E	K	L	S	U	V	W	Θ	Π	Ψ	Ω

xx = less than ten units of variation in common

Table 7 , continued
Percentage of Agreement
of All Witnesses

1	13	28	33	157	544	565	700	892	1241	1424	1604	𝔐	UBS	a	b	c	e	
70	65	68	71	60	71	67	74	69	69	69	63	69	66	58	59	53	55	Greg
69	88	100	81	56	xx	100	75	81	69	81	100	94	75	xx	60	70	50	𝔓45
69	72	67	74	58	70	75	67	75	67	61	67	75	92	67	67	67	77	𝔓75
64	71	66	73	66	69	73	68	71	68	62	66	72	86	68	64	56	57	ℵ
67	80	80	88	72	85	81	75	78	75	71	80	83	86	75	72	74	64	A
63	66	64	71	62	63	71	66	71	66	60	65	71	89	65	67	67	67	B
84	84	84	84	81	87	87	90	90	84	87	84	90	81	79	86	64	65	C
45	51	53	54	49	50	48	51	46	49	43	45	49	48	73	56	51	50	D
79	86	93	91	75	94	93	84	83	79	86	89	95	81	68	68	63	60	E
77	89	86	88	75	96	90	85	86	77	80	89	92	80	78	74	72	67	K
64	68	66	79	60	67	71	66	75	65	62	65	71	83	68	72	70	64	L
78	88	92	91	74	96	95	86	85	82	85	91	97	82	73	69	67	62	S
78	88	88	89	72	92	95	86	83	78	82	91	97	83	73	69	67	62	U
80	86	90	89	74	94	97	88	85	80	83	92	98	82	73	69	67	62	V
69	65	59	63	49	62	70	68	65	65	62	60	66	72	63	64	58	62	W
70	78	78	82	74	81	84	77	75	71	69	82	85	82	73	72	67	64	Θ
77	83	82	87	72	91	88	82	82	73	73	87	90	82	77	77	74	68	Π
75	85	85	84	72	92	89	86	86	72	78	88	91	74	73	64	63	57	Ψ
79	89	89	93	71	96	95	87	86	83	86	89	95	79	72	68	69	63	Ω
--	75	78	82	69	75	81	86	77	78	78	75	81	70	64	69	64	61	1
75	--	81	86	71	88	86	83	82	78	85	85	88	75	68	64	63	57	13
78	81	--	84	78	89	90	80	81	71	86	88	92	75	69	62	59	53	28
82	86	84	--	73	91	85	82	88	82	80	80	88	82	69	68	68	59	33
69	71	78	73	--	75	73	74	72	63	71	72	75	71	75	67	67	62	157
75	88	89	91	75	--	92	87	88	81	87	91	94	75	71	63	62	56	544
81	86	90	85	73	92	--	87	84	76	84	92	98	78	71	69	66	60	565
86	83	80	82	74	87	87	--	85	83	80	83	89	75	70	72	65	62	700
77	82	81	88	72	88	84	85	--	75	78	80	86	80	70	74	67	62	892
78	78	71	82	63	81	76	83	75	--	72	75	78	72	63	64	60	55	1241
78	85	86	80	71	87	84	80	78	72	--	82	85	69	58	59	51	50	1424
75	85	88	80	72	91	92	83	80	75	82	--	94	74	68	64	63	57	1604
81	88	92	88	75	94	98	89	86	78	85	94	--	80	73	69	67	62	𝔐
70	75	75	82	71	75	78	75	80	72	69	74	80	--	75	74	67	67	UBS
64	68	69	69	75	71	71	70	70	63	58	68	73	75	--	83	75	73	a
69	64	62	68	67	63	69	72	74	64	59	64	69	74	83	--	82	73	b
64	63	59	68	67	62	66	65	67	60	51	63	67	67	75	82	--	80	c
61	57	53	59	62	56	60	62	62	55	50	57	62	67	73	73	80	--	e
1	13	28	33	157	544	565	700	892	1241	1424	1604	𝔐	UBS	a	b	c	e	

The descending order of agreement of Gregory with all witnesses is displayed in Table 8.

Table 8

Percentage of Agreement of
Gregory with All Witnesses

Witness	With	Against	Total	% With
700	48	17	65	73.8
33	40	16	56	71.4
544	37	15	52	71.2
C	22	9	31	71.0
K	46	19	65	70.8
1	45	19	64	70.3
E	44	19	63	69.8
S	45	20	65	69.2
892	45	20	65	69.2
1241	45	20	65	69.2
1424	45	20	65	69.2
𝕸	45	20	65	69.2
𝔓45	11	5	16	68.8
28	40	19	59	67.8
V	44	21	65	67.7
Π	40	20	60	66.7
Ω	42	21	63	66.7
565	42	21	63	66.7
A	43	22	65	66.2
U	43	22	65	66.2
Ψ	43	22	65	66.2
UBS	43	22	65	66.2
13	42	23	65	64.6
𝔓75	23	13	36	63.9
1604	41	24	65	63.1
ℵ	40	25	65	61.5
L	40	25	65	61.5
157	39	26	65	60.0
b	23	16	39	59.0
B	38	27	65	58.5

Θ	38	27	65	58.5
a	23	17	40	57.5
e	23	19	42	54.8
c	23	20	43	53.5
W	34	31	65	52.3
D	29	36	65	44.6

Before making any conclusions about Gregory's text of Luke, it needs be emphasized that all such conclusions must be tentative because of the fewness of the number of units of variation. Furthermore many of them involve textual trivia rather than significant variants which best reveal textual relationships. No conclusions can be based on Table 8. Using Metzger's categories, four of the first eleven witnesses on the list (C 33 892 1241) are Later Alexandrian, three (E K S) are Byzantine, two (1 700) are Caesarean, and two (544 1424) are unclassified. Using those of the Alands, four (E K S 1424) are Category V, three (1 700 1241) are Category III, three are Category II (C 33 892), and one (544) is unclassified.

Nor does the picture become much clearer when one observes in Table 9 Gregory's average agreement with the groups of Prof. Metzger.[1]

---

[1] Metzger, *Textual Commentary*, xxix-xxx, describes Ψ as partially Alexandrian and partially Byzantine in Luke and John, and for that reason it is not included at all in the following table or in Table 15. Nevertheless it should be pointed out that L. Allan Jackson, "The Textual Character of the Gospels in Codex Ψ," Ph.D. dissertation Southwestern Baptist Theological Seminary, 1987, has used quantitative analysis to show that Ψ, although exhibiting some mixture (evenly spread mixture, not block mixture) in Luke and John, is a Byzantine witness—more so in Luke than John. Jackson did not examine Ψ in the Pauline Epistles, but Table 18 shows that in the units of variation used in the present study it also has there higher percentages of agreement with Byzantine than Alexandrian witnesses.

Table 9

Gregory's Average Agreement
with the Groups of Metzger

Proto-Alexandrian

Witness	With	Against	Total	% With
ⳟ75	23	13	36	63.9
ℵ	40	25	65	61.5
B	38	27	65	58.5
	101	65	166	60.8

Later Alexandrian

Witness	With	Against	Total	% With
(C)	22	9	31	71.8
L	40	25	65	61.5
W[1]	14	13	27	51.9
33	40	16	56	71.4
892	45	20	65	69.2
1241	45	20	65	69.2
	206	103	309	66.7

All Alexandrian

	With	Against	Total	% With
	307	168	475	64.6

Western

Witness	With	Against	Total	% With
D	29	36	65	44.6
a	23	17	40	57.5
b	23	16	39	59.0
c	23	20	43	53.5

---

[1] In 1:1—8:12.

e	23	19	42	54.8
	121	108	229	52.8

Pre-Caesarean

Witness	With	Against	Total	% With
𝔓45	11	5	16	68.8
1	45	19	64	70.3
13	42	23	65	64.6
28	40	19	59	67.8
	138	66	204	67.6

Caesarean Proper

Witness	With	Against	Total	% With
Θ	38	27	65	58.5
565	42	21	63	66.7
700	48	17	65	73.8
	128	65	193	66.3

All Caesarean

	With	Against	Total	% With
	266	131	397	67.0

Byzantine

Witness	With	Against	Total	% With
A	43	22	65	66.2
E	44	19	63	69.8
K	46	19	65	70.8
S	45	20	65	69.2
V	44	21	65	67.7
W[1]	20	18	38	52.6
Π	40	20	60	66.7

---

[1] In 8:13—24:53.

Ω	42	21	63	66.7
	324	160	484	66.9

The highest percentage of agreement is 67.6 with the Pre-Caesarean group. Following closely, however, are the Byzantine with 66.9, the Later Alexandrian with 66.7, and the Caesarean Proper with 66.3. No conclusions can be drawn where four groups are within 1.3% of each other! It is worth noting that Gregory is further removed from the Proto-Alexandrian and far removed from the Western. If all the Alexandrian witnesses are treated as one group, Gregory agrees with the Byzantine group 2.3% more, but if all the Caesarean witnesses are treated together he still agrees with them 0.1% more than with the Byzantine. There appears to be no unit of variation where Gregory agrees with Alexandrian witnesses against most others and only one or two (12 and 14?) where he agrees with Western witnesses against the rest.

The picture becomes somewhat clearer after comparing Gregory to the categories of the Alands in Table 10.

Table 10

Gregory's Average Agreement
with the Groups of the Alands

Category I

Witness	With	Against	Total	% With
𝔓45	11	5	16	68.8
𝔓75	23	13	36	63.9
ℵ	40	25	65	61.5
B	38	27	65	58.5
	112	70	182	61.5

Category II

Witness	With	Against	Total	% With
C	22	9	31	71.0
L	40	25	65	61.5
Θ	38	27	65	58.5
33	40	16	56	71.4
892	45	20	65	69.2
	185	97	282	65.6

Category III

Witness	With	Against	Total	% With
W	34	31	65	52.3
Ψ	43	22	65	66.2
1	45	19	64	70.3
13	42	23	65	64.6
157	39	26	65	60.0
565	42	21	63	66.7
700	48	17	65	73.8
1241	45	20	65	69.2
	338	179	517	65.4

Category IV

Witness	With	Against	Total	% With
D	29	36	65	44.6

Category V

Witness	With	Against	Total	% With
E	44	19	63	69.8
K	46	19	65	70.8
S	45	20	65	69.2
U	43	22	65	66.2
V	44	21	65	67.7
Π	40	20	60	66.7
Ω	42	21	63	66.7
28	40	19	59	67.8

1424	45	20	65	69.2
1604	41	24	65	63.1
	430	205	635	67.7

The highest agreement is 67.7% with Category V (Byzantine text). That is 2.1% more than with Category II (Later Alexandrian ?) and 2.3% more than with Category III. The differences are not great, but they are more than those among the groups of Prof. Metzger. It does appear that Gregory has a slight proclivity toward the Byzantine type of text, about the same as in Matthew.

Gregory's agreement with other groups which have been identified may be observed in Table 11. Von Soden is not treated because he confined his study of Gregory to Matthew and because N is the only representative of his Iπ text, the one to which he assigned Gregory, which is extant in Luke.

Table 11

Gregory's Average Agreement
with Other Textual Groups

Streeter's Tertiary and
Supplementary Caesarean

Witness	With	Against	Total	% With
U	43	22	65	66.2
157	39	26	65	60.0
544	37	15	52	71.2
1424	45	20	65	69.2
1604	41	24	65	63.1
	205	107	312	65.7

Geerlings' Family E[1]

Witness	With	Against	Total	% With
E	44	19	63	69.8
S	45	20	65	69.2
U	43	22	65	66.2
V	44	21	65	67.7
Ω	42	21	63	66.7
	218	103	321	67.9

Geerlings' Family Π[2]

Witness	With	Against	Total	% With
K	46	19	65	70.8
Π	40	20	60	66.7
	86	39	125	68.8

The Groups of Frederik Wisse[3]

Group B

Witness	With	Against	Total	% With
ℵ	40	25	65	61.5
B	38	27	65	58.5
D	29	36	65	44.6
L	40	25	65	61.5
33	40	16	56	71.4
892	45	20	65	69.2

---

[1] Jacob Geerlings, *Family E and Its Allies in Luke*, Studies and Documents 35 (Salt Lake City: University of Utah Press, 1968).

[2] Jacob Geerlings, *Family Π in Luke*, Studies and Documents 22 (Salt Lake City: University of Utah Press, 1962).

[3] *Profile Method.* Only those witnesses are included here which Wisse placed in the same textual group in all three of the chapters of Luke he examined.

1241	<u>45</u>	<u>20</u>	<u>65</u>	69.2
	277	169	446	62.1

Group Π[a]

Witness	With	Against	Total	% With
A	43	22	65	66.2
K	46	19	65	70.8
Π	<u>40</u>	<u>20</u>	<u>60</u>	66.7
	129	61	190	67.9

Group K[x]

Witness	With	Against	Total	% With
E	44	19	63	69.8
S	45	20	65	69.2
V	44	21	65	67.7
Ω	<u>42</u>	<u>21</u>	<u>63</u>	66.7
	175	81	256	68.4

Group 1

Witness	With	Against	Total	% With
1	45	19	64	70.3

Group 13

Witness	With	Against	Total	% With
13	42	23	65	64.6

The highest agreement is 70.3% with Wisse's Group 1, which others have treated as a part of the Caesarean text. This is 2.6% higher than with the Alands' Category V. A measure of uncertainty arises, however, where a group is represented by only one ms. The 67.9%

agreement with Geerlings' Family E is fractionally higher than Gregory's agreement with any of the groups of Metzger or the Alands, and the 68.8% agreement with Geerlings' Family Π is 1.2% higher than his agreement with Metzger's Pre-Caesarean and 1.1% higher than his agreement with the Alands' Category V. These facts are not particularly significant because of the uncertainty of the status of Caesarean witnesses outside of Mark (and even in Mark) and because all of the witnesses in Wisse's Group Π^a and K^x and in Geerlings' Families E and Π have been classified as Byzantine by the Alands and all but one (U) by Metzger. The high agreement with Groups Π^a and K^x and with Families E and Π shows only that Gregory agrees with some Byzantine witnesses more often than others. Indeed the high agreement with these textual groups supports the tentative conclusion above that Gregory is slightly closer to the Byzantine type of text in Luke than to any other.

As in Matthew, however, he stands at the bottom of the list of the agreement of Byzantine witnesses with 𝔐 (Table 12) with the resulting uncertainty about whether he should actually be classified as a Byzantine witness. It is worth noting that his agreement with 𝔐 is greater in Luke than in Matthew (69.2% vs. 62.9%), and at this point a better case could be made for his being a Byzantine witness in Luke than in Matthew.

Table 12

Percentage of Agreement of
Byzantine Witnesses with 𝔐

Witness	With	Against	Total	% With
V	64	1	65	98.5
S	63	2	65	96.9
U	63	2	65	96.9
E	60	3	63	95.2
Ω	60	3	63	95.2
1604	61	4	65	93.8
K	60	5	65	92.3
28	54	5	59	91.5
Π	54	6	60	90.0
1424	55	10	65	84.6
A	54	11	65	83.1
W[1]	27	11	38	71.1
Greg	45	20	65	69.2

Quantitative analysis therefore probably indicates that Gregory's quotations from Luke are slightly closer to the Byzantine type of text than several others and that he is probably to be looked upon as a weak Byzantine witness.

Turning then to a comparison of Gregory with the Byzantine text as represented by 𝔐 and with the Alexandrian text as represented by UBS, where the two divide he agrees with 𝔐 seven times (units 5, 11, 19, 21, 45, 54, and 55) and with UBS five times (units 8, 29, 32, 39, and 59) or 58.3% and 41.7% respectively. The significance of the difference of agreement, however, is minimized by the small number of units of variation which can be cited. There is only one instance where 𝔐 and UBS diverge and Gregory has a third reading, unit 20 where he

[1]In 8:13—24:53.

agrees with A C D E K L S Ω 13 28 544 1241 1424. There are fourteen places (units 2, 12, 14, 24, 27, 28, 35, 36, 37, 42, 50, 52, 53, and 60) where 𝔐 and UBS agree and Gregory has another reading. In these he agrees with D five times, with 1 700 1241 1424 three times, and with the others two, one, or zero times. The only relationship of even the slightest significance is the agreement with D (six times if unit 20 is added), but obviously in a method which compares Gregory primarily with 𝔐 and UBS his relationship with D will be the greatest where he has a reading different from either 𝔐 or UBS.

Fee's method therefore probably confirms the ever-so-tentative conclusion reached from quantitative analysis that Gregory's text of Luke is nearer to the Byzantine type of text than others and that he may be an early and weak Byzantine witness.

CHAPT. IV

GREGORY'S TEXT OF JOHN

Quotations and Apparatuses

Constant Witnesses in Apparatus III: 𝔓66 𝔓75 ℵ A B C D E K L S
U V W Θ Π Ψ Ω 1 13 28 33 157 544 565 700 892 1241 1424 1604 𝔐
UBS a b c e j

(1:1) ἐν ἀρχῇ ἦν ὁ λόγος, καὶ ὁ λόγος ἦν πρὸς τὸν
θεόν, καὶ θεὸς ἦν ὁ λόγος.

I. CIT. τι ουν λεγει ο υιος της βροντης; εν . . . (*Ref.
Eun.* 161; II, 380, 15-16); CIT. Ιωαννης τα αυτα διδασκει λεγων
οτι εν . . . θεον (*Fid.*; III, i, 64, 23-24); CIT. οταν μεν γαρ
ειπη οτι εν αρχη ην ο λογος (*Ref. Eun.* 86; II, 347, 22); CIT.
φησιν εν αρχη ην ο λογος (*C. Eun.* 3.2.17; II, 57, 19); CIT.
ειπε γαρ οτι και . . . (*Ref. Eun.* 22; II, 321, 13-14); CIT.
ταυτα γαρ διδασκει λεγων οτι εν . . . και προς τον θεον και
θεος (*C. Eun.* 3.6.40; II, 200, 14-15); CIT. ουτως αναβοησας το
κηρυγμα οτι εν . . . και προς τον θεον και θεος (*Ref. Eun.*
96; II, 352, 8-10).

(1:3) πάντα δι' αὐτοῦ ἐγένετο, καὶ χωρὶς αὐτοῦ
ἐγένετο 'οὐδὲ ἕν / οὐδὲν' ὃ γέγονεν ἐν αὐτῷ.

I. CIT. λεγοντος· παντα γαρ, φησι, δι αυτου . . . ουδε εν
. . . (*C. Eun.* 1.302; I, 116, 1-3. VR: ουδεν ms.; εν αυτω
om. mss.); CIT. του τοινυν ευαγγελιστου φησαντος, οτι παντα
. . . ουδε εν . . . (*C. Eun.* 1.303; I, 116, 9-11. VR: ουδεν γε-
γονεν ο γεγονεν ms.); CIT. παντα γαρ, φησι, . . . ουδεν
(*Cant.* 2; VI, 55, 1-2. VR: ουδε εν mss.); CIT. που τοινυν το
παντα δια του υιου εγενετο και . . . ουδε εν (*C. Eun.*
3.1.36; II, 16, 6-8); CIT. προς ους ερουμεν οτι παντα δι αυτου
εγενετο (*Ref. Eun.* 196; II, 395, 10-11); CIT. του Ιωαννου την
φωνην . . . οτι παντα δι αυτου εγενετο (*Ref. Eun.* 76; II, 343
30—344, 2. VR: παντα τα ms.); CIT. φησιν οτι παντα δι
αυτου εγενετο (*Cant.* 11; VI, 337, 12-13); CIT. ο Ιωαννης μαρ-

τυρεται λεγων οτι παντα δι αυτου εγενετο (*Ref. Eun.* 107; II, 356, 28—357, 1); ALLUS. οτι παντα δι αυτου εγενετο (*C. Eun.* 1.528; I, 179, 5); ALLUS. παντα δι αυτου εγενετο (*C. Eun.* 1.335; I, 126, 20); ALLUS. δι ου τα παντα εγενετο και ου χωρις των οντων εστιν ουδεν, καθως Ιωαννης μαρτυρεται (*Ref. Eun.* 70; II, 341, 7-9).

II. There is no evidence for the substitution of του υιου for αυτου in *C. Eun.* 3.1.36. ουδεν is supported by 𝔓66 ℵ* D *f*¹ 71 139 1071 1582 2193 Clem^pt Eus^pt Ir Or^pt Ptol Thdot Thdrt^pt, ουδε εν by *rel.* It is probable that Gregory knew both readings.

(1:5) τὸ φῶς ἐν τῇ σκοτίᾳ (φαίνει), καὶ ἡ σκοτία αὐτὸ οὐ κατέλαβεν.

I. CIT. το γαρ φως . . . σκοτια, φησιν, ελαμψε, και . . . (*C. Eun.* 3.10.27; II, 300, 9-10. VR: εν om. ms.; σκοτια] εναντια mss.; κατελαχεν ms.); ALLUS. οτι το φως εν τη σκοτια ελαμψεν (*C. Eun.* 3.3.35; II, 120, 8); CIT. το γαρ φως, φησιν, εν τη σκοτια ελαμψεν (*Ant. Apol.*; III, i, 171, 20); ALLUS. εν τη σκοτια ελαμψε (*Ant. Apol.*; III. i. 174. 3); ALLUS. ινα του φωτος εν τη σκοτια λαμψαντος (*Cant.* 2; VI, 57, 15. VR: τη om. ms.).

II. There is no other attestation for ελαμψε, and even though Gregory has it in four places it cannot be allowed in the reconstruction. It may have been influenced by II Cor. 4:6.

III-1. αυτο Greg {A} *et rel.*] αυτον 13 a e (j vac., W supp.).

(1:11) εἰς τὰ ἴδια ἦλθε.

I. ALLUS. εις . . . (*Ant. Apol.*; III, i, 174, 3).

(1:12) ὅσοι [δὲ] ἔλαβον ⎺αὐτόν, ἔδωκεν αὐτοῖς ἐξουσίαν τέκνα θεοῦ γενέσθαι.

I. CIT. οσοι γαρ ελαβον αυτον, φησιν, εδωκεν . . . (*Or. Dom.* 2; Krabinger 42, 13-15); CIT. οσοι ελαβον αυτον, φησι . . . , εδωκεν . . . (*Or. catech.* 40; Srawley 162, 3-5); CIT. οσοι γαρ ελαβον αυτον, φησιν η θεια φωνη, εδωκεν . . . (*V. Gr. Thaum.*; X, i, 5, 12-13. VR: γενεσθαι θεου ms.); ALLUS. οι λαβοντες εξουσιαν του τεκνα θεου γενεσθαι μαρτυρουσι τω πνευματι

John   107

την θεοτητα   (*Ref. Eun.* 190; II, 393, 6-8); ALLUS. ο γαρ τον
θεον δεξαμενος, καθως φησι το ευαγγελιον, εξουσιαν εχει
τεκνον θεου γενεσθαι   (*Bas.*; X, i, 132, 6-8. VR: εξουσιαν εχει]
εξουσιαζει   ms.).

II. Only D e Tert omit δε.   Although one must allow that Gregory
occasionally has a Western reading, it is best to add δε to the restora-
tion with *rel.* because he makes no effort to reproduce introductory con-
junctions.   Because so much uncertainty surrounds the matter, δε can-
not be treated in apparatus III.   There is no evidence for substituting
γαρ for δε in *V. Gr. Thaum.*, for του τεκνα θεου in *Ref. Eun.*, or for
substituting δεχομαι for λαμβανω or for the singular τεκνον in *Bas.*

(1:13) [οἷ] οὐκ ἐξ αἱμάτων (οὐδὲ ἐκ θελήματος σαρ-
κὸς οὐδὲ ἐκ θελήματος ἀνδρὸς) ἀλλ' ἐκ θεοῦ (ἐγενή-
θησαν).

I. ADAPT. ου γαρ εν ανομιαις εστιν η συλληψις ετι, ουδε εν
αμαρτιαις η κυνησις, ουδε εξ αιματων ουδε εκ θεληματος
ανδρος και εκ θεληματος σαρκος, αλλ εκ θεου μονου η γεν-
νησις γινεται   (*Virg.* 14; VIII, i, 308, 11-14. VR: ανδρος και εκ
θεληματος   om. mss.); ALLUS. τις η γεννησις;   ουκ εξ αι-
ματων ουδε εκ θεληματος ανδρος ουδε εκ θεληματος σαρκος
αλλ εκ θεου γενομενη   (*Trid.*; IX, 278, 1-3. VR: ουδε εκ θελη-
ματος σαρκος   om. mss.; του θεου ms.; γεννομενη ms., γενα-
μενη ms., γενομενης   mss.).

II. It is not safe to cite Gregory for the omission of οι because it
stands at the beginning of the passage which is quoted and because of
the looseness of the quotations.   There is no evidence for the substitu-
tion of ουδε for ουκ in *Virg.*, for the reversal of the phrases in both
passages, or for the substitution of γινεται in *Virg.* or γενομενην in
Trid. for εγενηθησαν.   However, the use of two forms of γινομαι does
make it highly probable that Gregory's NT ms(s). had εγενηθησαν
rather than εγεννηθησαν, and for this reason the unit is included below.

III-2. εκ² Greg {A} *et rel.*] om. ℵ* D* (j vac., W supp.).

   -3. εγενηθησαν   (Greg {C} γινεται / γενομενην) 𝔓75 A B* Θ Ω
13* 28] εγεννηθησαν   *rel.* (j vac., W supp.).

(1:14) [καὶ] ὁ λόγος σὰρξ ἐγένετο καὶ ἐσκήνωσεν ἐν
ἡμῖν, [καὶ] ἐθεασάμεθα τὴν δόξαν αὐτοῦ, δόξαν ὡς

μονογενοῦς παρὰ πατρός, πλήρης χάριτος καὶ
ἀληθείας.

I. CIT. τῆς μεγαλης του Ιωαννου φωνης, η φησιν οτι ο λογος
. . . ημιν (Ant. Apol.; III, i, 173, 26-28); ALLUS. μετα ταυτα ο
λογος σαρξ εγενετο (C. Eun. 3.2.54; II, 70, 11); ALLUS. οτι ο
λογος σαρξ εγενετο (C. Eun. 3.3.35; II, 120, 7-8); ALLUS. ει
μη ο λογος σαρξ εγενετο (C. Eun. 3.4.46; II, 152, 6-7);
ALLUS. οταν δε επαγαγη οτι ο λογος σαρξ εγενετο (Ref.
Eun. 86; II, 347, 23-24); CIT. προφερουσι την του ευαγγελιου
φωνην οτι ο λογος σαρξ εγενετο (Ref. Eun. 180; II, 388, 15-16);
CIT. ο λογος, φησι, σαρξ εγενετο (Ant. Apol.; III, i, 133, 4);
CIT. ο λογος σαρξ εγενετο, λεγει το κηρυγμα (Ant. Apol.; III,
i, 147, 4-5); CIT. ουτως ειποντος του Ιωαννου οτι εθεασαμεθα
την δοξαν αυτου, . . . δοξαν, φησιν, ως . . . (Cant. 13; VI,
381, 7-10. VR: παρα πατρος om. ms.; πληρη ms.); CIT.
εθεασαμεθα γαρ, φησι, την δοξαν . . . πατρος (C. Eun. 3.2.23;
II, 59, 26-27); CIT. ειπων εθεασαμεθα . . . πατρος (C. Eun.
3.10.28; II, 300, 26-27).

II. There is no evidence for the omission of either και.

III-4. πληρης Greg^ed {B} et rel.] πληρη Greg^ms D b c (j vac., W
supp.

(1:15) πρῶτός μου ἦν.

I. CIT. του Ιωαννου φωνην το πρωτος . . . (Ant. Apol.; III, i,
148, 6-7).

(1:16) ἐκ τοῦ πληρώματος αὐτοῦ ἡμεῖς πάντες ἐλά-
βομεν.

I. CIT. φησιν ο Ιωαννης εκ . . . (Ref. Eun. 191; II, 393, 16-17.
VR: ημεις om. ms.).

(1:18) θεὸν οὐδεὶς ἑώρακε πώποτε· ὁ μονογενὴς
θεὸς ὁ ὢν (εἰς τὸν κόλπον) τοῦ πατρός. . . .

I. CIT. ο της γραφης αληθευη λογος . . . οτι θεον . . .
πωποτε (C. Eun. 3.5.55; II, 180, 1-3); CIT. ο λογος οτι θεον
. . . πωποτε (C. Eun. 3.8.8; II, 241, 15-16); CIT. ουδεις
εωρακε πωποτε, καθως φησιν Ιωαννης (Cant. 8; VI, 256, 12-13);

CIT. διο φησι και ο υψηλος Ιωαννης . . . οτι θεον . . .
πωποτε (V. Moy. 2; VII, i, 87, 9-11); CIT. οτι θεον . . . πω-
ποτε (Steph. 1; X, i, 90, 15); ALLUS. και ο μονογενης . . . ων
εν τοις κολποις του πατρος (V. Moy. 2; VII, i, 42, 1-2. VR:
τοις om. mss.); ALLUS. απερ παντα εστιν ο μονογενης . . .
ων εν τοις κολποις του πατρος (C. Eun. 3.1.48; II, 20, 14-15);
ALLUS. ο μονογενης . . . ων εν τοις κολποις του πατρος
(Ref. Eun. 162; II, 380, 26-27); ALLUS. ο μονογενης υιος ο ων
εν τοις κολποις του πατρος (Ep. 1.16; VIII, ii, 8, 3); ALLUS.
τον δε μονογενη θεον τον οντα εν τοις κολποις του πατρου
(Ref. Eun. 61; II, 336, 24—337, 1): ALLUS. ο μονογενης εστι
θεος ο ων εν τοις κολποις του πατρος, ων εν τοις κολποις,
ουχι εγγενομενος (Ref. Eun. 8; II, 315, 27-28. VR: ων^2] pr. o
mss.).

II. There is no evidence for εν τοις κολποις, and despite the fact that
Gregory has it in every quotation it is most unlikely that his NT did.
This is the kind of deviation which could easily result from quoting
from memory. Only in Ep. 1.16 does Gregory have υιος and there in a
passage that combines John 1:18; 1:1-2; Phil. 2:6; Heb. 1:3; and Phil.
2:8. The use of θεος in such a composite may have seemed
inappropriate to Gregory, especially since the portion from John 1:18 is
followed by ο εν μορφη θεου υπαρχων from Phil. 2:6. υιος therefore
is probably an adaptation and not from a NT ms. which Gregory knew.
For this reason, and because he has θεος in five out of his six quo-
tations, it is probable that only θεος appeared in his mss. of John. The
degree of confidence is sufficient that the unit of variation should be
included below.

III-5. ο^1 Greg {A} et rel.] om. 𝔓66 ℵ* B C* L UBS (D j vac., W
supp., a b c e trans.).

-6. θεος   Greg {B} 𝔓66 𝔓75 ℵ B C* L 33 UBS] υιος   rel. (D j
vac., W supp.)

-7. ο ων   Greg {A} et rel.] om. ℵ a (D j vac. W supp.).

(1:29) ἀμνὸς τοῦ θεοῦ ὁ αἴρων τὴν ἀμαρτίαν τοῦ
κόσμου.

I. ALLUS. και αμνος . . . (Trid.; IX, 287, 15. VR: ο αμνος
ms.); ALLUS. τον αμνον του θεου τον αιροντα την . . .
(Cant. 7; VI, 243, 12); ALLUS. ο αμνος ο αιρων . . . (Cant.

15; VI, 431, 6. VR: ο αμνος   om. ms.; αμνος του θεου   mss.
vers.; του κοσμου την αμαρτιαν   mss.).

(1:43) εὑρίσκει Φίλιππον. [καὶ] (λέγει) [αὐτῷ] (ὁ
'Ιησοῦς), ἀκολούθει μοι.

I. ADAPT. καθὼς φησι το ευαγγελιον οτι ευρισκει τον
Φιλιππον ο Ιησους, ακολουθος εχειροτονηθη του λογου του ει-
ποντος οτι ακολουθει μοι   (*Cant.* 15; VI, 432, 7-9. VR:
ευρισκοι   ms.; τον   om. ms.).

II. There is no evidence for an article before Φιλιππον or for the other
deviations.

**(1:45) ὃν ἔγραψε Μωϋσῆς [ἐν τῷ νόμῳ] καὶ οἱ προ-
φῆται εὑρήκαμεν, 'Ιησοῦν [τὸν υἱὸν τοῦ 'Ιωσὴφ] τὸν
ἀπὸ Ναζαρέτ.**

I. CIT. φησιν· ον . . . Μωυσης και . . . Ιησουν τον απο
Ναζαρετ της Γαλιλαιας   (*Cant.* 15; VI, 432, 13-14. VR: Μωσης
mss.; Μωυσης εν τω νομω   mss.; ευραμεν   ms.).

II. εν τω νομω is omitted only by e 1 r[1] sin Or[pt] Tat. There is no
evidence for the omission of τον υιον του Ιωσηφ or the addition of
της Γαλιλαιας.

**(1:46) ἐκ Ναζαρὲτ δύναταί τι ἀγαθὸν εἶναι; . . .
ἔρχου καὶ ἴδε.**

I. CIT. ειποντος οτι εκ . . . ειναι, τοτε οδηγος προς την χα-
ριν ο Φιλιππος γινεται λεγων· ερχου και ιδε   (*Cant.* 15; VI,
433, 12-14).

**(1:47) ἴδε (ἀληθῶς) 'Ισραηλίτης ἐν ᾧ δόλος οὐκ
ἔστιν.**

I. CIT. ιδε γαρ, φησιν, αληθινος Ισραηλιτης . . .   (*Cant.* 15;
VI, 434, 4. VR: αληθως   mss., ανηρ   ms., om. mss. vers.).

II. There is no other evidence for αληθινος.

**(1:49) σὺ εἶ ὁ υἱὸς τοῦ θεοῦ, σὺ εἶ ὁ βασιλεὺς τοῦ
'Ισραήλ.**

I. CIT. προς ον ειπεν ο Ναθαναηλ, οτι συ . . .   (*Eccl.* 1; V,
280, 12-13. VR: o² om. ? ms.).

III-8. ο υιος   Greg {A} *et rel.*] pr. αληθως   𝔓66* 1241 (C D j
vac., W supp.).

-9. ει ο βασιλευς   Greg {A} *et rel.*] βασιλευς ει   𝔓75 A B L Ψ
1 33 UBS (C D j vac., W supp.).

(2:1, 4) . . . ἐν Κανὰ τῆς Γαλιλαίας . . .   **(4)**   τί
ἐμοὶ καὶ σοί, γύναι; οὔπω ἥκει (ἡ ὥρα μου).

I. CIT. εν . . .   (4) . . . γυναι; . . . ουπω ηκει μου η ωρα
(*Fil.*; III, ii, 8, 19 and 24-25. VR: σοι] συ   mss.; η ωρα μου
ms., μου om. ms.).

II. There is no evidence for the word order μου η ωρα.

(2:19) λύσατε τὸν ναὸν τοῦτον καὶ ἐν τρισὶν
ἡμέραις ἐγερῶ αὐτόν.

I. CIT. ο κυριος . . . λεγων λυσατε . . .   (*Ref. Eun.* 141; II,
373, 5-8); ALLUS. λυσατε . . . (*Ref. Eun.* 180; II, 388, 10-11).

(3:5) ἐὰν μή τις γεννηθῇ ἐξ ὕδατος καὶ πνεύματος,
οὐ δύναται εἰσελθεῖν εἰς τὴν βασιλείαν τοῦ θεοῦ.

I. CIT. εαν . . . γεννηθη, φησιν, εξ . . .   (*Lum.*; IX, 224, 27—
225, 1. VR: δυναται εισελθειν] μη εισελθη   ms.); ALLUS.
των . . . γεννωμενων εκ του υδατος τε και του πνευματος
(*C. Eun.* 3.2.51; II, 69, 8-9); ALLUS. οτι αν μη τις γεννηθη
ανωθεν δι υδατος και πνευματος (*C. Eun.* 3.9.56; II, 285, 5-6).

II. There is no evidence for ανωθεν in *C. Eun*; it is borrowed from v.
3.

III-10. εισελθειν εις   Greg {A} *et rel.*] ιδειν   ℵ* 1241;
γεννηθηναι εις   b (C D vac., W supp.).

(3:6) τὸ γεγεννημένον ἐκ τῆς σαρκὸς σάρξ ἐστιν,
καὶ τὸ γεγεννημένον ἐκ τοῦ πνεύματος πνεῦμά
ἐστιν.

I. CIT. ειπων οτι, ωσπερ το γεγεννημενον . . . σαρξ εστιν, ουτω και το γεγεννημενον . . . (*Ref. Eun.* 191; II, 393, 11-13. VR: γενενημενον^{twice} mss.); CIT. ηκουσαμεν του κυριου προς τον Νικοδημον λεγοντες οτι το γεγεννημενον . . . σαρξ εστι το δε γεγεννημενον . . . (*Virg.* 13; VIII, i, 304, 22-25. VR: της . . . εκ² om. ms.); CIT. καθως λεγει ο κυριος οτι το γε‑ γεννημενον . . . σαρξ εστι, το δε γεγεννημενον . . . (*Fid.*; III, i, 67, 16-18. VR: το δε] και το mss.); CIT. καθως φησι που ο κυριος οτι το γεγεννημενον εκ της σαρκος εστιν (*Ant. Apol.*; III, i, 187, 8-9); ALLUS. το γαρ γεγεννημενον εκ του πνευματος πνευμα (*C. Eun.* 3.2.114; II, 90, 10-11); ADAPT. το γαρ γεγεννημενον εκ του πνευματος πνευμα και ουχι σαρξ ειναι λεγεται (*Ant. Apol.*; III, i, 200, 22-23); CIT. ουτω γαρ φησι περι του πνευματος το ευαγγελιον οτι το γεγεννημενον εκ του . . . (*Or. catech.* 39; Srawley 155, 11-12).

(3:8) τὸ πνεῦμα ὅπου θέλει πνεῖ καὶ τὴν φωνὴν αὐτοῦ ἀκούεις, ἀλλ' οὐκ οἶδας πόθεν ἔρχεται καὶ ποῦ ὑπάγει.

I. CIT. το γαρ πνευμα . . . (*Lum.*; IX, 225, 8-10); ALLUS. το τε γαρ πνευμα το αγιον οπου . . . πνει (*Ref. Eun.* 44; II, 330, 5-6. VR: πνευμα το αγιον] αγιον πνευμα ms.); CIT. ο δε κυριος . . . εν τω προς Νικοδημον λογω . . . λεγων οτι το πνευμα . . . πνει (*Ref. Eun.* 197; II, 395, 24—396, 1); ALLUS. ει δε το πνευμα οπου θελει πνει, . . . (*Ep.* 2.18; VIII, ii, 19, 9-10); ALLUS. περι του πνευματος του αγιου . . . ουκ οιδας δε ποθεν . . . (*Ep.* 24.6; VIII, ii, 76, 24-27).

II. There is no other evidence for the το αγιον of *Ref. Eun.* 44.

III-11. και² Greg {A} *et rel.*] η   A Ψ a b   (C D vac., W supp.).

(3:9) πῶς δύναται (ταῦτα) γενέσθαι;

I. CIT. Νικοδημον . . . λεγων πως δυναται τουτο γενεσθαι; (*C. Eun.* 3.2.8; II, 54, 22-25).

II. τουτο is otherwise attested only by sin cur Tat.

(3:13) οὐδεὶς ἀναβέβηκεν εἰς τὸν οὐρανὸν εἰ μὴ ὁ (ἐκ τοῦ) οὐρανοῦ καταβάς, ὁ υἱὸς τοῦ ἀνθρώπου.

I. CIT. τουτω τω ρηματι τω ειρηκοτι ουδεις . . . μη ο εξ ουρανου . . . (*Ant. Apol.*; III, i, 139, 7-9).

II. There is no other evidence for the omission of the article before ουρανου. Because it follows the portion of the verse he quotes, Gregory cannot be cited for the omission of ο ων εν τω ουρανω.

(3:14) καθὼς Μωϋσῆς ὕψωσε τὸν ὄφιν ἐν τῇ ἐρήμῳ, οὕτως ὑψωθῆναι δεῖ τὸν υἱὸν τοῦ ἀνθρώπου.

I. CIT. δια της του ευαγγελιου φωνης . . . δι ων φησιν· ωσπερ γαρ Μωυσης . . . (*V. Moy.* 2; VII, i, 42, 12-15. VR: δει και ms.); CIT. η του κυριου φωνη διδασκει, εν οις φησιν οτι καθως υψωσε Μωυσης εν τη ερημω τον οφιν, ουτως . . . (*V. Moy.* 2; VII, i, 128, 11-13. VR: τον οφιν Μωυσης υψωσε ms., Μωυσης τον οφιν υψωσε mss.).

II. There is no evidence for ωσπερ instead of καθως or for the word order variations on p. 128.

III-12. υψωθηναι δει τον υιον του ανθρωπου   Greg {A} *et rel.*] δει υψωθηναι τον υιον του ανθρωπου   A a; δει τον υιον του ανθρωπου υψωθηναι   33 (C D vac., W supp.).

(3:20) πᾶς γὰρ ὁ τὰ φαῦλα πράσσων μισεῖ τὸ φῶς.

I. CIT. πας . . . (*Mort.*; IX, 57, 24-25).

II. Only 983 Ast support τα before φαυλα.

(3:29) ὁ ἔχων τὴν νύμφην νυμφίος ἐστίν.

I. CIT. καθως φησιν ο Ιωαννης οτι ο εχων . . . (*Cant.* 11; VI, 318, 12-13).

(3:31) ὁ ἄνωθεν ἐρχόμενος ἐπάνω πάντων (ἐστίν).

I. ALLUS. απερ ο ανωθεν ερχομενος και επανω παντων ων υπεδειξεν ημιν . . . (*Cant.* 4; VI, 126, 8-9).

(4:10) εἰ ᾔδεις τὴν δωρεὰν τοῦ θεοῦ καὶ τίς ἐστιν ὁ λέγων σοι· δός μοι πίειν, σὺ ἂν ἤτησας αὐτὸν καὶ ἔδωκεν ἂν σοι ὕδωρ ζῶν.

I. CIT. του κυριου προς την Σαμαρειτιν ειποντος ει . . .
(*Cant.* 9; VI, 292, 12-15. VR: ειδης mss.; αυτον] αυτω ms.;
αν om. ms.).

III-13. π(ι)ειν Greg {A} *et rel.*] pr. υδωρ 700 1241 (W supp.).

-14. αν² Greg {A} *et rel.*] om. L Ω 544 (W supp., a b c e j
trans.).

(4:13-14) πᾶς ὁ πίνων ἐκ τοῦ ὕδατος τούτου διψ-
ήσει πάλιν· (14) ὃς δ' ἂν πίῃ ἐκ τοῦ ὕδατος οὗ
ἐγὼ δώσω αὐτῷ, οὐ μὴ διψήσει εἰς τὸν αἰῶνα, [ἀλλὰ
τὸ ὕδωρ ὃ δώσω αὐτῷ γενήσεται ἐν αὐτῷ] πηγὴ
ὕδατος ἁλλομένου εἰς ζωὴν αἰώνιον.

I. CIT. και προς την Σαμαριτιν· πας . . . (14) . . . αιωνα
(*Lum.*; IX, 236, 20-23. VR: διψηση mss.; εις τον αιωνα] παλιν
ms.); CIT. περι δε του πνευματος . . . (14) πηγη . . . (*C.
Eun.* 3.8.20; II, 246, 15-17); ALLUS. ου ο γευσαμενος (14)
πηγη γινεται υδατος . . . (*Cant.* 2; VI, 62, 6-7).

III-15. (14) ος δ αν πιη Greg {A} *et rel.*] ο δε πινων ℵ* D (a
vac., W supp., b c e j trans).

-16. διψησει Greg^ed {C} *et rel.*] διψηση Greg^mss 𝔓66 E K S U
V Π 13 565 700 892 1424 𝔐 (W supp., C hom., a b c e j trans).

(4:22) ὑμεῖς προσκυνεῖτε ὃ οὐκ οἴδατε.

I. ALLUS. το υμεις . . . (*C. Eun.* 3.1.105; II, 39, 13-14); CIT.
το γαρ υμεις . . . οιδατε φησι προς την Σαμαρειτιν ο κυριος
(*C. Eun.* 3.1.109; II, 40, 25-26).

(4:24) πνεῦμα ὁ θεός.

I. CIT. πνευμα δε και ο θεος (ουτω γαρ λεγει και το
ευαγγελιον) (*C. Eun.* 3.5.17; II, 166, 2-3); CIT. και ο ειπων
πνευμα . . . (*C. Eun.* 3.10.4; II, 290, 7); ALLUS. πνευμα γαρ
ο θεος (*Ref. Eun.* 183; II, 389, 23); CIT. φησι . . . ο λογος,
οτι πνευμα . . . (*Ant. Apol.*; III, i, 212, 16-17).

(4:32) ἐγὼ βρῶσιν ἔχω φαγεῖν ἣν ὑμεῖς οὐκ οἴδατε.

I. CIT. αποκρινομενος οτι εγω . . . (*Cant.* prologue; VI, 9, 2-3. VR: φαγειν εχω βρωσιν mss.; ημεις ms.).

(4:34) **ἐμὸν βρῶμά ἐστιν ἵνα ποιῶ τὸ θέλημα τοῦ (πέμψαντός με).**

I. CIT. οτι εμον . . . του πατρος μου (*Cant.* 10; VI, 303, 19-20. VR: μου om. mss.).

II. There is no evidence for the substitution of του πατρος μου for του πεμψαντος με.

III-17. ποιω   Greg {A} *et rel.*] ποιησω   𝔓66 𝔓75 B C D K L Θ Π Ψ 1 33 565 UBS (j vac., W supp., a b c e trans.).

(4:49) **κατάβηθι πρὶν ἀποθανεῖν τὸ παιδίον.**

I. CIT. φησιν . . . καταβηθι . . . (*Hom opif.* 26.8.111; Forbes 256, 23-24. VR: παιδιον μου mss.).

III-18. το παιδιον   Greg {A} *et rel.*] τον υιον   A 13 c; τον παιδα ℵ (j vac., W supp.).

(4:50) **πορεύου, ὁ υἱός σου ζῇ.**

I. CIT. ειπεν ο κυριος, οτι πορευου . . . (*Bas.*; X, i, 125, 15-16. VR: σου om. ms.).

(5:14) **ὑγιὴς γέγονας, μηκέτι ἁμάρτανε.**

I. CIT. εν οις φησιν οτι υγιης . . . (*Ref. Eun.* 177; II, 386, 28—387, 1).

(5:17) **ὁ πατήρ μου ἕως ἄρτι ἐργάζεται κἀγὼ ἐργάζομαι.**

I. CIT. τη ευαγγελικη φωνη τη λεγουση οτι ο πατηρ . . . (*Ant. Apol.*; III, i, 176, 5-7); ALLUS. και εργαζομαι εγω (*Ant. Apol.*; III, i, 166, 32).

(5:21) **ὥσπερ γὰρ ὁ πατὴρ ἐγείρει τοὺς νεκροὺς καὶ ζῳοποιεῖ, οὕτως καὶ ὁ υἱὸς οὓς θέλει ζῳοποιεῖ.**

I. CIT. ωσπερ γαρ, φησιν, ο πατηρ . . .   (*C. Eun.* 3.10.33; II,
302, 16-17. VR: γαρ   om. mss.); CIT. οταν του κυριου διεξι-
οντος ακουσωμεν οτι ο πατηρ . . . ζωοποιει και ο υιος . . .
(*Ant. Apol.*; III, i, 176, 15-17); ALLUS. και ους θελει ζωοποιει
(*Ref. Eun.* 44; II, 330, 9); CIT. καθως ειρηται παρα του κυριου
οτι ους θελει ζωοποιει (*Maced.*; III, i, 105, 33—106, 1); ALLUS.
ζωοποιει ο πατηρ, καθως εφη το ευαγγελιον   (*Ep.* 24.13; VIII,
ii, 78, 27-28).

(**5:22**) [οὐδὲ] (γὰρ ὁ) πατὴρ κρίνει οὐδένα, ἀλλὰ τὴν
κρίσιν πᾶσαν δέδωκε τῷ υἱῷ.

I. CIT. ο γαρ πατηρ, φησι, κρινει . . .   (*C. Eun.* 3.9.18; II,
270, 17-18. VR: κρινεῖ   ms.); CIT. οτι ο πατηρ . . .   (*Ref.
Eun.* 171; II, 384, 15-16); CIT. ος φησιν οτι ο πατηρ . . .
(*Cant.* 7; VI, 204, 3-4. VR: ου κρίνει   mss.; κρινεῖ   ms.);
ALLUS. ακουσαντες οτι ο πατηρ κρινει ουδενα   (*Tres dei*; III,
i, 49, 10-11. VR: κρινεῖ   ms.); ALLUS. και γαρ και την κρισιν
πασαν δεδωκε τω υιω αυτος κρινων ουδενα   (*C. Eun.* 3.4.33; II,
146, 24-25).

(**5:23**) ἵνα πάντες τιμῶσι τὸν υἱὸν καθὼς τιμῶσι
τὸν πατέρα.

I. CIT. ινα παντες, φησι, τιμωσι . . .   (*C. Eun.* 1.333; I, 125,
20-21); ALLUS. ινα . . .   (*C. Eun.* 2.16; I, 231, 22-23).

(**5:28-29**) ἔρχεται ὥρα ἐν ᾗ πάντες οἱ ἐν τοῖς μνη-
μείοις ἀκούσονται τῆς φωνῆς αὐτοῦ,   (29)   καὶ
'ἐκπορεύσονται / ἐξελεύσονται' οἱ τὰ ἀγαθὰ ποι-
ήσαντες εἰς ἀνάστασιν ζωῆς, οἱ δὲ τὰ φαῦλα πράξ-
αντες εἰς ἀνάστασιν κρίσεως.

I. CIT. και παλιν· ερχεται . . .   (29)   και εκπορευσονται οι
. . . (*Pascha* 1; IX, 268, 23—269, 3. VR: (29) πρασσοντες
mss.); CIT. οτε παντες . . .   (29)   και εξελευσονται οι μεν
τα αγαθα . . .   (*Ref. Eun.* 19; II, 320, 2-5. VR: ακουσαντες
ms.; (29) μεν   om. ms.); CIT. (29) πορευσονται, φησιν, οι μεν
τα αγαθα . . .   (*Perf.*; VIII, i, 204, 11-13. VR: μεν   om. ms.).

II. (29) There is no attestation for μεν in *Ref. Eun.* and *Perf.*; it is a
minor adaptation to context. εξελευσονται in *Ref. Eun.* is supported
by D W 850 1820 e Ast Ir, πορευσονται in *Perf.* by no other wit-

nesses, and εκπορευσονται in *Pascha*. by *rel.* (except 1194 εισ-
πορευσονται).

III-19. ακουσονται   Greg {A} *et rel.*] ακουσωσι   𝔓66 ℵ L W 33;
ακουσουσιν   𝔓75 B 157 UBS (C j vac., a b c e trans).

-20. (29) οι δε   Greg {B} *et rel.*] οι   B a e; και οι   𝔓66* W
(C j vac., V supp.).

(5:30) οὐ δύναμαι [ἐγὼ] ἀπ' ἐμαυτοῦ ποιεῖν οὐδέν·
ἀλλὰ καθὼς ἀκούω κρίνω, καὶ ἡ κρίσις ἡ ἐμὴ δικαία
ἐστίν.

I. CIT. ος φησιν οτι . . . ου δυναμαι απ . . . (*Cant.* 7; VI,
204, 3-6. VR: ποιειν απ εμαυτου mss.; αλλα om. ms.; κρινω
ms.).

II. There is no evidence for the omission of εγω.   αλλα is attested on-
ly by 1071 f q cur pesh arm Tat.

III-21. εγω απ εμαυτου ποιειν ουδεν (Greg^ed {C} om. εγω) D 13
a b c j] εγω απ εμαυτου ουδεν ποιειν e; ποειν εγω απ εμαυ-
του ουδεν ℵ 33; εγω ποειν απ εμαυτου ουδεν Greg^mss *et rel.*
(C vac.).

(5:35) ἐκεῖνος ἦν ὁ λύχνος ὁ καιόμενος.

I. CIT. ο δε κυριος . . . εκεινος ην, φησιν, ο . . . (*Steph.*
2; X, i, 102, 5-6); ALLUS. ο βαπτιστης Ιωαννης ο λυχνος ην ο
καιομενος   (*V. Moy.* 2; VII, i, 95, 17-18. VR: ο^twice om. mss.).

(5:44) τὴν (δόξαν) τὴν παρὰ τοῦ μόνου θεοῦ (οὐ
ζητοῦντες.)

I. ALLUS. την δε παρα του μονου θεου δοξαν μη ζητουντας
(*Ref. Eun.* 120; II, 363, 15-16. VR: μονου του mss.; μη ζη-
τουντας om. ms.).

II. The transposition of δοξαν has no support, nor does μη rather than
ου before the participle. The accusative of the participle is due to adap-
tation.

III-22. θεου   Greg {A} *et rel.*] om. 𝔓66 𝔓75 B W a (b) (C vac.).

-23. ζητουντες (Greg [C] ζητουντας) ℵ* 1424 e] ζητειτε *rel.*
(C vac.).

(6:27) τοῦτον [γὰρ] ὁ πατὴρ ἐσφράγισεν ὁ θεός.

I. CIT. καθως φησιν η του ευαγγελιου φωνη η λεγουσα τουτον
ο πατηρ . . . (*C. Eun.* 3.2.148; II, 100, 15-17).

II. There is no evidence for the omission of γαρ, which is another
example of Gregory's indifference toward introductory and transition
words.

(6:32-33) οὐ Μωϋσῆς δέδωκεν ὑμῖν τὸν ἄρτον, ἀλλ᾽
ὁ πατήρ μου δίδωσι [ὑμῖν] τὸν ἄρτον [ἐκ τοῦ
οὐρανοῦ] τὸν ἀληθινόν· (33) [ὁ γὰρ ἄρτος τοῦ θεοῦ
ἐστιν] (ὁ καταβαίνων ἐκ τοῦ οὐρανοῦ καὶ ζωὴν
διδοὺς τῷ κόσμῳ).

I. CIT. περι δε του αρτου αναγνωτω το ευαγγελιον . . . ου
γαρ Μωυσης . . . διδωσι τον αρτον τον αληθινον, εαυτον
λεγων (33) τον εκ του ουρανου καταβαντα και ζωην διδοντα
τω κοσμω (*C. Eun.* 2.350; I 327, 29—328, 6. VR: ημιν ms.;
αλλ . . . αρτον om. ms.); ALLUS. (33) τον αρτον τον εκ των
ουρανων καταβαινοντα (*Cant.* prologue; VI, 9, 11-12. VR: του
ουρανου mss. vers.; καταβαντα ms.); ALLUS. (33) τον αρτον
τον εκ του ουρανου καταβαινοντα και ζωην διδοντα τω κοσμω
(*Cant.* 10; VI, 303, 12-13. VR: καταβαντα ms.).

II. The omission of εκ του ουρανου after αρτον[1] in *C. Eun.* does
have support (69 472 476), and is therefore accepted in the recon-
struction; but there is no evidence for the omission of the second εκ
του ουρανου or of υμιν, and as a result they are restored. (33) των
ουρανων in *Cant.* prologue is supported by 483 1689 only. Because
the passage is a mere allusion it is best to conclude that the plural is
the result of something other than ms. dependence and that Gregory
should not be cited for both readings. For the same reason it would be
unsafe to cite Gregory for the word order ζωην διδους.

III-24. δεδωκεν Greg [A] *et rel.*] εδωκεν B D L W (𝔓66 C
Π vac., V supp., a b c e j trans.).

(6:44) οὐδεὶς [δύναται] (ἐλθεῖν) πρός με ἐὰν μὴ ὁ
πατήρ μου [ὁ πέμψας με] (ἑλκύσῃ) αὐτόν.

John   119

I. CIT. λεγει δε η οδος αυτη εν τω ευαγγελιω οτι ουδεις
ερχεται προς . . . μου βουληται ελκυσαι αυτον (*Inscript. Pss.*
1.8; V, 55, 18-20. VR: εαν] ει ms.; μου om. mss.; βουλεται
mss.).

II. There is no evidence for the omission of δυναται or ο πεμψας με
or for the addition of βουληται or for the substitution of ερχεται and
ελκυσαι. All these are due to loose quotation.

III-25. με[1] Greg {A} *et rel.*] εμε   B E U V Θ   (𝔓75 vac., a b c e j
trans.).

-26. ο πατηρ μου   Greg {C} 𝔓66 157] ο πατηρ   *rel.*; om. A.

(6:54) ὁ τρώγων μου τὴν σάρκα καὶ πίνων μου τὸ
αἷμα (ἔχει ζωὴν αἰώνιον).

I. CIT. παρα της αγιας φωνης . . . οτι ο τρωγων . . . αιμα
εκεινος ζησεται εις τον αιωνα   (*C. Eun.* 3.9.56; II, 285, 4-8).

II. There is no evidence for Gregory's loose rendition of the last part of
the quotation.

III-27. μου . . . μου   Greg {A} *et rel.*] αυτου . . . αυτου   D e
(A vac.).

(6:55) ἡ σάρξ μου ἀληθῶς ἐστι βρῶσις, καὶ τὸ αἷμά
μου ἀληθῶς ἐστι πόσις.

I. CIT. φησι γαρ, οτι η σαρξ . . .   (*Eccl.* 8; V, 423, 6-7. VR:
αληθης mss.); ALLUS. αληθως γαρ η σαρξ αυτου βρωσις εστι
και το αιμα αυτου αληθως εστι ποσις   (*Perf.*; VIII, i, 191, 18-19).

II. γαρ before σαρξ is omitted by F K 229* 474 489 565 700 1223 b e
and—with hesitation—in the reconstruction. Nevertheless, Gregory is
so careless about reproducing introductory and transition words that it is
not safe to treat the unit of variation in apparatus III.

III-28. αληθως . . . αληθως   Greg[ed] {B} 𝔓66* (D om. και . . .
ποσις) E S U V Θ Ω 28 700 1604 𝔐 a b c e j]   αληθης . . . αληθης
Greg[mss] *et rel.* (A vac., ℵ 33 hom.).

-29. ποσις   Greg {A} *et rel.*] ποτον   ℵ e (A vac., D hom.).

(6:56) . . . (ἐν ἐμοὶ μένει) **κἀγὼ ἐν αὐτῷ.**

I. CIT. ειποντος του λογου οτι ο μενων εν εμοι καγω . . .
(*Cant.* 14; VI, 428, 8-9).

II. There is no evidence for ο μενων εν εμοι.

(6:57) (κἀγὼ) **ζῶ διὰ τὸν πατέρα.**

I. CIT. εγω γαρ, φησι, ζω . . .   (*C. Eun.* 1.639; I, 210, 4-5).

II. καγω seems to be universally attested.

(6:63) τὸ **πνεῦμά ἐστι** τὸ **ζῳοποιοῦν.** . . .   τὰ
ῥήματα ἃ ἐγὼ λαλῶ [ὑμῖν] **πνεῦμά ἐστι καὶ ζωή
ἐστιν.**

I. CIT. καθως φησιν ο κυριος . . . οτι το πνευμα . . .
ζωοποιουν   (*Maced.*; III, i, 105, 28-30); CIT. ειπεν ο κυριος οτι
το πνευμα . . . ζωοποιουν   (*Ep.* 5.5; VIII, ii, 33, 8); CIT. την
του κυριου μαρτυριαν του ειποντος οτι το πνευμα . . .
ζωοποιουν   (*Ep.* 24.15; VIII, ii, 78, 29—79, 1); CIT. το δε
υψηλον ευαγγελιον φησι· τα ρηματα . . . λαλω πνευμα . . .
(*C. Eun.* 3.5.16; II, 165, 20-21); CIT. τα γαρ ρηματα, φησιν, α
εγω λαλω, πνευμα εστι και ζωη εστιν   (*Eccl.* 2; V, 298, 9-10.
VR: τα om. ms.); ALLUS. τα ρηματα του νυμφιου πνευμα
εστι και ζωη εστι   (*Cant.* 1; VI, 32, 8-9. VR: εστι² om. mss.).

II. There is no evidence for the omission of υμιν.

III-30.   λαλω   Greg {A} E S V Ω 28 700 892 1424 1604 𝔐]
λελαληκα   *rel.* (A vac.).

-31.   εστιν³ Greg {A} *et rel.*] om. ℵ b (𝔓75 A vac.).

(6:68) ῥήματα **ζωῆς αἰωνίου ἔχεις.**

I. CIT. οι ειποντες οτι ρηματα . . .   (*Cant.* 5; VI, 164, 14-15.
VR: ρηματι ms.).

(7:23) ἐμοὶ χολᾶτε ὅτι ὅλον ἄνθρωπον ὑγιῆ ἐποίησα
ἐν σαββάτῳ;

I. CIT. παλιν φησι προς αυτους οτι εμοι . . . (*Ref. Eun.* 177;
II, 386, 20-22. VR: ανθρωπον ολον).

III-32. ολον ανθρωπον υγιη εποιησα εν σαββατω   Greg {A} *et
rel.*] ολον εποιησα ανθρωπον υγιη εν σαββατω   13; ολον
ανθρωπον εν σαββατω υγιη εποιησα   Θ; ανθρωπον ολον υγιη
εποιησα εν σαββατω   𝔓75   (A C vac., V supp.).

(7:37-39) ʿεἰ / ἐάνʾ τις διψᾷ ἐρχέσθω πρός με καὶ
πινέτω. (38) ὁ πιστεύων εἰς ἐμέ, καθὼς εἶπεν ἡ
γραφή, ποταμοὶ ἐκ τῆς κοιλίας αὐτοῦ ῥεύσουσιν
ὕδατος ζῶντος. (39) τοῦτο δὲ ἔλεγε περὶ τοῦ
πνεύματος οὗ ἤμελλον λαμβάνειν οἱ πιστεύοντες
εἰς αὐτόν.

I. CIT. ει τις . . . (38) ο γαρ πιστευων . . . (*Cant.* 9; VI,
292, 15-19. VR: ελεγε] ειπε ms.; εμελλον mss.;
πιστευσαντες mss.); ALLUS. ει τις . . . πινετω (*Inscript.
Pss.* 2:13; V, 138, 1-2); CIT. ο κυριος ο ειπων ει . . . πινετω
(*Cant.* 1; VI, 32, 17-18); CIT. καθως εν τω ευαγγελιω φησιν η
γραφη οτι ει . . . πινετω (*Cant.* 8; VI, 248, 6-7. VR: ει τις
διψα] ο διψων mss., πας ο διψων vers.); CIT. της ειπουσης
οτι ει . . . πινετω (*Cant.* 11; VI, 327, 2-3); CIT. αυθις εν
ευαγγελιοις ο κυριος· εαν τις . . . πινετω (*Lum.*; IX, 236,
19-20); CIT. μακαριζει τους . . . πεινωντας ο κυριος· και ει
τις διψα, φησιν, ερχεσθω . . . πινετω (*Hom. opif.* 20.1.95;
Forbes 222, 8-10); CIT. (38) εχει δε ουτως η λεξις ο πιστευων
. . . ζωντος (*Cant.* 14; VI, 414, 10-12).

II. Although ει is attested only by W Ath Did, the fact that Gregory
has it in six of his seven quotations requires that it be recognized as the
probable reading of one or more of his NT mss. (38) There is no evi-
dence for the inclusion of γαρ in *Cant.* 9. (39) ημελλον / εμελλον is
excluded from the apparatus below because it is an itacistic-type variant.

III-33. προς με Greg {B} *et rel.*] προς εμε 𝔓75 B; om. 𝔓66*
א* D b e (A C j vac., a c trans.).

-34. (39) ελεγε Greg^ed {C} 𝔓66 א 157 c] ειπεν Greg^ms *et rel.*
(A C j vac.).

-35. ου   Greg {B} *et rel.*] ο 𝔓75ᵛⁱᵈ B E K S U V 700 UBS (A C j vac., a b c e trans.).

-36. πιστευοντες   Greg^{ed} {B} *et rel.*]   πιστευσαντες   Greg^{mss} 𝔓66 B L W UBS e (𝔓75 A C j vac.).

(8:12) ἐγώ εἰμι τὸ φῶς τοῦ κόσμου.

I. CIT. περι εαυτου λεγων ο σωτηρ· εγω . . . κοσμου τουτου (*Steph.* 2; X, i, 101, 24-25).

II. There is no evidence for the addition of τουτου.

(8:29) ὁ πέμψας με μετ' ἐμοῦ ἐστιν.

I. CIT. ο ειπων οτι ο πεμψας . . .   (*C. Eun.* 3.10.36; II, 303, 20-21).

(8:34) πᾶς ὁ ποιῶν τὴν ἁμαρτίαν δοῦλός (ἐστιν τῆς ἁμαρτίας).

I. CIT. αλλ επειδη πας . . . δουλος της αμαρτιας εστιν (*Virg.* 18; VIII, i, 320, 27—321, 1. VR: δουλος εστιν mss.).

II. There is no evidence for Gregory's word order.

III-37. της αμαρτιας   Greg {A} *et rel.*] om. D b (A Π vac., V supp.).

(8:40) νῦν δὲ ζητεῖτέ με ἀποκτεῖναι ἄνθρωπον ὃς τὴν ἀλήθειαν ὑμῖν λελάληκα.

I. CIT. προς τους Ιουδαιους λεγομενον νυνι δε ζητειτε . . . (*Ant. Apol.*; III, i, 203, 18-20); CIT. ο ειπων νυν δε ζητειτε . . . (*Ant. Apol.*; III, i, 207, 20-21); CIT. ο κυριος προς τους Ιουδαιους λεγει οτι ζητειτε . . . (*Ref. Eun.* 176; II, 386, 17-19).

II. There is no evidence for νυνι instead of νυν in *Ant. Apol.*, p. 203.

III-38. ὑμῖν λελάληκα   Greg {A} *et rel.*] λελάληκα ὑμῖν   D Θ W
13 a b c e (A j vac., V supp.)).

(8:42) ἐκ τοῦ θεοῦ ἐξῆλθον καὶ ἥκω.

I. CIT. καθὼς φησιν η πηγη οτι εκ . . .   (*Cant.* 9; VI, 293, 13-
14).

(8:44) (ὑμεῖς) ἐκ τοῦ πατρὸς τοῦ διαβόλου (ἐστὲ)
. . . . (οὐκ ἔστιν ἀλήθεια ἐν αὐτῷ.) . . . ἐκ τῶν
ἰδίων λαλεῖ, [ὅτι] (ψεύστης ἐστίν καὶ ὁ πατὴρ
αὐτοῦ).

I. ALLUS. ουτος εκ του πατρος του διαβολου εστιν, ος αφεις
της αληθειας τα ρηματα εκ των ιδιων λαλει, πατηρ ψευδος
γινομενος   (*Ref. Eun.* 3; II, 313, 21-23).

II. There is no evidence for any of Gregory's changes. The quotation is
so loose that it would not be safe to cite him for any variant reading.

(8:54) ὃν ὑμεῖς λέγετε ὅτι θεὸς ἡμῶν ἐστιν.

I. CIT. ον υμεις, φησιν, λεγετε . . .   (*Maced.*; III, i, 101, 19-
20).

III-39. θεος   Greg {A} *et rel.*] pr. ο 𝔓66 L (j vac., V supp., a b c e
trans.).

-40. ημων   Greg {B} *et rel.*] υμων   𝔓66* ℵ B* D Ψ 13 157* 700
1424 a b c e (j vac., V supp.).

(8:58) πρὶν 'Αβραὰμ γενέσθαι ἐγὼ εἰμί.

I. CIT. την . . . μαρτυριαν το πριν . . .   (*Ant. Apol.*; III, i,
148, 5-6).

III-41. γενεσθαι   Greg {A} *et rel.*] om. D a b c e (j vac., V supp.).

(9:22) (ἐάν) τις ὁμολογήσει Χριστόν, ἀποσυνάγωγος
γένηται.

I. CIT. εν τω ευαγγελιω . . . ει τις ομολογησει τον Χριστον
. . . (*Inscript. Pss.* 2.8; V, 92, 1-2).

II. There is no evidence for ει instead of εαν or for τον before Χριστον. In addition to A (below), the omission of αυτον is attested only by *l*[184].

III-42. ομολογησει   Greg {C} Θ 13 28 1424] ομολογηση   *rel.* (C Π vac., V supp., a b c e j trans.).

-43. ομολογηση Χριστον   Greg {C} A] ομολογηση αυτον Χριστον   𝔓66 𝔓75 K 13 544; ομολογηση αυτον Χριστον ειναι D e; αυτον ομολογηση Χριστον   *rel.* (C Π vac., V supp.).

(10:9) ἐγώ εἰμι ἡ θύρα· δι' ἐμοῦ ἐάν τις εἰσέλθη σωθήσεται καὶ εἰσελεύσεται καὶ ἐξελεύσεται καὶ νομὴν εὑρήσει.

I. CIT. ακουσωμεν της θειας φωνης. εγω ειμι, φησιν, η θυρα . . .   (*C. Eun.* 3.8.6; II, 240, 24-26); CIT. τω λογω τω ειποντι οτι εγω ειμι η οδος και η θυρα, και οτι δι . . . εισελθη, και εισελευσεται και εξελευσεται   (*Cant.* 12; VI, 354, 3-5. VR: εξελευσεται . . . εισελευσεται   vers.).

II. There is no evidence for the addition of η οδος και or the omission of σωθησεται in *Cant.*

III-44. και εισελευσεται   Greg {A} *et rel.*] om. W a e (C Π vac., V 892 supp.).

(10:10) ὁ κλέπτης οὐκ ἔρχεται εἰ μὴ ἵνα κλέψη καὶ θύση καὶ ἀπολέση.

I. ALLUS. ο γαρ κλεπτης . . .   (*Cant.* 12; VI, 363, 8-10).

(10:11) (ὁ ποιμὴν ὁ καλὸς) τὴν ψυχήν (αὐτοῦ) (τίθησιν) ὑπὲρ τῶν προβάτων.

I. ADAPT. επει ουν εδει τον καλον ποιμενα την ψυχην εαυτου θειναι υπερ . . .   (*Ant. Apol.*; III, i, 152, 30-31. VR: αυτου ms.; των om. ms.); ALLUS. ουτος γαρ εστιν ο ποιμην ο καλος   (*Cant.* 5; VI, 168, 18).

II. There is no evidence for any of the adaptations, but θειναι does show that Gregory's NT had τιθησιν rather than διδωσιν, and for this reason the unit is treated below.

III-45. τιθησιν   (Greg {B} θειναι) *et rel.*] διδωσιν   ℵ* D (b) c j (C vac., V 892 supp.).

(10:18) οὐδεὶς αἴρει (αὐτὴν) ἀπ' ἐμοῦ, 'ἀλλ' ἐγὼ τίθημι αὐτὴν ἀπ' ἐμαυτοῦ / om.'. ἐξουσίαν ἔχω θεῖναι αὐτήν, καὶ ἐξουσίαν ἔχω πάλιν λαβεῖν αὐτήν.

I. ADAPT. λεγων ουδεις αιρει την ψυχην μου απ εμου αλλ . . . θειναι την ψυχην μου, και εξουσιαν . . . (*Ref. Eun.* 178; II, 387, 5-8); ADAPT. εν οις φησιν οτι ουδεις αιρει την ψυχην μου απ εμου αλλ . . . τιθημι απ . . . (*Trid.*; IX, 287, 3-6. VR: απ εμου   om. mss.; απ² om. ms.; απ εμαυτου]   αφ εαυτου ms.; γαρ εχω θειναι   ms.; λαμβειν   ms.; αυτην² om. ms.); ADAPT. ο κυριος . . . λεγων . . . και παλιν ουδεις αιρει την ψυχην μου απ εμου, εξουσιαν εχω θειναι . . . (*Ref. Eun.* 141; II, 373, 5-10); ADAPT. τουτο ειπων επαγει την του ευαγγελιου φωνην; το ουδεις αιρει την ψυχην μου απ εμου· εξουσιαν εχω θειναι . . . (*Ant. Apol.*; III, i, 177, 7-9. VR: και εξουσιαν¹ mss.); ADAPT. ο καθως φησιν εξουσιαν εχων θειναι αυτην και εξουσιαν εχων παλιν . . . (*C. Eun.* 3.3.68; II, 132, 13-14. VR: θειναι . . . εχων   om. mss.; εξουσιαν εχων² om. ms.); ALLUS. ουδεις αιρει την ψυχην αυτου απ αυτου, αλλ εξουσιαν εχει θειναι αυτην και εξουσιαν εχει παλιν λαβειν αυτην   (*Cant.* 7: VI, 234, 5-8).

II. There is no evidence for την ψυχην μου instead of αυτην¹ (five times) and ⁻² (*Ref. Eun.* 178), for the omission of αυτην² (*Trid.*), or for the substitution of εχων for εχω (*C. Eun.*). All these are the result of adaptation—especially the failure to cite v. 17. The omission of αλλ . . . εμαυτου in *Ref. Eun.* 141 and *Ant. Apol.* is attested by D 64 251 828 d l goth Eusᵖᵗ. Gregory's omission may be due to incomplete citation, but one must allow for the possibility that he knew both readings—thus the reconstruction.

III-46. αιρει   Greg {A} *et rel.*] ηρεν   ℵ* B (𝔓75 C 33 j vac., V 892 supp.).

-47. λαβειν   Greg {A} *et rel.*] αραι   D c (C j vac., V 892 supp.).

(10:27) τὰ (πρόβατα τὰ ἐμὰ) τῆς (φωνῆς μου) ἀκούει.

I. CIT. ημιν διαλεγεται λεγων τα εμα προβατα της εμης
φωνης ακουει (*Ant. Apol.*; III, i, 152, 25-26).

II. There is no evidence for Gregory's variant wording.

III-48. ακουει   Greg {A} *et rel.*] ακουουσιν   𝔓66 ℵ B L W Θ 13
33 157 1241 UBS (C j vac., V 892 supp., a b c e trans.).

(10:30) ἐγὼ καὶ ὁ πατὴρ ἕν ἐσμεν.

I. CIT. ο γαρ ειπων εγω . . . (*C. Eun.* 1.499; I, 170, 17); CIT.
ακουσαντες τοινυν οτι εγω . . . (*C. Eun.* 1.503; I, 171, 24);
CIT. εγω γαρ, φησι, και . . . (*C. Eun.* 3.9.21; II, 271, 20-21);
CIT. ουτως ειποντος του κυριου οτι εγω . . . (*Ref. Eun.* 21;
II, 321, 10-11); CIT. εν οις φησιν εγω . . . (*Ref. Eun.* 40; II,
328, 20); CIT. φησι . . . εγω . . . (*Ant. Apol.*; III, i, 230, 13-
14); CIT. εγω . . . πατηρ, φησιν ο κυριος (*C. Eun.* 1.198; I,
84, 19).

III-49. πατηρ   Greg {A} *et rel.*] + μου   W* e (C j vac., V 892
supp.).

(10:38) ἐγὼ ἐν τῷ πατρὶ καὶ ὁ πατὴρ ἐν ἐμοὶ

I. CIT. καθως φησιν ο κυριος· εγω . . . (*C. Eun.* 1.635; I,
209, 6-7).

II. Gregory's word order is supported only by 213 (sin) Chr Ps-Ath
Tert Thdrt. There is really no way to determine whether it is due to ms.
dependence or loose quotation.

III-50. τω πατρι   Greg {B} 𝔓66 𝔓75 ℵ B D L W 33 157 544 1241
UBS a c e] αυτω   *rel.* (C j vac., V 892 supp.).

(12:27) νῦν ἡ ψυχή μου τετάρακται.

I. CIT. ειπεν . . . νυν . . . (*Steph.* 2; X, i, 103, 27-28).

(12:28) καὶ ἐδόξασα καὶ πάλιν δοξάσω.

I. CIT. αποκρινεται η θεια φωνη· και εδοξασα . . . (*Maced.*;
III, i, 109, 6-7).

John 127

(12:30) οὐ δι' ἐμὲ ἡ φωνὴ αὕτη γέγονεν ἀλλὰ δι' ὑμᾶς.

I. CIT. καθώς φησι και προς τους Ιουδαιους ο κυριος . . . οτι ου δι . . . (C. Eun. 2.249; I, 299, 5-8).

III-51. η φωνη αυτη Greg {B} et rel.] αυτη η φωνη E K S U* Π Ω 13 28 700 1424 1604 𝔐 (C j vac., V supp.).

-52. γεγονεν Greg {A} et rel.] ηλθεν 𝔓66 D; εληλυθεν Θ (C j vac., V supp., a b c e trans.).

(12:41) ταῦτα εἶπεν Ἠσαΐας ὅτε εἶδε τὴν δόξαν αὐτοῦ, καὶ ἐλάλησε περὶ αὐτοῦ.

I. CIT. ο δε ευαγγελιστης Ιωαννης . . . λεγων . . . οτι ταυτα . . . (Ref. Eun. 192; II, 393, 22—394, 1).

III-53. οτε Greg {B} et rel.] οτι 𝔓66 𝔓75 ℵ A B L Θ Ψ 1 33 157 UBS e; ειπε W (C 28 j vac., V supp.).

-54. αυτου¹ Greg {A} et rel.] του θεου Θ 13; του θεου αυτου D (C 28 j vac., V vac.).

(13:5) [ἤρξατο] (νίπτειν) τοὺς πόδας . . . καὶ (ἐκ- μάσσειν) τῷ λεντίῳ ᾧ (ἦν διεζωσμένος).

I. ALLUS. ο κυριος νιπτει τους ποδας τω υδατι και εκμασσει τω λεντιω ω διεζωσατο (Cant. 11; VI, 330, 19-20. VR: ο κυριος om. ms.; εκμασσειν ms.).

II. There is no evidence for any of Gregory's variations.

(13:13) ὑμεῖς (φωνεῖτέ) με· [ὁ] (κύριος), καί· [ὁ] (διδάσκαλος), καὶ καλῶς λέγετε· εἰμὶ γάρ.

I. CIT. λεγει γαρ οτι υμεις καλειτε με κυριον και διδασκαλον και καλως . . . (C. Eun. 3.8.45; II, 255, 19-20).

II. There is no evidence for καλειτε instead of φωνειτε, the omission of the articles, or the accusatives instead of the nominatives.

III-55. κυριος . . . διδασκαλος (Greg {B} κυριον . . . διδασκαλον) E 13 28 33 157 544 892 1241 1604] διδασκαλος . . . κυριος *rel.* (𝔓75 565 j vac., V supp.).

(13:34) ἐντολὴν καινὴν δίδωμι ὑμῖν, ἵνα ἀγαπᾶτε ἀλλήλους.

I. CIT. ημιν ο κυριος εθησαυρισεν ειπων· εντολην . . . (*Euag.*; IX, 334, 16-17).

(14:6) ἐγώ εἰμι ἡ ὁδος [καὶ] ἡ ἀλήθεια.

I. CIT. ο ειπων εγω . . . οδος (*Ref. Eun.* 112; II, 359, 12); ALLUS. ειμι η οδος (*C. Eun.* 3.1.51; II, 21, 24). VR: η om. mss.); CIT. μαθων παρα του ειποντος οτι εγω . . . οδος (*Cant.* 11; VI, 330, 15-16); CIT. τω λογω τω ειποντι οτι εγω . . . οδος (*Cant.* 12; VI, 354, 3-4); CIT. τον ειποντα οτι εγω ειμι η αληθεια (*Ref. Eun.* 51; II, 333, 3-4).

(14:9) ὁ ἑωρακὼς ἐμὲ ἑώρακε τὸν πατέρα.

I. CIT. ο ειπων οτι ο εωρακως . . . (*C. Eun.* 3.6.11; II, 190, 4); CIT. ινα τας υψηλοτερας παρωμεν φωνας . . . και ο εωρακως . . . (*C. Eun.* 3.6.64; II, 209, 5-7); CIT. τον ειποντα . . . οτι ο εωρακως . . . (*Ref. Eun.* 28; II, 322, 26—323, 3); CIT. φησιν . . . οτι ο εωρακως . . . (*Ref. Eun.* 40; II, 328, 20-21); CIT. φησι προς τον Φιλιππον· ο εωρακως . . . (*Ant. Apol.*; III, i, 230, 27-28); CIT. φησιν ο κυριος οτι ο εωρακως . . . (*Perf.*; VIII, i, 189, 14-15).

III-56. εωρακε Greg {A} *et rel.*] + και 𝔓75 a b (c + και μου) (𝔓66 C j vac., V supp.).

(14:10) ὁ [δὲ] πατὴρ ἐν ἐμοὶ μένων ποιεῖ τὰ ἔργα (αὐτός).

I. CIT. ο ειπων οτι . . . ο πατηρ . . . εργα ταυτα (*C. Eun.* 3.10.36; II, 303, 20-22. VR: ο εν ms.).

II. Only 899 omits δε. Only f cur har Tat have ταυτα instead of αυτος or αυτου. This poorly attested substitution shows that Gregory was not quoting carefully, and for this reason it is best not to include him among the witnesses (𝔓66 𝔓75 ℵ B D L W X 33 213 579 1071

1321 1819 sa bo ach² Cyrᵖᵗ Hil) which support the word order ποιει τα εργα αυτος /αυτου.

III-57. ἐν² Gregᵉᵈ {C} 𝔓66 𝔓75 B L Ψ UBS] pr. ο Gregᵐˢ *et rel.* (C j vac., 544 hom., V supp., a b c e trans.).

(14:23) ἐλευσόμεθα καὶ μονὴν παρ' αὐτῷ ποιησό-μεθα.

I. CIT. φησιν ο κυριος οτι εγω και ο πατηρ ελευσομεθα . . . *(Cant.* 4; VI, 127, 16-17. VR: ελευσωμεθα mss.; ποιησωμεθα mss., ποιησομεν mss., ποιησωμεν ms.); CIT. εγω γαρ, φησι, και ο πατηρ μου ελευσομεθα . . . *(V. Moy.* 2; VII, i, 76, 21-22).

III-58. ελευσομεθα   Greg {A} *et rel.*] ελευσομαι   D e; εισελευσομεθα 𝔓66   (C j vac., V 892 supp.).

-59. ποιησομεθα Gregᵉᵈ {C} *et rel.*] ποιησομεν Gregᵐˢˢ A E K S U Θ Π Ψ Ω 28 157 700 1424 𝔐; ποιησομαι D e; ποιησωμεθα Gregᵐˢˢ 13 1604; ποιησωμεν Gregᵐˢ 544 1241 (C j vac., V 892 supp., a b c trans.).

(14:26) ἐκεῖνος διδάξει ὑμᾶς πάντα.

I. CIT. καθως φησιν ο κυριος· οτι εκεινος . . . *(Inscript. Pss.* 2.11; V, 115, 18-19. VR: διδαξη ms.).

II. The word order διδαξει υμας is also supported by 213 245 346 1546 Eus.

III-60. διδαξει υμας   Greg {C} 1241] υμας διδαξει   *rel.* (𝔓66 C j vac., V W 892 supp.).

(14:27) μὴ ταρασσέσθω (ὑμῶν ἡ καρδία) μηδὲ δειλιάτω.

I. CIT. ο δεσποτης . . . φησι μη ταρασσεσθω η καρδια υμων μηδε . . . *(Ref. Eun.* 230; II, 409, 15-17. VR: υμων η καρδια mss.).

II. There is no evidence for Gregory's word order.

(14:30) ἔρχεται γὰρ ὁ ἄρχων τοῦ κόσμου τούτου
καὶ ἐν ἐμοὶ (εὑρήσει) οὐδέν.

I. CIT. ερχεται γαρ, φησιν, ο αρχων . . . εμοι ευρισκει των
ιδιων /ουδεν   (Eccl. 7; V, 402, 9-10).

II. ευρισκει is read only by sa bo Epiph Or^pt, but it does show that
Gregory knew ευρησει rather than ουκ εχει. There is no evidence for
the addition of των ιδιων.

III-61. αρχων του κοσμου τουτου   Greg {C} 1 13 565 e] τουτου
του κοσμου αρχων   a b c; του κοσμου τουτου αρχων   1424;
του κοσμου αρχων ¯ rel. (𝔓66 𝔓75 C j vac., V W 892 supp.).

-62. ευρησει ουδεν   (Greg {C} ευρισκει) K Π 544] ουκ εχει
ουδεν   rel.; ουκ εχει ουδεν ευρειν   D a (𝔓66 𝔓75 C j vac., V
W 892 supp.).

(15:1) ὁ πατήρ μου ὁ γεωργός ἐστιν.

I. CIT. ο . . . κυριος φησιν, οτι ο πατηρ . . .   (Eccl. 6; V,
382, 3-4).

III-63. o² Greg {A} et rel.] om. D (𝔓66 𝔓75 C j vac., V W 892
supp., a b c e trans.).

(15:5) ἐγώ [εἰμι] ἡ ἄμπελος, ὑμεῖς τὰ κλήματα.

I. CIT. τουτο φανερον εκ των του κυριου λογων γενησεται
του ειποντος εγω η αμπελος . . .   (Inscript. Pss. 2.5; V, 85, 1-
3. VR: εγω ειμι   ms.).

II. There is no evidence for the omission of ειμι.

(15:15) οὐκέτι (λέγω) ὑμᾶς δούλους, (ὅτι ὁ δοῦλος
οὐκ οἶδε τί ποιεῖ ὁ κύριος αὐτοῦ)· [ὑμᾶς δὲ
εἴρηκα] φίλους.

I. CIT. η φησι προς τους μαθητας οτι ουκετι καλω υμας
δουλους, αλλα φιλους. . . . η φησιν οτι ο δουλος . . .
αυτου;   (C. Eun. 3.8.55; II, 259, 19-26).

II. Only Or Tat substitute καλω for λεγω. There is no evidence for the transposition of the second and third clauses. There is no evidence for the omission of υμας δε ειρηκα.

III-64. λεγω υμας   (Greg {C} καλω) 𝔓66 ℵ A B E L S U Ψ 33 1424 UBS a b c e] υμας λεγω   *rel.* (𝔓75 C j vac., V W 892 supp.).

-65. ο κυριος αυτου   Greg {C} 13 157 544 700 1424 a b c e] αυτου ο κυριος   *rel.* (𝔓75 C j vac., V W 892 supp.).

(15:22) εἰ μὴ ἦλθον καὶ ἐλάλησα αὐτοῖς, ἁμαρτίαν οὐκ εἶχον.

I. CIT. ει . . . ελαλησα, φησιν, αυτοις . . .   (*C. Eun.* 3.8.46; II, 256, 7-8. VR: ειχοσαν ms.).

III-66. ειχον   Greg^ed {B} *et rel.*] ειχοσαν   Greg^ms 𝔓66 ℵ B L 1 33 UBS; ειχαν   D* (𝔓75 C j vac., V W 892 supp., a b c e trans.).

(15:26) τὸ πνεῦμα τῆς ἀληθείας ὃ παρὰ τοῦ πατρὸς ἐκπορεύεται.

I. CIT. ειπων γαρ ο κυριος το . . . αληθειας ευθυς επηγαγεν ο παρα . . .   (*Ref. Eun.* 188; II, 392, 5-6).

III-67. πατρος² Greg {A} *et rel.*] +μου   D a b c (𝔓66 𝔓75 C 28 33 j vac., Ω illeg., V W 892 supp.).

(16:15) πάντα ὅσα ἔχει ὁ πατὴρ ἐμά ἐστιν.

I. CIT. την τε λεγουσαν . . . οτι παντα . . .   (*Ref. Eun.* 121; II, 364, 1-3. VR: οσα] α mss.); ALLUS. παντα γαρ οσα εχει ο πατηρ του υιου εστι   (*C. Eun.* 1.594; I, 197, 8-10); ALLUS. δια το παντα οσα εχει ο πατηρ και του υιου ειναι   (*C. Eun.* 1.683; I, 222, 26-27).

(16:21) ὅτι ἐγεννήθη ἄνθρωπος εἰς τὸν κόσμον.

I. CIT. ειπεν εν τω ευαγγελιω ο κυριος οτι προσεγγιζουσης της ωδινος εν λυπη γινεται η γυνη, μετα ταυτα δε χαρα χαιρει οτι εγεννηθη . . .   (*C. Eun.* 3.1.70; II, 29, 1-4); CIT. κατα το ευαγγελιον εικοτως οτι εγεννηθη . . .   (*Eccl.* 6; V, 380, 14-16).

(16:33)   θαρσεῖτε, ἐγὼ νενίκηκα τὸν κόσμον.

I. CIT. φησι . . . θαρσειτε παλιν, εγω . . .   (Ref. Eun. 230; II, 409, 16-19. VR: παλιν om. ms.).

(17:4-5) ἐγώ σε ἐδόξασα . . .   (5) δόξασόν με . . . τῇ δόξῃ 'ῇ / ἦν' εἶχον παρὰ σοὶ πρὸ τοῦ τὸν κόσμον εἶναι.

I. CIT. εγω σε εδοξασα, φησι προς τον πατερα ο κυριος· και παλιν (5) δοξασον . . . ειχον απ αρχης παρα . . . (Maced.; III, i, 109, 4-6); CIT. (5) δοξασον με γαρ, φησιν, ωσανει χρισον ελεγε τη δοξη, ην ειχον . . . (Ant. Apol.; III, i, 222, 9-10); CIT. καθως φησιν ετερωθι προς τον πατερα· (5) δοξασον . . . ειχον απ αρχης παρα . . . (Fil.; III, ii, 22, 5-7).

II. (5) ην in Ant. Apol. is read only by ℵ* Eus Or^pt. It is more likely due to loose quotation than ms. dependence, but objectivity requires that both readings be included in the reconstruction. There is no evidence for απ αρχης in Fil.

III-68.   (5) παρα σοι προ του τον κοσμον ειναι   Greg {C} 𝔓66 a] παρα σοι προ του γενεσθαι τον κοσμον   D*; προ του τον κοσμον ειναι παρα σοι   rel. (𝔓75 13 j vac., V 892 supp.).

(17:10) (τὰ ἐμὰ πάντα) σά ἐστι καὶ τὰ σὰ ἐμά, καὶ δεδόξασμαι ἐν αὐτοῖς.

I. CIT. παντα γαρ, φησι, τα εμα σα και τα σα εμα . . . τον ειποντα οτι τα σα εμα και δεδοξασμαι . . .   (C. Eun. 3.8.58; II, 260, 21-25); CIT. ο γαρ ταυτα περι του πατρος ειπων κακεινα προς τον πατερα φησιν οτι παντα τα εμα σα εστι και . . . (C. Eun. 3.9.19; II, 270, 24-26. VR: και τα σα εμα om. mss.); CIT. ουτως γαρ ειπε προς τον πατερα οτι παντα τα εμα σα εστιν και τα σα εμα   (Ref. Eun. 41; II, 329, 2-3).

II. Even though he has it three times, there is no evidence for the word order παντα τα εμα, and it is unlikely therefore that it was in Gregory's NT. There is no evidence for the omission of εστι(ν) in C. Eun. 3.8.58.

III-69. εμα² {A} Greg et rel.] +εστιν D a c (𝔓75 13 33 j vac., ℵ hom., V 892 supp.).

(17:21) ἵνα πάντες ἓν ὦσι, καθὼς σύ, πάτερ, ἐν
ἐμοὶ κἀγὼ ἐν σοί, ἵνα καὶ αὐτοὶ ἐν ἡμῖν ἓν ὦσιν.

I. CIT. τας θειας του ευαγγελιου φωνας· ινα . . . (Cant. 15;
VI, 467, 3-5. VR: εν ημιν om. ms.); CIT. καθως φησιν εν τω
ευαγγελιω ο κυριος . . . ινα . . . σοι, ινα ουτω κακεινοι εν
ημιν . . . (Fil.; III, ii, 21, 16-19. VR: ουτω om. mss.; κακεινοι]
και αυτοι mss.).

II. There is no evidence for ουτω or κακεινοι in Fil.

III-70. πατερ Greg {A} et rel.] πατηρ B D W (𝔓66 𝔓75 j vac.,
544 hom., V 892 supp., a b c e trans.).

-71. ἓν² Greg {A} et rel.] om. 𝔓66ᵛⁱᵈ B C D W UBS a b c e
(𝔓75 j vac., 544 1424 hom., V 892 supp.).

(17:22) τὴν δόξαν ἣν ʽἔδωκάς / δέδωκάςʼ μοι ʽἔδωκα
/ δέδωκαʼ αὐτοῖς, ἵνα ὦσιν ἓν καθὼς ἡμεῖς ἓν
ἐσμεν.

I. CIT. την δοξαν γαρ, φησιν, ην εδωκας μοι εδωκα αυτοις
(Cant. 15; VI, 467, 8-9. VR: δεδωκας ms.; δεδωκα mss.); CIT.
του ευαγγελιου συναδει τοις ειρημενοις· την δοξαν ην δεδω-
κας μοι δεδωκα αυτοις (Fil.; III, ii, 21, 22-23); CIT. καθως
ημεις εσμεν εν . . . ινα ωσιν εν καθως ημεις εσμεν εν (Fil.;
III, ii, 23, 1-3. VR: εσμεν εν¹] εν εσμεν mss; ινα . . . εν
om. mss.); CIT. φησιν οτι την δοξαν ην δεδωκας μοι δεδωκα
αυτοις . . . (Fil.; III, ii, 22, 14-15, 18, 22-23. VR: εδωκας ms.;
εν² om. mss.).

II. Gregory may have known both εδωκας and δεδωκας and both
εδωκα and δεδωκα, or his memory may have wavered. There is no
way to determine which. In both instances the Byzantine reading is
δεδ-, but εδ- is also well-attested so that if he knew only one of the
two there is no way to determine which. There is no evidence for his
word order εσμεν εν Fil., p. 23, which must be due to loose quotation.

III-72. εσμεν Greg {A} et rel.] om. 𝔓66 (ℵ*) B C* D L W 1 33
UBS e (𝔓75 j vac., V 892 supp.).

(17:23) σὺ ἐν ἐμοί κἀγὼ ἐν αὐτοῖς, ἵνα ὦσι τε-
τελειωμένοι εἰς τὸ ἕν, . . . ἠγάπησας αὐτοὺς καθὼς
ἐμὲ ἠγάπησας.

I. CIT. οτι εγω εν αυτοις   (Fil.; III, ii, 23, 4); CIT. συ εν εμοι
καγω εν αυτοις . . . ινα ωσι τετελειωμενοι εις το εν   (Fil.;
III, ii, 22, 18-20. VR: συ] σοι   ms.); CIT. ειπων οτι ηγαπησας
αυτους καθως εμε ηγαπησας   (Fil.; III, ii, 23, 10-11).

II. The word order συ εν εμοι καγω εν αυτοις in Fil., p. 22, is
supported by D d and is therefore accepted in the reconstruction and
treated in apparatus III. το before ἕν in the same passage is supported
by D Chr Eus, and therefore it qualifies for similar treatment.

III-73. συ εν εμοι καγω εν αυτοις   Greg {C} D] εγω εν αυτοις
και συ εν εμοι   rel. (𝔓66 𝔓75 j vac., V 892 supp.).

-74. το   Greg {C} D] om. rel. (𝔓66 𝔓75 j vac., V 892 supp., a
b c e trans.).

-75. ηγαπησας¹   Greg {A} et rel.] ηγαπησα   D a b (𝔓66 𝔓75
j vac., V 892 supp.).

(19:15) ἆρον ἆρον, σταύρωσον αὐτόν.

I. CIT. οτε εβοων εκεινην την ατακτον και ολεθριον φωνην
αρον . . .   (Lucif.; IX, 317, 2-3); CIT. εκραζον· αρον . . .
(Lucif.; IX, 317, 11).

(19:24) διεμερίσαντο τὰ ἱμάτιά μου ἑαυτοῖς καὶ ἐπὶ
τὸν ἱματισμόν μου (ἔβαλον κλῆρον).

I. CIT. πρεπουσα τω Ιωσηφ η του δεσποτου φωνη· διεμερι-
σαντο . . . ιματισμον μου επεβαλον ψευδος   (For.; IX, 216, 9-
11. VR: ψευδος] ψηφος   ms.).

II. The citation formula points toward John rather than Psa. 21:19 as
the source, although it is most curious that the person addressed is said
to be Joseph. There is no evidence for the substitution of επεβαλον
ψευδος for εβαλον κληρον.

(20:17) μή μου ἅπτου, οὔπω γὰρ ἀναβέβηκα πρὸς
τὸν πατέρα μου· (πορεύου) δὲ πρὸς τοὺς ἀδελφούς

John 135

μου καὶ εἰπὲ αὐτοῖς· ἀναβαίνω πρὸς τὸν πατέρα
μου καὶ πατέρα ὑμῶν καὶ θεόν μου καὶ θεὸν ὑμῶν.

I. CIT. τον προς την Μαριαν του κυριου λογον . . . λεγων
μη . . . μου· πορευθητι δε . . . αυτοις· οτι αναβαινω . . .
(*C. Eun.* 3.10.1; II, 289, 8-13. VR; πορευου mss.; οτι om.
mss.); CIT. ο κυριος λεγων· μη μου απτου (*Trid.*; IX, 304,
15-16); CIT. περι ων φησι προς την Μαριαν οτι πορευθητι και
ειπε τοις αδελφοις μου, πορευομαι προς . . . (*Ref. Eun.* 82;
II, 346, 5-8. VR: ειπον ms.; μου⁴] οτι mss.; πορευσομαι
ms.); CIT. πορευομαι, φησι, προς . . . (*Perf.*; VIII, i, 205, 17-
19. VR: υμων^twice] ημων ms.); CIT. ο εντεταλται ημιν ο
κυριος προς υμας ειπειν . . . οτι πορευομαι προς . . .
(*Trid.*; IX, 305, 5-8. VR: πορευσομαι ms.; και πατερα . . .
υμων om. ms.).

II. Although he has it twice, there is no other evidence for Gregory's
substitution of πορευθητι for πορευου. πορευομαι instead of ανα-
βαινω (three times) is supported by Chr Cyr Eus^pt Or only; it is the
substitution of a synonym due to memory lapse. οτι before αναβαινω
/ πορευομαι (twice) is attested by *f*^13 f sin Tat, but it is the kind of
transition word about which Gregory has no concern. It is best to
conclude that his NT did not have it.

III-76. μου² Greg {A} *et rel.*] om. ℵ B D W UBS b e (𝔓75 C 28 j
vac., V 892 supp.).

-77. δε Greg {B} *et rel.*] ουν D L; om. A (𝔓66 𝔓75 C 28 j
vac., c hom., V 892 supp.).

-78. μου³ Greg {A} *et rel.*] om. ℵ* D W e (𝔓75 C 28 j vac. c
hom., V 892 supp.).

(21:25) ἅτινα ἐὰν γράφηται καθ' ἕν, οὐδὲ αὐτὸν
οἶμαι τὸν κόσμον χωρῆσαι τὰ γραφόμενα βιβλία.

I. CIT. πολλα εστι τα υπο του κυριου γεγενημενα· ατινα,
φησιν, εαν . . . (*C. Eun.* 2.119; I, 261, 1-3).

III-79. ουδε Greg {B} *et rel.*] ουδ B D Θ 1 UBS (𝔓66 𝔓75 ℵ L 13
28 33 j vac., Ω illeg., 892 supp., a b c e trans.).

Textual Relationships

The percentage of agreement of the various witnesses with one another in the seventy-nine units of variation in John are set forth in Table 13, pp. 138-139.

Gregory's descending order of agreement with the witnesses is found in Table 14.

Table 14

Percentage of Agreement of
Gregory with All Witnesses

Witness	With	Against	Total	% With
892	39	11	50	78.0
544	58	18	76	76.3
28	54	18	72	75.0
1604	59	20	79	74.7
1424	58	20	78	74.4
157	58	21	79	73.4
565	57	21	78	73.1
V	24	9	33	72.7
Ω	56	21	77	72.7
E	57	22	79	72.2
S	57	22	79	72.2
𝔐	57	22	79	72.2
j	13	5	18	72.2
1241	56	23	79	70.9
Π	52	22	74	70.3
U	55	24	79	69.6
700	55	24	79	69.6
K	54	25	79	68.4
Ψ	54	25	79	68.4
13	52	24	76	68.4
33	50	24	74	67.6
𝔓75	37	18	55	67.3

A	45	22	67	67.2
1	53	26	79	67.1
C	22	12	34	64.7
Θ	51	28	79	64.6
UBS	49	30	79	62.0
L	48	30	78	61.5
𝔓66	40	26	66	60.6
c	33	23	56	58.9
ℵ	42	34	76	55.3
a	31	27	58	53.4
B	42	37	79	53.2
e	30	30	60	50.0
b	29	30	59	49.2
W	25	28	53	47.2
D	26	44	70	37.1

The second, fourth, fifth, and sixth mss. on this list (544, 1604, 1424, and 157 respectively) are not classified by Metzger. He does mention that Streeter looked upon them, as well as U lower on the list, as weak representatives of the Caesarean text, but that they are not generally recognized as such.[1] The highest ranking ms. is 892, a Later Alexandrian, but its place is suspect because of the small number of units of variation in which it is extant. The third is 28, a Pre-Caesarean, and the seventh is 565, a Caesarean Proper. The eighth through eleventh (V, Ω, E, and S respectively) are all Byzantine. Therefore little direction is provided by Table 13. If Streeter's fringe Caesareans were a legitimate group, it would seem that Gregory is most closely related to them. If, however, what has been identified by some as the Caesarean text were in fact a part of the Byzantine text, then the table would indicate that Gregory is closely related to the latter.

---

[1]*Textual Commentary*, xxx.

Table 13
Percentage of Agreement
of All Witness

	Greg	𝔓66	𝔓75	ℵ	A	B	C	D	E	K	L	S	U	V	W	Θ	Π	Ψ	Ω
Greg	--	61	67	55	67	53	64	37	72	68	62	72	70	73	47	65	70	68	73
𝔓66	61	--	65	58	50	71	83	46	55	59	76	58	58	61	62	55	58	62	53
𝔓75	67	65	--	56	71	85	91	41	67	75	76	67	69	67	61	67	70	76	67
ℵ	55	58	56	--	58	66	71	49	59	58	68	62	62	44	62	58	58	64	60
A	67	50	71	58	--	61	70	37	81	79	70	84	82	67	56	78	79	87	83
B	53	71	85	66	61	--	85	43	63	63	81	63	66	64	74	66	62	72	62
C	64	83	91	71	70	85	--	47	74	88	91	79	79	68	91	74	88	85	73
D	37	46	41	49	37	43	47	--	39	44	43	41	41	54	44	44	46	46	44
E	72	55	67	59	81	63	74	39	--	90	69	97	97	100	57	80	89	84	91
K	68	59	75	58	79	63	88	44	90	--	72	92	92	88	62	80	99	86	88
L	62	76	76	68	70	81	91	43	69	72	--	72	72	64	75	71	74	81	73
S	72	58	67	62	84	63	79	41	97	92	72	--	97	97	60	80	92	86	94
U	70	58	69	62	82	66	79	41	97	92	72	97	--	97	60	82	92	86	91
V	73	61	67	44	67	64	68	54	100	88	64	97	97	--	53	85	85	76	85
W	47	62	61	62	56	74	91	44	57	62	75	60	60	53	--	58	67	64	62
Θ	65	55	67	58	78	66	74	44	80	80	71	80	82	85	58	--	82	81	84
Π	70	58	70	58	79	62	88	46	89	99	74	92	92	85	67	82	--	88	90
Ψ	68	62	76	64	87	72	85	46	84	86	81	86	86	76	64	81	88	--	84
Ω	73	53	67	60	83	62	73	44	91	88	73	94	91	85	62	84	90	84	--
1	67	64	80	67	79	73	88	49	80	85	83	82	82	79	70	82	86	89	84
13	68	47	58	52	69	53	65	37	75	78	58	75	75	76	54	78	79	71	76
28	75	50	68	60	83	61	73	44	92	86	69	92	89	88	60	88	90	83	96
33	68	67	78	74	73	76	90	46	77	76	86	77	77	69	71	76	77	82	76
157	73	64	71	68	78	67	76	40	81	81	74	81	81	76	64	78	82	85	82
544	76	58	76	59	75	63	81	45	83	88	75	83	83	82	68	75	89	83	86
565	73	62	75	63	79	65	88	45	88	92	77	90	90	85	69	82	95	88	88
700	70	55	64	59	78	61	74	41	92	90	67	95	92	94	58	77	89	84	91
892	78	58	67	61	74	62	80	54	92	88	72	92	88	91	72	74	91	82	88
1241	71	58	65	64	73	62	79	43	82	82	73	82	82	76	70	77	84	81	83
1424	74	55	62	61	76	60	82	38	88	86	68	91	88	88	60	76	89	85	87
1604	75	55	67	62	81	61	76	44	94	89	72	94	91	91	60	81	91	85	95
𝔐	72	58	65	62	82	61	79	44	95	92	72	97	95	94	62	82	95	86	96
UBS	62	73	85	71	70	89	97	46	72	75	90	75	75	70	75	72	73	81	71
a	53	60	58	45	48	57	56	54	59	57	53	60	62	71	62	57	58	62	58
b	49	55	56	54	54	58	60	61	63	59	54	64	66	68	55	61	61	66	62
c	59	59	58	59	57	57	64	63	66	63	63	68	70	79	54	64	62	66	65
e	50	58	48	59	49	63	68	54	55	53	60	57	58	71	66	57	54	58	53
j	72	72	65	71	45	78	xx	79	83	78	83	83	89	85	64	83	80	78	83
	Greg	𝔓66	𝔓75	ℵ	A	B	C	D	E	K	L	S	U	V	W	Θ	Π	Ψ	Ω

xx = less than ten units of variation in common

Table 13, continued
Percentage of Agreement
of All Witnesses

1	13	28	33	157	544	565	700	892	1241	1424	1604	𝔐	UBS	a	b	c	e	j	
67	68	75	68	73	76	73	70	78	71	74	75	72	62	53	49	59	50	72	Greg
64	47	50	67	64	58	62	55	58	58	55	55	58	73	60	55	59	58	72	𝔓66
80	58	68	78	71	76	75	64	67	65	62	67	65	85	58	56	58	48	65	𝔓75
67	52	60	74	68	59	63	59	61	64	61	62	62	71	45	54	59	59	71	ℵ
79	69	83	73	78	75	79	78	74	73	76	81	82	70	48	54	57	49	45	A
73	53	61	76	67	63	65	61	62	62	60	61	61	89	57	58	57	63	78	B
88	65	73	90	76	81	88	74	80	79	82	76	79	97	56	60	64	68	xx	C
49	37	44	46	40	45	45	41	54	43	38	44	44	46	54	61	63	54	79	D
80	75	92	77	81	83	88	92	92	82	88	94	95	72	59	63	66	55	83	E
85	78	86	76	81	88	92	90	88	82	86	89	92	75	57	59	63	53	78	K
83	58	69	86	74	75	77	67	72	73	68	72	72	90	53	54	63	60	83	L
82	75	92	77	81	83	90	95	92	82	91	94	97	75	60	64	68	57	83	S
82	75	89	77	81	83	90	92	88	82	88	91	95	75	62	66	70	58	89	U
79	76	88	69	76	82	85	94	91	76	88	91	94	70	71	68	79	71	85	V
70	54	60	71	64	68	69	58	72	70	60	60	62	75	62	55	54	66	64	W
82	78	88	76	78	75	82	77	74	77	76	81	82	72	57	61	64	57	83	Θ
86	79	90	77	82	89	95	89	91	84	89	91	95	73	58	61	62	54	80	Π
89	71	83	82	85	83	88	84	82	81	85	85	86	81	62	66	66	58	78	Ψ
84	76	96	76	82	86	88	91	88	83	87	95	96	71	58	62	65	53	83	Ω
--	72	83	88	81	82	92	80	88	81	79	85	85	85	55	59	63	60	83	1
72	--	80	66	76	77	80	78	76	74	80	79	78	59	59	56	65	53	78	13
83	80	--	77	83	84	87	89	90	83	87	96	94	71	52	58	62	52	83	28
88	66	77	--	81	77	82	72	82	80	71	80	77	86	57	55	63	55	82	33
81	76	83	81	--	87	85	84	86	86	82	85	84	76	59	59	70	58	78	157
82	77	84	77	87	--	88	83	92	88	82	88	86	74	61	60	67	58	78	544
92	80	87	82	85	88	--	87	96	87	87	91	92	77	60	64	67	58	83	565
80	78	89	72	84	83	87	--	88	82	91	91	95	70	60	64	68	57	78	700
88	76	90	82	86	92	96	88	--	90	90	94	94	76	61	59	69	57	81	892
81	74	83	80	86	88	87	82	90	--	78	87	85	73	53	56	61	50	72	1241
79	80	87	71	82	82	87	91	90	78	--	87	91	69	61	66	69	61	72	1424
85	79	96	80	85	88	91	91	94	87	87	--	96	72	57	61	64	53	83	1604
85	78	94	77	84	86	92	95	94	85	91	96	--	72	59	63	66	55	83	𝔐
85	59	71	86	76	74	77	70	76	73	69	72	72	--	55	59	63	65	83	UBS
55	59	52	57	59	61	60	60	61	53	61	57	59	55	--	74	73	60	72	a
59	56	58	55	59	60	64	64	59	56	66	61	63	59	74	--	79	56	72	b
63	65	62	63	70	67	67	68	69	61	69	64	66	63	73	79	--	59	100	c
60	53	52	55	58	58	58	57	57	50	61	53	55	65	60	56	59	--	61	e
83	78	83	82	78	78	83	78	81	72	72	83	83	83	72	72	100	61	--	j

1	13	28	33	157	544	565	700	892	1241	1424	1604	𝔐	UBS	a	b	c	e	j

As before in Matthew and Luke, a more accurate classification of Gregory can be made by showing his average agreement with the representatives of various textual groups. This is done in Tables 15 and 16. The first are those of Bruce M. Metzger.

Table 15

Gregory's Average Agreement
with the Groups of Metzger

Proto-Alexandrian

Witness	With	Against	Total	% With
𝔓66	40	26	66	60.6
𝔓75	37	18	55	67.3
ℵ	42	34	76	55.3
B	42	37	79	53.2
	161	115	276	58.3

Later Alexandrian

Witness	With	Against	Total	% With
C	22	12	34	64.7
L	48	30	78	61.5
W	25	28	53	47.2
33	50	24	74	67.6
892	39	11	50	78.0
1241	56	23	79	70.9
	240	128	368	65.2

All Alexandrian

With	Against	Total	% With
401	243	644	62.3

Western

Witness	With	Against	Total	% With
D	26	44	70	37.1
a	31	27	58	53.4
b	29	30	59	49.2
c	33	23	56	58.9
e	30	30	60	50.0
j	13	5	18	72.2
	162	159	321	50.5

Pre-Caesarean

Witness	With	Against	Total	% With
1	53	26	79	67.1
13	52	24	76	68.4
28	54	18	72	75.0
	159	68	227	70.0

Caesarean Proper

Witness	With	Against	Total	% With
Θ	51	28	79	64.6
565	57	21	78	73.1
700	55	24	79	69.6
	163	73	236	69.1

All Caesarean

With	Against	Total	% With
322	141	463	69.5

Byzantine

Witness	With	Against	Total	% With
A	45	22	67	67.2
E	57	22	79	72.2
K	54	25	79	68.4

S	57	22	79	72.2
V	24	9	33	72.7
Π	52	22	74	70.3
Ω	56	21	77	72.7
	345	143	488	70.7

The highest percentage of agreement is 70.7 with the Byzantine type of text, which, however, is not significantly higher than the 70.0% with the Pre-Caesarean and the 69.1% with the Caesarean Proper. In John the Later Alexandrian text, which was high in its agreement with Gregory in Matthew and Luke, falls back to 65.2%. There seems to be no instance in John where he reads with Alexandrian witnesses against all others (in unit 60 he and 1241 are joined by 213, 245, 346, 1546, and Eus). Again there are the questions about the legitimacy of the Caesarean text and what to do with the witnesses previously classified as Caesarean if that text is disallowed. A definitive study needs to be made of the Caesarean text in all four Gospels so that it can either be confirmed or dissolved.[1] In the meantime the present writer is inclined to treat it as an early form of the Byzantine text-type. If this is true, Gregory's average agreement with the Byzantine type of text is 5.5% more than with the Later Alexandrian which is the next closest. As in

---

[1]Larry W. Hurtado, *Text-Critical Methodology and the Pre-Caesarean Text: Codex W in the Gospel of Mark* (Grand Rapids: Eerdmans, 1981), is confined to Mark and even there does not treat the Caesarean text in its entirety. He has concluded that $\mathfrak{P}$45 and W are themselves closely related and have some affinity with f^{13} but that they are not in turn closely related to any textual group and certainly not to the Caesarean proper witnesses Θ and 565 (pp. 86-89). Wisse, *Profile Method*, pp. 52-64, is confined to three chapters in Luke and variously classifies the witnesses previously called Caesarean as B (= Alexandrian), Kx (= Byzantine), and mixed. In addition 1 and 13 are made the head of their own groups but not part of a still larger group.

Matthew and Luke the closeness to the Later Alexandrian is probably due to the fact that its representatives have been infused with some Byzantine readings while retaining many Alexandrian ones.

Again Gregory is furthest removed from the Western text. In fact no witness used in this study has a lower percentage of agreement with D than Gregory, although several have the same 37% agreement (see Table 13). Only in unit 73 does he stand with Western witnesses (D d) against all others (in unit 74 he and D and in unit 21 he and D 13 a b c are joined by other, non-Western witnesses not used in this study).

The groups of the Alands cannot be used in John because they have not classified mss. for this Gospel.[1]

There are only two other groups which need to be considered, Streeter's tertiary and supplementary Caesarean and Geerlings' Family Π.[2] Family E is not included because no volume on its text of John was ever published. Von Soden's Iπ group is not included because he studied Gregory's text only in Matthew and because N is the only member of that group extant in John. Wisse's groups are not treated because he confined his study to Luke. The groups of Streeter and Geerlings are treated in Table 16.

---

[1]*Text*, 106, 128.

[2]Jacob Geerlings, *Family Π in John* , Studies and Documents 23 (Salt Lake City: University of Utah Press, 1963).

Table 16

Gregory's Average Agreement
with Other Textual Groups

Streeter's Tertiary and
Supplementary Caesarean

Witness	With	Against	Total	% With
U	55	24	79	69.6
157	58	21	79	73.4
544	58	18	76	76.3
1424	58	20	78	74.4
1604	59	20	79	74.7
	288	103	391	73.7

Geerlings' Family Π

Witness	With	Against	Total	% With
K	54	25	79	68.4
Π	52	22	74	70.3
	106	47	153	69.3

The 73.7% figure is 3.0% higher than Gregory's agreement
with Metzger's Byzantine group and the 69.3% figure only 1.4% less.
Of course K and Π are part of Metzger's Byzantine text-type, and Greg-
ory's high agreement with them creates no problem. The problem is
how to relate the 73.7% agreement with Streeter's fringe Caesarean to
the 70.7% agreement with Metzger's Byzantine. Metzger does not clas-
sify any of the mss. in the fringe Caesarean. In Matthew and Luke the
Alands classify three of the five (U 1424 1604) as Category V /
Byzantine and one (157) as Category III, and they do not classify the
other (544). It is a priori probable—but by no means certain—that

they are the same in John. If so one could only state the obvious, that Gregory is closer to some Byzantine witnesses than others. If, however, there really is a Family 1424, Gregory could prove to be a member of it, although he has a higher percentage of agreement with four other mss. on the select list than 1424 (see Table 14).[1]

Although there is some confusion about the classification of several of the mss. to which Gregory is closely related, it would appear that on the basis of simple quantitative analysis he is most closely related to the Byzantine type of text. Again it must be asked, how good a representative of that text is he? If 𝔐 is accepted as the standard of the text, Gregory again stands at the end of the list. Table 17 shows the percentages of agreement with 𝔐 of all the mss. which are classified as Byzantine by Metzger, with of course the addition of Gregory himself.

Table 17

Percentage of Agreement of
Byzantine Witnesses with 𝔐

Witness	With	Against	Total	% With
S	77	2	79	97.5
Ω	74	3	77	96.1
E	75	4	79	94.9
Π	70	4	74	94.6
V	32	2	34	94.1
K	73	6	79	92.4
A	55	12	67	82.1
Greg	57	22	79	72.2

[1]K. and B. Aland, *Text*, 135: "The whole of Family 1424 deserves a more thorough textual study than it has yet received."

Again it must be remembered that the Majority Text is the consensus of medieval minuscule mss. If in fact Gregory is a Byzantine witness, he is one of the earliest Byzantine witnesses. Therefore he should not be expected to have one of the highest percentages of agreement with 𝔐. And as previously indicated, no father or version will likely have as high a percentage of agreement as a Greek ms. of the same textual group. Nevertheless 72.2 is a significant percentage of agreement. Gregory's position does not improve if, rather than 𝔐, A, the ms. nearest in date to him, or E, the ms. next nearest in date, is made the basis of comparison. Gregory is still the last of the six. None of this is surprising. It is exactly what should be expected.

On the basis of conventional quantitative analysis therefore one can say that Gregory's quotations from John are most closely related to the Byzantine form of the text and that he may represent an early form of the that type of text.

Fee's unnamed method gives similar results. Where 𝔐 and UBS have different readings, Gregory agrees with 𝔐 fifteen times (units 5, 9, 17, 19, 28, 30, 35, 36, 48, 53, 66, 71, 72, 76, and 79) and with UBS only seven times (units 6, 16, 50, 51, 57, 59, and 64). In these twenty-two units Gregory agrees with 𝔐 68.2% and with UBS only 31.8%. The percentage of agreement is decisively in favor of a Byzantine classification for Gregory.

There is no instance where 𝔐 and UBS differ and Gregory supports a third variant. There are fifteen instances where 𝔐 and UBS agree but Gregory supports another reading (units 3, 21, 23, 26, 34, 42, 43, 55, 60, 61, 62, 56, 68, 73, and 74). In these Gregory reads with 13 five times, with 157 four times, and with 𝔓66, D, 28, 544, 1424, a, c, and e three times each. His agreement with all the others is either two, one, or zero. The most that one can say about the witnesses which agree with Gregory when he has a reading which is different from that of both 𝔐 and UBS is that Caesarean and fringe Caesarean mss. and Western witnesses are well represented. Because the method being employed is most concerned with comparing Gregory with the Alexandrian and Byzantine texts, the results are not surprising.

In conclusion therefore, most of the evidence points to Gregory's quotations from the Gospel of John having their greatest affinity with the Byzantine type of text.

CHAPT. V

GREGORY'S TEXT OF ACTS
AND THE CATHOLIC EPISTLES

ACTS

(1:7) (χρόνους [ἢ καιροὺς οὓς] ὁ πατὴρ ἔθετο ἐν τῇ ἰδίᾳ ἐξουσίᾳ.)

I. ALLUS. και ο πατηρ εν τη ιδια εξουσια τους χρονους εθετο (*Ref. Eun.* 44; II, 330, 10).

II. There is no evidence for the omission of η καιρους ους or for the article before χρονους. These things and the word order are the result of loose quotation.

(2:6, 8) . . . ἕκαστος τῇ ἰδίᾳ διαλέκτῳ. . . . (8) . . . ἐν ᾖ (ἐγεννήθημεν).

I. ALLUS. καθαπερ και επι της των Πραξεων ιστοριας εμαθομεν οτι εκαστος εν τη ιδια διαλεκτω (8) εν η εγεννηθη την διδασκαλιαν εδεχετο, . . . (*C. Eun.* 2. 238; I, 296, 5-7).

II. There is no evidence for εν before τη ιδια διαλεκτω or for εγεννηθη.

(2:24) . . . λύσας τὰς ὠδῖνας τοῦ θανάτου.

I. ALLUS. δι εαυτου λυσας τας ωδινας του θανατου, ωστε και ημιν οδοποιηθηναι την εκ του θανατου παλιγγενεσιαν, δια της του κυριου αναστασεως της ωδινος του θανατου λυθεισης (*Ref. Eun.* 81; II, 345, 20-23. VR: ωδυνας ms.; εκ om. ms.); ALLUS. πρωτοτοκος γαρ εκ νεκρων γινεται ο πρωτος δι εαυτου τας ωδινας του θανατου λυσας (*C. Eun.* 3.2.50; II, 69, 1-2); ALLUS. λυσας . . . (*Fil.*; III, ii, 15, 8).

II. δι εαυτου after (not before as Gregory has it in *C. Eun.*) λυσας is attested only by E Bede. The placing of λυσας after θανατου in *C. Eun.* has no support.

(2:27, 31) ὅτι οὐκ ἐγκαταλείψεις τὴν ψυχήν μου εἰς ἅδην οὐδὲ δώσεις τὸν ὅσιόν σου ἰδεῖν διαφθοράν. (31) ὅτι οὔτε (ἐγκατελείφθη ἡ ψυχὴ αὐτοῦ) εἰς ἅδην οὔτε ἡ σάρξ αὐτοῦ εἶδε διαφθοράν.

I. CIT. αλλα και ο προφητης Δαβιδ κατα την ερμηνειαν του μεγαλου Πετρου εις αυτον προορωμενος ειπεν οτι . . . διαφθοραν, ουτω του αποστολου Πετρου το ρητον ερμηνευ- σαντος, (31) οτι ουτε η ψυχη αυτου εγκατελειφθη εις τον αδην ουτε . . . (Ref. Eun. 178; II, 387, 8-14. VR: διαφθοραν] διαφοραν ms.).

II. The word order η ψυχη αυτου εγκατελειφθη in v. 31 is supported only by Chr Greg-Thau Philaster. There is no evidence for τον before αδην.

(2:33) τῇ δεξιᾷ (οὖν) τοῦ θεοῦ ὑψωθείς.

I. CIT. και σαφεστερον εφερμηνευει λεγων δια των εφεξης· τη δεξια γαρ, φησι, του . . . (C. Eun. 3.3.43; II, 122, 29—123, 2. VR: υψωθη ms.).

II. There is no evidence for the substitution of γαρ for ουν.

(2:36) (γινωσκέτω πᾶς οἶκος) Ἰσραὴλ ὅτι [καὶ] ʽκύριον αὐτὸν καὶ Χριστὸν / κύριον καί Χριστὸν αὐτὸν / κύριον καὶ Χριστὸνʼ ʽἐποίησεν ὁ θεός / ὁ θεὸς ἐποίησενʼ, τοῦτον τὸν Ἰησοῦν ὃν ὑμεῖς ἐσταυ- ρώσατε.

I. CIT. ουκουν ειρηται μεν παρα του Πετρου προς τους Ιουδαιους οτι κυριον αυτον και Χριστον εποιησεν ο θεος, τουτον . . . (C. Eun. 3.3.12; II, 111, 14-16. VR: και Χριστον αυτον ms.); CIT. επειδη γαρ ειποντος του αγιου Πετρου· κυριον αυτον και Χριστον εποιησεν (C. Eun. 3.4.11; II, 137, 19- 20); CIT. τις εστιν η του αποστολου φωνη; γνωστον εστω, φησιν, οτι κυριον αυτον και Χριστον εποιησεν ο θεος (C. Eun. 3.4.41; II, 149, 27—150, 1). VR: κυριον om. ms.; και Χριστον αυτον ms.); ADAPT. φωνην του Πετρου . . . οτι γνωστον εστω παντι τω οικω Ισραηλ οτι κυριον αυτον και Χριστον εποιησε ο θεος, τουτον . . . (C. Eun. 3.4.47; II, 152, 14-17). VR: ο θεος om. mss.); CIT. καθως ειπεν ο Πετρος οτι κυριον αυτον και Χριστον εποιησεν ο θεος, τουτον . . . (Ref.

Eun. 179; II, 387, 25—388, 2); CIT. καθως ο Πετρος φησιν οτι κυριον αυτον και Χριστον ο θεος εποιησεν   (*Thphl.*; III, i, 127, 13-14. VR: και Χριστον αυτον   ms.; ο θεος om. mss.); CIT. καθως φησι προς τους Ιουδαιους ο Πετρος οτι κυριον και Χριστον αυτον εποιησεν ο θεος, τουτον . . .   (*Ant. Apol.*; III, i, 221, 11-13); CIT. Πετρος φησιν ο αποστολος κυριον και Χριστον ο θεος εποιησε, τουτον . . .   (*C. Eun.* 3.3.42; II, 122, 20-22. VR: ημεις   ms.); CIT. τι φησιν η γραφη;   οτι κυριον και Χριστον εποιησεν ο θεος, τουτον . . .   (*C. Eun.* 3.4.53; II, 154, 26-28. VR: ημεις   ms.).

II. Gregory's γνωστον εστω (*C. Eun.* 3.4.41, 47) is an assimilation to v. 14. παντι τω οικω (sec. 47 only) is a necessary adaptation following the assimilation. κυριον και Χριστον αυτον (*Ant. Apol.*) is supported by E P Ψ 81 104 Ath[pt] Caes Epiph. κυριον και Χριστον (*C. Eun.* 3.3.42 and 3.4.53) is found in D* d p only. κυριον αυτον και Χριστον (the other six quotations) is supported by *rel.* The first two are more likely the result of loose quotation than ms. dependence, but because they have other support they are included in the reconstruction. ο θεος εποιησεν (*Thphl.* and *C. Eun.* 3.3.42) is supported by 𝔓74 A C D E P dem vg[ww] sa arm Bas[pt] Chr Epiph Eust Ir[lat], εποιησεν alone (*C. Eun.* 3.4.11) by no other witness, and εποιησεν ο θεος (the other six quotations) by *rel.* Therefore the first and last of these are shown in the reconstruction.

(5:3) (διὰ) τί ἐπλήρωσεν ὁ σατανᾶς τὴν καρδίαν σου, ψεύσασθαί σε τὸ πνεῦμα τὸ ἅγιον;

I. CIT. λεγει προς τον Ανανιαν ο Πετρος ινα τι . . . (*Tres dei*; III, i, 45, 10-12).

II. It is not safe to cite Gregory for the variant προς Ανανιαν or to try to reconstruct the first part of the verse because λεγει . . . Πετρος is his way of introducing the quotation. There is no evidence for ινα τι.

(6:5) (ἄνδρα πλήρης πίστεως) καὶ πνεύματος ἁγίου.

I. ALLUS. εκλογη των αποστολων ανηρ ειναι πιστος και πληρης πνευματος . . .   (*Steph.* 2; X, i, 97, 21—98, 1. VR: ειναι om. ms.); ALLUS. ην γαρ ανηρ αγαθος και πληρης πνευματος . . .   (*Steph.* 2; X, i, 98, 11. ανηρ om. ms.).

II. There is no evidence for the nominative ανηρ, the different placement of πληρης, or the substitution of πιστος.

(6:10) (οὐκ ἴσχυον) ἀντιστῆναι τῆ σοφίᾳ καὶ τῷ πνεύματι ᾧ ἐλάλει.

I. ADAPT. μηδενα δυνασθαι αντιστηναι . . . (Steph. 2; X, i, 98, 17-18. VR: μηδενα] μη).

II. There is no support for δυναμαι instead of ισχυνω.

(6:13-14) οὐ παύεται λαλῶν ῥήματα κατὰ τοῦ τόπου τοῦ ἁγίου καὶ τοῦ νόμου· (14) ἀκηκόαμεν γὰρ αὐτοῦ λέγοντος ὅτι Ἰησοῦς ὁ Ναζωραῖος οὗτος καταλύσει τὸν τόπον τοῦτον καὶ ἀλλάξει τὰ ἔθη ἃ παρέδωκεν ἡμῖν Μωϋσῆς.

I. CIT. ου παυεται, φησι, λαλων . . . (Steph. 1; X, i, 82, 1-4. VR: παυεται ο ανθρωπος ουτος ms.; ρηματα βλασφημα mss.; αγιου τουτου mss.; (14) αλλαξει] αλλαξη mss.; ειθη ms.; απερ εδωκεν ms.; υμιν ms.; Μωσης ms.).

II. 𝔐 has ρηματα βλασφημα λαλων, and what Lendle treats as a variant reading may have been what Gregory wrote.

(7:2) ἄνδρες ἀδελφοὶ καὶ πατέρες, ἀκούσατε.

I. CIT. ανδρες γαρ, φησιν, αδελφοι . . . (Steph. 1; X, i, 86, 7-8. VR: αδελφοι om. ms.; ακουσατε μου mss.).

(7:22) ἐπαιδεύθη (Μωϋσῆς) πάση σοφίᾳ Αἰγυπτίων.

ADAPT. καθως περι του Μωυσεως φησιν η γραφη οτι επαι- δευθη παση . . . (V. Gr. Thaum.; X, i, 10, 8-9. VR: των Αι- γυπτιων).

(7:51) σκληροτράχηλοι καὶ ἀπερίτμητοι τῆ καρδίᾳ καὶ τοῖς ὠσίν, ὑμεῖς ἀεὶ τῷ πνεύματι τῷ ἁγίῳ ἀντιπίπτετε (ὡς) οἱ πατέρες ὑμῶν.

I. CIT. ειπειν μετα την πολλην εκεινην διδασκαλιαν· σκληροτραχηλοι . . . αντιπιπτετε καθως οι . . . υμων, και τα εξης (Steph. 2; X, i, 99, 18-20. VR: αντιπιπτετε τω πνευματι τω αγιω ms.; ως ms.; και τα εξης] και υμεις ουτως ms.).

II. καθώς is supported only by D.

(7:54) διεπρίοντο ταῖς καρδίαις αὐτῶν καὶ ἔβρυχον τοὺς ὀδόντας ἐπ' αὐτόν.

I. CIT. καθώς παρασημαινεται η θεια γραφη οτι διεπριοντο . . . (*Steph.* 1; X, i, 85, 6-7). VR: διεπριωτο ms.; τας καρδιας ms.; τους om. ms.)

(7:55) (ὑπάρχων) δὲ πλήρης πνεύματος ἁγίου (ἀτε-νίσας εἰς τὸν οὐρανὸν) εἶδε δόξαν θεοῦ καὶ 'Ιησοῦν ἑστῶτα ἐκ δεξιῶν τοῦ θεοῦ.

I. ALLUS. Στεφανος δε πληρης ων πνευματος αγιου ειδε την δοξαν του θεου και τον μονογενη του θεου [υιον] (*Steph.* 1; X, i, 90, 5-6. VR: ων om. mss.; πνευματος ων mss., ων πληρης ms.; την om. mss.; του om. mss.); ALLUS. τον Στεφανον, ος ενατενισας τω ουρανω ειδε δοξαν θεου και τον Ιησουν . . . (*Steph.* 1; X, i, 89, 8-10. VR: ανατενισας ms., ατενισας ms.; ενατενισας . . . ειδε] ατενισαντα εις υψος και ιδοντα ms.; δοξαν ειδε mss., δοξαν θεου ειδε mss.; τον om. mss.; Ιησουν] υιον ms.; θεου²] πατρος ms.).

II. There is no evidence for the substitution of ων for υπαρχων or of τον μονογενη του θεου for Ιησουν on p. 90. Nor is there any evidence for the substitution of ενατενισας τω ουρανω for ατενισας εις τον ουρανον or for the addition of τον before Ιησουν on p. 89. All these are the result of loose quotation.

(7:56) θεωρῶ τοὺς οὐρανοὺς (ἀνεῳγμένους) καὶ τὸν υἱὸν τοῦ ἀνθρώπου ἑστῶτα ἐκ δεξιῶν τοῦ θεοῦ.

I. CIT. θεωρω, λεγων, τους ουρανους ανεωγοτας και . . . (*Steph.* 1; X, i, 87, 18-19. VR: ανεωγμενους mss.; ανεωγμενους τους ουρανους ms.; εκ δεξιων εστωτα mss.).

II. There is no evidence for ανεωγοτας. The word order εστωτα εκ δεξιων is supported by ℵ A C 69 255 323 460 476 927 1175 1873 Chr Epiph.

(7:57) (κράξαντες δὲ) φωνῇ μεγάλῃ (συνέσχον) τὰ ὦτα, αὐτῶν [καὶ] ὥρμησαν (ὁμοθυμαδὸν ἐπ' αὐτόν).

I. ALLUS. οἱ δε κραξαντες φωνη μεγαλη και συσχοντες τα ωτα αυτων ωρμησαν επ αυτον ομοθυμαδον (*Steph.* 1; X, i, 87, 20—88, 1. VR: μεγαλη om. ms.; συνεχοντες ms., συσχοντες ms., συνσχοντες ms.; αυτων om. ms.; ομοθυμαδον επ αυτον mss.).

II. There is no evidence for any of Gregory's deviations from the standard text.

(7:59) κύριε Ἰησοῦ, δέξαι τὸ πνεῦμά μου.

I. CIT. Στεφανος . . . Κυριε, φησιν, Ιησου . . . (*Steph.* 2; X, i, 100, 7-8. VR: δεξε ms.).

(7:60) κύριε, μὴ στήσῃς αὐτοῖς τὴν ἁμαρτίαν ταύτην.

I. CIT. κυριε . . . (*Steph.* 1; X, i, 84, 15-16. VR: κυριε after αυτοις ms.; στησεις ms.).

(10:10) ἐγένετο [δὲ] πρόσπεινος καὶ ἤθελε γεύσασθαι.

I. CIT. οτε εγενετο προσπεινος . . . (*Cant.* 10; VI, 310, 2. VR: ηθελησεν ms.).

II. There is no evidence for the omission of δε.

(10:38) Ἰησοῦν τὸν ἀπὸ Ναζαρέθ, ὃν ἔχρισεν ὁ θεὸς ἐν (πνεύματι ἁγίῳ).

I. CIT. Ιησουν γαρ, φησι, τον . . . θεος τω πνευματι τω αγιω (*Ant. Apol.*; III, i, 222, 22-23); CIT. τουτον εχρισε, φησιν, ο θεος εν πνευματι αγιω (*Maced.*; III, i, 102, 15-16).

II. ον εχρισεν in *Ant. Apol.* is attested only by D* it pesh mae arm Bas^Pt, ως εχρισεν αυτον by *rel.* τουτον εχρισε has no other support, but it probably indicates that Gregory's ms.(s) of *Maced.* had ον εχρισεν. There is no evidence for the article τω in *Ant. Apol.*, but the preposition εν is found in E L 69 88 216 915.

(17:21) ἢ λέγειν τι καὶ ἀκούειν καινότερον.

I. CIT. καθως περι των Αθηναιων η ιστορια φησιν, η εις το
λεγειν . . . (*C. Eun.* 3.2.163; II, 106, 5-6).

II. There is no evidence for εις το before λεγειν.

**(17:28) ἐν αὐτῷ [γὰρ] ζῶμεν καὶ κινούμεθα καὶ
ἐσμέν.**

I. CIT. καθως φησιν ο αποστολος οτι εν αυτω ζωμεν . . .
(*Inscript. Pss.* 1.8; V, 55, 22-23); CIT. εν αυτω ζωμεν τε και
. . . εσμεν, καθως φησιν ο αποστολος (*Mihi fecistis*; IX, 112,
16-17. VR: εν . . . κενουμεθα om. ms.); CIT. καθως φησιν ο
αποστολος . . . ζωμεν τε και κινουμεθα . . . (*C. Eun.*
1.373; I, 137, 1-3); CIT. ειπερ εν αυτω ζωμεν . . . (*V. Gr.
Thaum.*; X, i, 26, 4-5); ALLUS. εν τινι ζωμεν . . . (*Ref. Eun.*
127; II,. 366, 20); ADAPT. εν αυτω ζων και κινουμενος (*Or.
Dom.* 1; Krabinger 10, 13-14).

II. There is no evidence for the omission of γαρ in three or four of the
quotations or the addition of τε in *Mihi fecistis* and *C. Eun.* or the use
of participles rather than finite verbs in *Or. Dom.*

(28:26) ἀκοῇ ἀκούσετε καὶ οὐ μὴ συνῆτε.

I. CIT. ο δε μεγας Παυλος . . . προς Ιουδαιους κατα την
Ρωμην . . . οτε φησιν καλως ειπε περι υμων πνευμα το αγιον
οτι ακοη . . . (*Ref. Eun.* 193; II, 394, 1-5. VR: ακουσητε
mss.).

II. There is also an allusion to v. 25, but it is too loose to use.

I PETER

**(2:22) ὃς ἁμαρτίαν οὐκ ἐποίησεν οὐδὲ εὑρέθη δόλος
ἐν τῷ στόματι αὐτοῦ.**

I. CIT. αμαρτιαν γαρ, φησιν, ουκ . . . (*C. Eun.* 3.4.29; II, 145,
2-4. VR: αμαρτιας ms^cor.); CIT. ος αμαρτιαν γαρ, φησιν, ουκ
. . . (*Cant.* 14; VI, 407, 7-8. VR: ος om. ms. vers.); CIT. ος
. . . (*Perf.*; VIII, i, 195, 12-13. VR: δολος ευρεθη mss.); CIT.
οτι αμαρτιαν . . . (*Perf.*; VIII, i, 203, 15-16. VR: δολος ευρεθη
mss.); CIT. αμαρτιαν γαρ, φησιν, ουκ . . . (*Perf.*; VIII, i, 205,

2-4); CIT. αμαρτιαν γαρ, φησιν, ουκ . . . (*Ep.* 3.18; VIII, ii, 24, 28--25, 1).

II. There is no evidence for the omission of ος in four of the quotations and in a ms. of a fifth.

I JOHN

(1:1) ὅ ἦν ἀπ᾿ ἀρχῆς, ὅ (ἀκηκόαμεν, [ὅ] ἑωράκαμεν) . . . καὶ αἱ χεῖρες ἡμῶν ἐψηλάφησαν περὶ τοῦ λόγου τῆς ζωῆς.

I. CIT. ο μεγας Ιωαννης πεποιηκεν, ο μεν ην απ αρχης σιωπησας, ο δε εωρακαμεν και ακηκοαμεν και . . . της αληθειας (*Cant.* 13; VI, 383, 20-22. VR: απ αρχης ην mss.); CIT. καθως ειπεν ο ειπων οτι αι χειρες . . . (*Cant.* 1; VI, 34, 13-14. VR: ζωης] αληθειας mss.).

II. There is no evidence for any of Gregory's deviations from the standard text. λογου της αληθειας (certainly once and possibly twice—thus Gregory's editor) is an assimilation to II Cor. 6:7; Eph. 1:13; Col. 1:5; II Tim. 2:15; and James 1:18. It is surprising that no copyist of I John did the same.

(4:7-8) ὅτι [ἡ] ἀγάπη ἐκ τοῦ θεοῦ ἐστιν . . .
(8) . . . ὁ θεὸς ἀγάπη ἐστί.

I. CIT. τουτο γαρ φησιν Ιωαννης ο μεγας, οτι . . . εστιν, (8) και ο θεος . . . (*Hom. opif.* 5.2.54; Forbes 130, 9-10. VR: εστιν εκ του θεου mss.).

II. There is no evidence for the omission of η.

(5:19) (ὁ κόσμος ὅλος) ἐν τῷ πονηρῷ κεῖται.

I. CIT. καθως φησιν ετερωθι προς τους μαθητας, οτι ολος ο κοσμος εν . . . (*Or. Dom.* 5; Krabinger 114, 16-17); CIT. καθως φησιν ο κυριος, ο κοσμος εν . . . (*V. Moy.* 2; VII, i, 133, 5-6. VR: κοσμος ουτος mss.); ADAPT: ο του κυριου λογος ο ειπων ολον τον κοσμον εν τω πονηρω κεισθαι (*Ep.* 3.4; VIII, ii, 21, 6-7).

II. There is no evidence for the change of word order in *Or. Dom.* or for the omission of ολος in *V Moy.* or for the substitution of the accusative and the infinitive in *Ep.*

CHAPT. VI

GREGORY'S TEXT OF
THE PAULINE EPISTLES

Quotations and Apparatuses

Constant Witnesses in Apparatus III: 𝔓46 ℵ A B C D G K L P Ψ 049
056 075 0142 0150 0151 33 223 1739 2423 𝔐 UBS.

ROMANS

(1:1) Παῦλος δοῦλος Ἰησοῦ Χριστοῦ.

I. CIT. τουτω γαρ και ο αποστολος Παυλος δουλευειν καυ-
χαται λεγων· Παυλος . . . (*Ref. Eun.* 30; II, 324, 1-3).

**(1:4) τοῦ ὁρισθέντος υἱοῦ θεοῦ ἐν δυνάμει κατὰ
πνεῦμα ἁγιωσύνης ἐξ ἀναστάσεως νεκρῶν, Ἰησοῦ
Χριστοῦ τοῦ κυρίου ἡμῶν.**

I. CIT. εγενετο ημιν πιστον το μυστηριον του ορισθεντος
. . . (*Inscript. Pss.* 2.12; V, 127, 11-14. VR: θεου om. mss.;
αγιωσυνην ms.; Χριστου] κυριου ms., om. ms.).

(1:5) εἰς ὑπακοὴν πίστεως ἐν πᾶσι τοῖς ἔθνεσιν.

I. ALLUS. εις υπακοην της πιστεως . . . (*Bas.*; X, i, 114, 5.
VR: της om. mss.).

II. There is no evidence for της.

**(1:20) τὰ γὰρ ἀόρατα αὐτοῦ ἀπὸ κτίσεως κόσμου
τοῖς ποιήμασι νοούμενα καθορᾶται, ἥ τε ἀΐδιος αὐ-
τοῦ δύναμις καὶ θειότης.**

I. CIT. η της γραφης διδασκαλια . . . τα γαρ αορατα . . .
(*Trin.*; III, i, 6, 22—7, 4); CIT. καθως φησιν ο αποστολος, η
αιδιος . . . θειοτης απο της του κοσμου κτισεως νοουμενη
καθοραται (*C. Eun.* 2.223; I, 290, 17-19).

II. There is no evidence for the changes in *C. Eun.*

(1:25) τῇ κτίσει παρὰ τὸν κτίσαντα.

I. CIT. παρα της μεγαλης του Παυλου φωνης μεμαθηκαμεν το σεβεσθαι και λατρευειν τη κτισει . . . *(Ref. Eun.* 71; II, 341, 22-24).

(1:26-28) παρέδωκεν αὐτοὺς ὁ θεὸς εἰς πάθη ἀτιμί-ας . . . (27) τὴν ἀντιμισθίαν ἣν ἔδει τῆς πλάνης αὐτῶν ἐν ἑαυτοῖς ἀπολαμβάνοντες. (28) καὶ καθὼς οὐκ ἐδοκίμασαν τὸν θεὸν ἔχειν ἐν ἐπιγνώσει, (παρ-έδωκεν) αὐτοὺς εἰς ἀδόκιμον νοῦν.

I. CIT. τη αγια γραφη . . . παρεδωκεν . . . ατιμιας (28) και εδωκεν αυτους εις . . . *(Eccl.* 2; V, 302, 9-11. VR: (28) παρδεδωκεν ms.); CIT φησιν και ο θειος αποστολος οτι (28) καθως . . . επιγνωσει, (26) παρεδωκεν . . . ατιμιας *(V. Moy.* 2; VII, i, 54, 12-14. VR: (28) καθον ms.); CIT. ο θειος αποστολος ειπων οτι (27) την αντιμισθιαν . . . απολαμβανοντες *(Inscript. Pss.* 2.11; V, 122, 29—123, 2).

II. (28) There is no evidence for the substitution of εδωκεν in *Eccl.* ο θεος after αυτους is also omitted by 0172* 2 1827 1845 Dam Ephr Hil Victorin.

III-1. (27) εαυτοις Greg {A} *et rel.*] αυτοις B K 0151 (𝔓46 075 0150 vac., D supp.).

-2. (28) αυτους Greg {B} ℵ* A] + ο θεος *rel.* (𝔓46 075 0150 vac., D supp.).

(2:5-6) κατὰ [δὲ] τὴν σκληρότητά σου καὶ ἀμετα-νόητον καρδίαν θησαυρίζεις σεαυτῷ ὀργὴν ἐν ἡμέρᾳ ὀργῆς καὶ ἀποκαλύψεως καὶ δικαιοκρισίας τοῦ θεοῦ (6) ὃς ἀποδώσει ἑκάστῳ κατὰ τὰ ἔργα αὐτοῦ.

I. CIT. καθως φησιν ο αποστολος . . . κατα την σκληροτητα . . . *(V. Moy.* 2; VII, i, 59, 5-9. VR: σεαυτω] εαυτω ms.; και³ om. ms.).

II. There is no evidence for the omission of δε.

III-3. και[3] Greg[ed] {B} *et rel.*] om. Greg[ms] ℵ* A B D* G UBS (𝔓46 C 075 0150 vac.).

(2:11) (οὐ) [γάρ] ἐστι προσωπολημψία παρὰ [τῷ] θεῷ.

I. CIT. ουκ εστι . . . παρα θεω (*Or. Dom.* 2; Krabinger 44, 12-13).

II. There is no evidence for the omission of γαρ, and ουκ for ου is necessitated by the omission of γαρ. Only D* omits τω.

(2:13) (οὐ) [γὰρ] οἱ ἀκροαταὶ τοῦ νόμου δίκαιοι παρὰ τῷ θεῷ, ἀλλ' οἱ ποιηταὶ τοῦ νόμου δικαιωθήσονται.

I. CIT. αλλ επειδη ουχ οι ακροαται . . . (*Cant.* 14; VI, 428, 13-15. VR: του[1,2] om. ms.).

II. There is no evidence for the omission of γαρ, and ουχ instead of ου is required because of the omission.

III-4. του[1] Greg[ed] {B} *et rel.*] om. Greg[ms] ℵ A B D G Ψ 1739 UBS (𝔓46 C 075 0150 vac., P hom.).

-5. τω Greg {A} *et rel.*] om. B D* 056 0142 (𝔓46 C 075 0150 33 vac., P hom.).

-6. του[2] Greg[ed] {B} *et rel.*] om. Greg[ms] ℵ A B D G 1739 UBS (𝔓46 C 075 0150 vac., P hom.).

(2:15) (ἐνδείκνυνται) τὸ ἔργον τοῦ νόμου γραπτὸν ἐν ταῖς καρδίαις αὐτῶν.

I. ADAPT. καθως φησιν ο αποστολος, ενδεικνυμενων το εργον . . . (*Cant.* 14; VI, 414, 15-16. VR: ενδεικνυμενον mss.; τον γραπτον mss., γραπτων ms.; εν ταις καρδιαις αυτων] εν τω πυξιω των καρδιων αυτων vers.).

(2:29) ὁ ἔπαινος οὐκ ἐξ ἀνθρώπων ἀλλ' ἐκ θεοῦ.

I. CIT. ο επαινος, καθως φησιν ο αποστολος, ουκ . . . (*Cant.* 7; VI, 230, 19—231, 1. VR: ουκ εξ] ουξ ms.; εκ om. ms.; του θεου mss.).

II. The omission of του is also attested by 42 51 206 234 429 823 1758 1765.

III-7. θεου   Greg^{ed} {C} G 223] του θεου εστιν   D*; του θεου Greg^{mss} et rel. (𝔓46 C 075 0150 vac.).

(3:25) ὃν προέθετο ὁ θεός ἱλαστήριον.

I. CIT. ος φησιν οτι ον . . . (V. Moy. 2; VII, i, 94, 16-17).

(3:29-30) (ἢ) 'Ιουδαίων ὁ θεὸς μόνον; (οὐχὶ) καὶ ἐθνῶν; . . . (30) ἔπειπερ εἷς ὁ θεὸς ὃς δικαιώσει περιτομὴν ἐκ πίστεως καὶ ἀκροβυστίαν διὰ τῆς πίστεως.

I. ADAPT. ου γαρ Ιουδαιων . . . μονον, αλλα και εθνων . . . (Inscript. Pss. 2.14; V, 158, 2-4).

II. There is no evidence for η or ουχι. Just because Gregory does not have ουχι, it would not be safe to cite him for the omission of δε after ουχι.

III-8. μονον   Greg {A} et rel.] μονων   B 223; μονος   D; om. 0151 (𝔓46 075 0150 vac.).

-9. (30) επειπερ   Greg {A} et rel.] ειπερ   ℵ* A B C 1739 UBS; επειδηπερ   K 0151 (𝔓46 075 0150 vac.).

(4:14) κεκένωται ἡ πίστις.

I. ALLUS. κεκενωται . . . (Fil.; III, ii, 25, 17).

(5:1) δικαιωθέντες οὖν ἐκ πίστεως εἰρήνην ἔχωμεν πρὸς τὸν θεόν.

I. CIT. ο μεγας αποστολος, εν οις φησι· δικαιωθεντες . . . (Eccl. 8; V, 435, 19—436, 2. VR: εχομεν mss.).

II. There is so much uncertainty about Gregory's text and the significance of this kind of variant to textual affinities that it is best to exclude εχωμεν / εχομεν from the study.

(5:5) ἡ δὲ ἐλπὶς οὐ καταισχύνει.

I. CIT. η . . . καταισχυνει, καθῶς φησιν ο αποστολος (Eccl. 6; V, 388, 11-12. VR: δε] γαρ ms.; καταισχυνη ms.).

(5:8) ἁμαρτωλῶν ὄντων ἡμῶν Χριστὸς ὑπὲρ ἡμῶν ἀπέθανε.

I. CIT. δι ην και αμαρτωλων . . . (Cant. 13; VI, 378, 13-14. VR: Χριστος om. vers.).

(5:10) εἰ γὰρ ἐχθροὶ ὄντες κατηλλάγημεν τῷ θεῷ . . . καταλλαγέντες σωθησόμεθα ἐν τῇ ζωῇ αὐτοῦ.

I. CIT. εν τω προς Ρωμαιους μεμνηται λογω ειπων οτι ει . . . θεω . . . ουτω και εν ετερω φησιν οτι καταλλαγεντες . . . (Fil.; III, ii, 27, 1-3 and 6-7).

(5:14) ἐβασίλευσεν ὁ θάνατος ἀπὸ Ἀδὰμ (μέχρι Μωϋσέως).

I. ALLUS. εβασιλευσεν . . . (Trid.; IX, 277, 17. VR: εβασιλευεν ms.); ALLUS. εβασιλευσε δε ο θανατος απο Αδαμ και εως του νομου, ον βουλεται μηκετι βασιλευειν εν υμιν ο αποστολος εν τω θνητω ημων σωματι (Inscript. Pss. 2.16; V, 170, 17-19. VR: του Αδαμ ms.; εως] μεχρι mss.).

II. There is no evidence for the substitution of εως του νομου for μεχρι Μωυσεως in Inscript. Pss. The last part of the passage from Inscript. Pss. is an allusion to Rom. 6:12 but is too loose to include there.

(6:3) ὅσοι εἰς Χριστὸν ἐβαπτίσθημεν, εἰς τὸν θάνατον αὐτοῦ ἐβαπτίσθημεν.

I. CIT. την αποστολικην ρησιν εαυτοις επιλεγειν· οσοι . . . (Lum.; IX, 240, 2-4. VR: εβαπτισθημεν[1]] εβαπτησθησαν (sic) ms.).

II. The word order εις Χριστον (Ιησουν) εβαπτισθημεν is attested by 206 241 326 1311 1799 1827 1831 1836 Cyr-Jer. In addition to B, the omission of Ιησουν is supported by 104[c] 206 241 255 326 429 441 460 463 1799 1831 1913 1928 Chr Ephr Mcion Or[lat-pt] Tert[pt] Thphyl.

III-10. Χριστον   Greg {B} B] + Ιησουν   rel. (𝔓46 075 0150 vac.).

(6:4) συνετάφημεν (οὖν) αὐτῷ διὰ τοῦ βαπτίσματος εἰς τὸν θάνατον.

I. CIT. συνεταφημεν γαρ αυτω, φησι, δια . . .   (Ant. Apol.; III, i, 227, 6-7).

II. γαρ instead of ουν is supported by d r vg Cyr Or only.

III-11. τον   Greg {A} et rel.]   om. D* G (𝔓46 075 0150 vac.).

(6:10) [ὃ γὰρ] ἀπέθανε, τῇ ἁμαρτίᾳ (ἀπέθανεν) ἐφά-παξ·   [ὃ δὲ ζῇ], ζῇ τῷ θεῷ.

I. ADAPT. απεθανε τη αμαρτια (τουτεστιν τω σωματι), ζη δε τω θεω (τουτεστιν τη θεοτητι)   (C. Eun. 3.4.10; II, 137, 11-12); ADAPT. καθως φησιν ο αποστολος, εφαπαξ αποθανειν τη αμαρτια   (Or. catech. 35; Srawley 135, 6).

II. The omissions and the addition of δε in C. Eun. and the change of word order and use of an infinitive in Or. catech. are without support.

(6:21) τίνα οὖν καρπὸν εἴχετε τότε;   ἐφ' οἷς νῦν ἐπαισχύνεσθε.

I. CIT. καθως φησιν ο αποστολος . . . οτι τινα . . .   (V. Moy. 2; VII, i, 56, 16-18).

(7:14) ὁ νόμος πνευματικός ἐστιν.

I. CIT. ημεις δε διδαχθεντες παρα του μεγαλου Παυλου οτι ο νομος . . .   (Ps. 6; V, 188, 1-2); CIT. ουτως ειποντος του Παυλου οτι ο νομος . . .   (Cant. 5; VI, 163, 7-8).

(7:23) βλέπω [δὲ] ἕτερον νόμον ἐν τοῖς μέλεσί μου ἀντιστρατευόμενον τῷ νόμῳ τοῦ νοός μου καὶ αἰχμαλωτίζοντά με τῷ νόμῳ τῆς ἁμαρτίας τῷ ὄντι ἐν τοῖς μέλεσί μου.

I. CIT. καθως ερμηνευει ο θειος αποστολος λεγων οτι βλεπω ετερον . . .   (Cant. 2; VI, 57, 2-5. VR: βλεπω + δε mss., βλεπων mss.; νομον εν τοις μελεσι om. ms.); ALLUS. τον

νομον της σαρκος τον αντιστρατευομενον . . . νοος σου και
αιχμαλωτιζοντα τω νομω της αμαρτιας   (*Eccl.* 8; V, 429, 2-4.
VR: σου   om. mss.).

II. There is no evidence for the omission of δε in *Cant.* or the
substitution of σου for μου[1] in *Eccl.* The omission of με in the
same quotation is supported only by A and is probably due to adap-
tation and loose quotation rather than ms. dependence.

III-12. με   Greg {A} A C L 056 0142 223 1739 𝔐P[t]] + εν   *rel.*
(𝔓46 075 0150 vac.).[1]

(7:24) ταλαίπωρος ἐγὼ ἄνθρωπος· τίς με ῥύσεται
(ἐκ) τοῦ σώματος τοῦ θανάτου τούτου;

I. CIT. τι λεγει περι της ωδε ζωης . . .; ταλαιπωρος . . .
ρυσεται απο του σωματος . . . (*Flacill.*; IX, 484, 5-8. VR: απο]
εκ mss.).

II. There is no attestation for απο instead of εκ.

(8:3) ὁ θεὸς τὸν ἑαυτοῦ υἱὸν πέμψας ἐν ὁμοιώματι
σαρκὸς ἁμαρτίας κατέκρινε τὴν ἁμαρτίαν ἐν τῇ
σαρκί.

I. CIT. προσμαρτυρει λεγων . . . και ο θεος . . . (*C. Eun.*
3.4.10; II, 137, 5-8); ADAPT. τον αποστολον . . . λεγοντα
. . . ο θεος . . . υιον επεμψεν (*C. Eun.* 3.4.9; II, 136, 25-27.
VR: εαυτου] αυτου ms.); CIT. καθως και ο μεγας Παυλος
φησι, εν ομοιωματι σαρκος αμαρτιας (*V. Moy.* 2; VII, i, 127, 18-
19).

II. There is no evidence for the substitution of επεμψεν for πεμψας
in *C. Eun.* 3.4.9. The omission of και περι αμαρτιας after αμαρτιας
in *C. Eun.* 3.4.10 is supported by 110 460 1836 1912 Ephr EpiphP[t]
Hip.

(8:7) διότι τὸ φρόνημα τῆς σαρκὸς ἔχθρα εἰς θεόν,
τῷ γὰρ νόμῳ τοῦ θεοῦ οὐχ ὑποτάσσεται, οὐδὲ γὰρ
δύναται.

---

[1]In the textual analysis 𝔐 is treated as though vac. The same is
true in units 30 and 175.

I. CIT. διοτι . . . θεον και τω νομω . . . (*Perf.*; VIII, i, 187, 3-
4. VR: τω om. ms.; ουτε ms.); CIT. ο γαρ ειπων οτι το
φρονημα . . . υποτασσεται (*Ant. Apol.*; III, i, 141, 7-8); CIT.
καθως φησιν ο αποστολος οτι το φρονημα . . . θεον (*Cant.* 6;
VI, 191, 17-18); ADAPT. το δε λεγειν οτι η σαρξ τω νομω του
θεου ουχ υποτασσεται (*Ant. Apol.*; III, i, 212, 24-25).

II. There is no evidence for the substitution of και for γαρ in *Perf*. Its
omission in *Ant. Apol.*, p. 212, is due to loose quotation (only 1610
attests the omission). οτι for διοτι is supported by F G, but the οτι in
Ant. Apol., p. 141, and *Cant.* is probably an introduction to the
quotation rather than part of it.

(8:9) εἰ (δέ) τις πνεῦμα Χριστοῦ οὐκ ἔχει, οὗτος
οὐκ ἔστιν αὐτοῦ.

I. CIT. ει γαρ τις . . . (*Fil.*; III, ii, 22, 4-5); CIT. ει γαρ τις,
φησι, πνευμα . . . (*Or. Dom.* 3; Krabinger 64, 17-18. VR: τις
om. ms.).

II. There is no evidence for the substitution of γαρ for δε in both.

(8:13) εἰ [δὲ] πνεύματι τὰς πράξεις τοῦ σώματος
θανατοῦτε ζήσεσθε.

I. CIT. φησι . . . ει πνευματι . . . (*C. Eun.* 3.5.2; II, 160, 22
—161, 2. VR: ζησεσθε pr. και).

II. There is no evidence for the omission of δε.

III-13. του σωματος Greg {A} *et rel.*] της σαρκος D G (𝔓46
075 0150 vac.).

(8:16) αὐτὸ τὸ πνεῦμα συμμαρτυρεῖ τῷ πνεύματι
ἡμῶν.

I. CIT. αυτο, φησι, το πνευμα. . . . ο γαρ λεγων οτι αυτο
. . . (*C. Eun.* 3.5.2; II, 160, 22-23 and 161, 5-6).

(8:22) ([πᾶσα] ἡ κτίσις συστενάζει καὶ συνωδίνει
[ἄχρι] τοῦ νῦν.)

I. ALLUS. διοτι μεχρι του νυν συστεναζει η κτισις εκεινη και συνωδινει τη καθ ημας ματαιοτητι (*C. Eun.* 3.2.49; II, 68, 15-16. VR: στεναζει ms.).

II. The omissions and the changes in word order are unattested and due to loose quotation.

(8:24) ὃ γὰρ (βλέπει) τις, τί καὶ ἐλπίζει;

I. CIT. ο γαρ εχει τις, φησι, τι . . . (*C. Eun.* 2.93; I, 254, 7-8).

II. There is no evidence for εχει instead of βλεπει.

III-14. τις τι και Greg {A} *et rel.*] τις, τι D G; τις και ℵ* 1739*; τις 𝔓46^vid B* UBS (075 0150 vac.).

-15. ελπιζει Greg {A} *et rel.*] υπομενει ℵ* A (075 0150 vac.).

(8:29) πρωτότοκον ἐν πολλοῖς ἀδελφοῖς.

I. CIT. φησι . . . πρωτοτοκον . . . (*C. Eun.* 3.2.45; II, 67, 7-8); ADAPT. της φωνης ταυτης μεμνηται ο θειος αποστολος . . . πρωτοτοκος εν . . . (*Ref. Eun.* 79; II, 344, 21-23).

(8:32) ὃς [γε] τοῦ ἰδίου υἱοῦ οὐκ ἐφείσατο.

I. CIT. ουτω γαρ εν τινι των επιστολων απεφηνατο· ος του . . . (*Ref. Eun.* 55; II, 334, 27-28. VR: εφησατο ms.); CIT. τον αποστολον . . . λεγοντα οτι του . . . (*C. Eun.* 3.4.9; II, 136, 25-26); CIT. οταν ουν λεγη οτι του . . . (*C. Eun.* 3.4.14; II, 138, 23-24. VR: ιδιου om. mss.).

II. γε in *Ref. Eun.* is omitted by D* F G, but the probable reason is that they substitute ουδε for ουκ and move the negative forward. δε is substituted for γε in 1245 1739. Gregory's NT therefore probably had γε.

III-16. του ιδιου υιου ουκ Greg {A} *et rel.*] ουδε του ιδιου υιου D* (G om. του) (075 0150 vac.).

(8:35) τίς ἡμᾶς χωρίσει ἀπὸ τῆς ἀγάπης τοῦ θεοῦ τῆς ἐν Χριστοῦ Ἰησοῦ; θλῖψις ἢ στενοχωρία ἢ διωγμὸς ἢ λιμὸς ἢ γυμνότης ἢ κίνδυνος ἢ μάχαιρα;

I. CIT. λεγων τις . . . (*Eccl.* 5; V, 360, 9-11. VR: του θεου της εν Χριστω Ιησου] του Χριστου της εν Χριστω Ιησου mss., της εν Χριστω Ιησου ms., του Χριστου mss.; η διωγμος om. ms.; η μαχαιρα η κινδυνος mss.).

II. In addition to B, του θεου της εν Χριστου Ιησου instead of του Χριστου is supported only by Or^lat-2/7. Gregory's text could be the result of ms. dependence or unconscious assimilation to v. 39.

III-17. του θεου της εν Χριστου Ιησου Greg^ed {C} B] του θεου ℵ; του Χριστου Greg^mss et *rel.* (P 075 0150 vac., A illeg.).

-18. η² Greg {A} et rel.] om. 𝔓46 D* G (P 075 0150 vac.).

(9:3) ηὐχόμην [γὰρ αὐτὸς ἐγὼ] ἀνάθεμα εἶναι ἀπὸ τοῦ Χριστοῦ ὑπὲρ τῶν ἀδελφῶν μου τῶν συγγενῶν μου κατὰ σάρκα.

I. CIT. λεγων· ηυχομην αναθεμα . . . (*Cant.* 15; VI, 443, 18-19. VR: ευχομην mss.; ηυχομην + γαρ εγω ms.; του om. mss.; μου¹ om. ms.; μου² om. mss.; μου² + των ms.; σαρκα + (4) οιτινες Ισραηλιται vers.).

II. The omission of γαρ is supported only by 1827 Ast; it is an introductory word which Gregory makes no effort to reproduce. The omission of αυτος εγω is found only in Ast Eus, which is insufficient evidence to conclude that Gregory's NT lacked the words. It is more likely that it stood before αναθεμα ειναι in Gregory's NT as in C K L 049 056 0142 0151 0285 33 69 223 330 436 462 1241 1739 1908 2344 𝔐 vg pesh bo eth arm Cyp Cyr^pt Dam (Or^pt Phot) Ps-Ath Thdrt (Tyc) than after with 𝔓27 𝔓46 (ℵ) A B D F G Ψ 049 5 216 440 623 1108 1611 d e f g har goth Amb Ambst Chr Or^lat Pac Thrd-Mops. ηυχομην / ευχομην is excluded from the apparatus because of the uncertainty of Gregory's text and the itacistic nature of the variant.

III-19. απο Greg {A} et rel.] υπο D G; υπερ Ψ (P 075 0150 vac.).

-20. των αδελφων μου Greg^{ed} {B} *et rel.*] των αδελφων Greg^{ms} 𝔓46; om. B* (P 075 0150 vac.).

-21. μου² Greg^{ed} {B} *et rel.*] om. Greg^{mss} D* G (P 075 0150 vac.).

-22. κατα Greg^{ed} {B} *et rel.*] pr. των Greg^{ms} D* G (P 075 0150 vac.).

(9:5) ὧν οἱ πατέρες καὶ ἐξ ὧν ὁ Χριστὸς τὸ κατὰ σάρκα ὁ ὢν ἐπὶ πάντων θεὸς εὐλογητὸς εἰς τοὺς αἰῶνας.

I. CIT. τας Παυλου φωνας . . . προς μεν Ρωμαιους λεγων οτι ων οι . . . (*C. Eun.* 3.9.16; II, 269, 18-23); CIT. λεγων . . . εξ ων . . . (*Perf.*; VIII, i, 194, 8-10); CIT. εν οις φησιν εξ . . . θεος (*C. Eun.* 3.9.29; II, 274, 28—275, 1).

III-23. το Greg {A} *et rel.*] ο 𝔓46; τα C*; om. G (P 075 0150 vac.).

(9:6) οὐ γὰρ πάντες οἱ ἐξ Ἰσραὴλ οὗτοι Ἰσραήλ.

I. ALLUS. ου γαρ παντες . . . (*Cant.* 6; VI, 196, 16-17. VR: ουτοι] ουτε ms.; Ισραηλ²] Ισραηλιται mss.).

III-24. Ισραηλ² Greg^{ed} {B} *et rel.*] Ισραηλ(ε)ιται Greg^{mss} D* G (C P 075 0150 33 vac.).

(9:22) σκεύη ὀργῆς κατηρτισμένα εἰς ἀπώλειαν.

I. ALLUS. εχει κακεινος σκευη . . . (*Cant.* 14; VI, 421, 20-21).

(10:6-7) μὴ εἴπῃς ἐν τῇ καρδίᾳ σου· τίς ἀναβήσεται εἰς τὸν οὐρανόν; τουτ' ἔστι Χριστὸν καταγαγεῖν· (7) ἤ· τίς καταβήσεται εἰς τὴν ἄβυσσον; τουτ' ἔστι Χριστὸν ἐκ νεκρῶν ἀναγαγεῖν.

I. CIT. περι ου φησιν· μη ειπης . . . (*Inscript. Pss.* 2.8; V, 96, 21-24. VR: τις] της [sic] ms.).

(10:8) ἐγγύς σου τὸ ῥῆμα.

I. CIT. ἐγγὺς . . . ῥῆμα, φησιν ὁ ἀποστολος (*Virg.* 23; VIII, i, 334, 2-3).

(10:9-10) ἐὰν ὁμολογήσῃς [ἐν] τῷ στόματί σου κύριον Ἰησοῦν καὶ πιστεύσῃς ἐν τῇ καρδίᾳ σου ὅτι ὁ θεὸς αὐτὸν ἤγειρεν ἐκ νεκρῶν, σωθήσῃ· (10) καρδίᾳ γὰρ πιστεύεται εἰς δικαιοσύνην, στόματι δὲ ὁμολογεῖται εἰς σωτηρίαν.

I. CIT. ὁ αποστολος . . . λεγων εαν ομολογησης τω στοματι . . . (*Cant.* 7; VI, 229, 13-18. VR: τον κυριον ms.; Ιησουν] υιον ms.; ηγειρεν αυτον ms.).

II. There is no evidence for the omission of εν.

III-25. κυριον Ιησουν Greg {A} *et rel.*] κυριου Ιησουν Χριστον 𝔓46 A 056 0142; οτι κυριος Ιησους B (C 075 0150 vac.).

-26. πιστευσης Greg {A} *et rel.*] πιστευεις P; πιστευσεις 0151 33 (C 075 0150 vac.).

-27. αυτον ηγειρεν Greg^ed {B} *et rel.*] ηγειρεν αυτον Greg^ms A P (C 075 0150 vac.).

(11:1) ἐκ σπέρματος Ἀβραάμ, φυλῆς Βενιαμίν.

I. CIT. και εκ σπερματος Αβρααμ και φυλης Βενιαμιν, Παυλος ὁ θειος αποστολος (*Inscript. Pss.* 2.14; V, 148, 3-4. VR: και¹ . . . Βενιαμιν om. ms.; βενιαμην ms.).

II. There is no evidence for και. Βενιαμιν and its variants are not treated in apparatus III because it is an itacistic type of variant.

(11:16) εἰ δὲ ἡ ἀπαρχὴ ἀγία, καὶ τὸ φύραμα.

I. CIT. ει . . . αγια, φησι, και . . . (*Ref. Eun.* 84; II, 346, 24-25. VR: η om. ms.).

(11:20) μὴ ὑψηλοφρόνει ἀλλὰ φοβοῦ.

I. CIT. μη υψηλοφρονει, καθως φησιν ο αποστολος, αλλα φοβου (*Mihi fecistis*; IX, 120, 22-23).

III-28. υψηλοφρονει   Greg {A} *et rel.*] υψηλα φρονει   𝔓46 ℵ Aᵛⁱᵈ
B UBS (K 075 0150 vac.).

(11:29) ἀμεταμέλητα γάρ (τὰ χαρίσματα [καὶ ἡ κλῆ-
σις] τοῦ θεοῦ).

I. CIT. αμεταμελητα γαρ του θεου τα χαρισματα, καθως φησιν
ο αποστολος (*Ant. Apol.*; III, i, 153, 7-8); CIT. αμεταμελητα
γαρ αυτου, φησι, τα χαρισματα (*Eccl.* 4; V, 336, 15-16).

II. There is no evidence for the omission of και η κλησις or the
substitution of αυτου for του θεου in *Eccl.* or for the different
placement of του θεου in *Ant. Apol.*

(11:33-34)   ὦ βάθος πλούτου καὶ σοφίας καὶ γνώ-
σεως θεοῦ· ὡς ἀνεξερεύνητα τὰ κρίματα αὐτοῦ καὶ
ἀνεξιχνίαστοι αἱ ὁδοὶ αὐτοῦ.   (34)   τίς γὰρ ἔγνω
νοῦν κυρίου;

I. CIT. την του αποστολου φωνην . . . λεγων ω . . .
(*Infant.*; III, ii, 76, 3-7. VR: (34) γαρ   om. mss.; εγνων   ms.);
CIT. (34) τις εγνω ́νουν κυριου, φησιν ο αποστολος (*Hom.
opif.* 11.2.66; Forbes 156, 24. VR: τις γαρ   ms.).

II. ανεξερευνητα / -αυ- is excluded from the apparatus as a variant
spelling. (34) There is no evidence for the omission of γαρ in *Hom.
opif.* The content of v. 34 is found also in I Cor. 2:16, but its com-
bination with v. 33 assures that its source is Romans. Likewise the
combination assures that the quotation is from Romans rather than
several OT passages, as does also the introductory formula.

III-29. θεου   Greg {A} *et rel.*] pr. του   G 33 (𝔓46 C K 075 0150
vac.).

(11:36)   ἐξ αὐτοῦ καὶ δι' αὐτοῦ καὶ εἰς αὐτὸν τὰ
πάντα.

I. ALLUS. εξ . . . (*Ant. Apol.*; III, i, 203, 12-13); ALLUS. εξ
αυτου γαρ και . . . (*Cant.* 10; VI, 306, 7-8).

(12:2)   μὴ συσχηματίζεσθαι τῷ αἰῶνι τούτῳ, ἀλλὰ
μεταμορφοῦσθαι τῇ ἀνακαινώσει τοῦ νοὸς (ὑμῶν) (εἰς

τὸ) δοκιμάζειν [ὑμᾶς] τί τὸ θέλημα τοῦ θεοῦ, τὸ ἀγαθὸν καὶ εὐάρεστον καὶ τέλειον.

I. CIT. το μη . . . νοος αυτου εν τω δοκιμαζειν τι . . . (*Perf.*; VIII, i, 186, 17-20. VR: ανακαινισει ms., ανακενωσει mss.).

II. There is no evidence for the substitution of αυτου for υμων, for the substitution of εν τω for εις το, or for the omission of υμας.

III-30. συσχηματιζεσθαι . . . μεταμορφουσθαι Greg {B} A D G Ψ 049 0151 𝔐ᴾᵗ] -σθε . . . -σθε *rel.*; -σθε . . . -σθαι ℵ; -σθαι . . . -σθε 056 0142 33 (C K 075 0150 vac.).

(12:3) [μὴ] (ὑπερφρονεῖν) παρ' ὃ δεῖ φρονεῖν.

I. ALLUS. καν επεμβαινη τη ευλαβεια ταυτη του λογου ο υπερφρονων παρ . . . (*C. Eun.* 3.1.105; II, 39, 6-7).

II. There is no evidence for the omission of μη or the substitution of υπερφρονων. These are due to loose quotation.

(12:4) τὰ δὲ μέλη πάντα οὐ τὴν αὐτὴν ἔχει πρᾶξιν.

I. CIT. φησιν ο Παυλος . . . τα δε . . . (*Cant.* 13; VI, 382, 6-8. VR: ταξιν mss.).

(12:12) τῇ ἐλπίδι χαίροντες, . . . τῇ προσευχῇ προσκαρτεροῦντες.

I. CIT. κατα τον αποστολον . . . τη ελπιδι . . . (*Mart.* 2; X, i, 169, 14-16. VR: τη² . . . προσκαρτερουντες om. mss.); ADAPT. το δειν παντως τη προσευχη προσκαρτερειν, καθως φησιν ο αποστολος (*Or. Dom.* 1; Krabinger 2, 12-14).

(12:15) χαίρειν μετὰ χαιρόντων [καὶ] κλαίειν μετὰ κλαιόντων.

I. ALLUS. χαιρειν μετα χαιροντων, τουτο ημεις εποιησαμεν· κλαιειν . . . (*Melet.*; IX, 444, 15-16).

II. Because of his insertion of τουτο ημεις εποιησαμεν between the clauses, Gregory cannot be cited for the omission of και with 𝔓46 ℵ B

D* F G 6 1739 1881 2495 *pc.* latt har. It is best to conclude that his NT had it with A 𝔐.

(12:19) ἐμοὶ ἐκδίκησις, ἐγὼ ἀνταποδώσω, λέγει κύριος.

I. CIT. ὡς φησιν· εμοι . . . (*Ep.* 16.3; VIII, ii, 50, 20-21).

II. The presence of λεγει κυριος insures that the quotation is from Romans rather than Deut. 32:35.

(13:12-13) (ἀποθώμεθα) [οὖν] τὰ ἔργα τοῦ σκότους . . . (13) ὡς ἐν ἡμέρᾳ εὐσχημόνως (περιπατήσωμεν).

I. ADAPT. αποθεμενοι τα . . . σκοτους και ως . . . ευσχημονως περιπατουντες, καθως φησιν ο αποστολος (*Inscript. Pss.* 2.5; V, 83, 18-20).

II. There is no evidence for the substitution of participles for subjunctives or for the omission of ουν.

III-31. αποθωμεθα   Greg {A} *et rel.*] αποβαλωμεθα   𝔓46 D* G (K 075 vac.).

(13:14) ἐνδύσασθε τὸν κύριον Ἰησοῦν Χριστόν.

I. CIT. ο θειος αποστολος εν οις διακελευεται οτι ενδυσασθε . . . (*C. Eun.* 3.1.52; II, 21, 27—22, 1); CIT. Παυλος . . . λεγων . . . οτι ενδυσασθε . . . (*Ref. Eun.* 112; II, 359, 7-10. VR: κυριον + ηυων ms.); CIT. ενδυσασθε γαρ, φησι, τον κυριον Ιησουν (*V. Moy.* 2; VII, i, 124, 4-5).

II. It is not safe to cite the short quotation in *V. Moy.* for the omission of Χριστον.

III-32. κυριον Ιησουν Χριστον   Greg {A} *et rel.*] Χριστον Ιησουν B; κυριον Ιησουν 1739; Ιησουν Χριστον τον κυριον ημων 𝔓46 (K 075 vac.).

(14:9) ἵνα καὶ νεκρῶν καὶ ζώντων κυριεύσῃ.

I. ALLUS. . . . ινα . . . (*C. Eun.* 3.2.54; II, 70, 17).

(14:17) οὐ γάρ ἐστιν ἡ βασιλεία τοῦ θεοῦ βρῶσις καὶ πόσις ἀλλὰ δικαιοσύνη καὶ (εἰρήνη) καὶ (χαρά).

I. CIT. παρα του αποστολου ηκουσαμεν οτι ουκ εστιν . . . δικαιοσυνη και απαθεια και μακαριοτης (*Eccl.* 6; V, 372, 1-3); CIT. ου γαρ εστι, καθως φησιν ο αποστολος, η βασιλεια . . . ποσις (*Hom. opif.* 19.9.95; Forbes 220, 17-18).

II. There is no evidence for the omission of γαρ or for the substitution of απαθεια and μακαριοτης in *Eccl.*

(14:23) πᾶν [δὲ] ὃ (οὐκ) ἐκ πίστεως ἁμαρτία ἐστίν.

I. CIT. ως γαρ ο Παυλος φησιν οτι παν ο μη εκ . . . (*Perf.*; VIII, i, 210, 17-18).

II. There is no evidence for the omission of δε or the substitution of μη for ουκ.   γαρ instead of δε is supported only by 216 and 440.

III-33. ὃ   Greg {A} *et rel.*] το   D* P 1739 (𝔓46 K 075 33 vac., ℵ hom.).

(15:19) ἀπὸ 'Ιερουσαλὴμ (καὶ) κύκλῳ μέχρι τοῦ 'Ιλλυρικοῦ.

I. ALLUS. απο Ιερουσαλημ εν κυκλω . . . (*Virg.* 19; VIII, i, 324, 9-10. VR: εν om. mss.; και κυκλω ms.; και μεχρι ms.).

II. There is no evidence for εν instead of και, although L omits και.

III-34. κυκλω . . . Ιλλυρικου   Greg {A} *et rel.*] Ιλλυρικου . . . κυκλω   D* G (K 075 vac.).

I CORINTHIANS

(1:5) ἐν παντὶ ἐπλουτίσθητε [ἐν αὐτῷ], ἐν παντὶ λόγῳ καὶ πάσῃ γνώσει.

I. CIT. φησιν ο αποστολος οτι εν παντι επλουτισθητε, εν παντι . . . (*Cant.* 15; VI, 457, 11-12. VR: εν παση mss.; om. παση ms.); ADAPT. ο αποστολος . . . φησι . . . αποδεχεται τους παρα της θειας χαριτος πλουτισθεντας εν παντι λογω

. . . (*Infant.*; III, ii, 76, 7-10); CIT. τη του μεγαλου Παυλου φωνη . . . εν παντι λογω . . . (*Pyth.*; III, ii, 101, 10-12).

II. There is no evidence for the omission of εν αυτω.

(1:17) ἵνα μὴ κενωθῇ ὁ σταυρὸς τοῦ Χριστοῦ.

I. CIT. ινα . . . (*Fil.*; III, ii, 25, 18).

(1:24) (Χριστὸν) θεοῦ (δύναμιν) καὶ θεοῦ (σοφίαν).

I. ADAPT. ει δε τινι τιμιον η σοφια δοκει, Χριστος θεου δυναμις και θεου σοφια (*C. Eun.* 1.335; I, 126, 24-26); ADAPT. ει γαρ κτιστη του θεου η σοφια, Χριστος δε θεου δυναμις και θεου σοφια (*C. Eun.* 3.1.49; II, 20, 19-21. VR: θεου^2 om. ms.); ALLUS. τοις υψηλοτεροις κεχρηται των ονοματων . . . και δυναμιν θεου και σοφιαν (*C. Eun.* 3.4.15; II, 139, 9-11); ADAPT. Χριστος γαρ θεου δυναμις και θεου σοφια (*Ref. Eun.* 26; II, 322, 15-16); ADAPT. Χριστος θεου δυναμις και θεου σοφια (*Tres dei*; III, i, 50, 1. VR: Χριστος δε mss. excerptor vers.); ADAPT. Χριστος δε θεου δυναμις και θεου σοφια (*Ant. Apol.*; III, i, 219, 23); ADAPT. Χριστος θεου δυναμις και θεου σοφια (*Cant.* 4; VI, 133, 10-11. VR: θεου^2 om. vers.); ADAPT. Χριστος δε θεου δυναμις και θεου σοφια (*Eccl.* 5; V, 355, 15. VR: δε om. ms.); ADAPT. αυτη δ αν ειη Χριστος η θεου δυναμις και θεου σοφια (*V. Moy* 2; VII, i, 91, 14-15. VR: του θεου^1 mss.); ADAPT. Χριστος, φησι, θεου δυναμις και θεου σοφια (*Perf.*; VIII, i, 182, 3-4); ADAPT. Χριστος δε θεου δυναμις και θεου σοφια (*Euag.*; IX, 339, 24); ADAPT. ειπων οτι Χριστος εστι θεου δυναμις και θεου σοφια (*Perf.*; VIII, i, 175, 15-16); ADAPT. Χριστος δε εστιν η του θεου δυναμις και σοφια (*Ref. Eun.* 70; II, 341, 7. VR: δε] γαρ ms.$^{mg.}$).

II. Only 𝔓46 sa bo Clem^{pt} Ephr support Gregory in the use of the nominative instead of the accusative in all of the quotations except the one in *C. Eun.* 3.4.15. The use of the accusative in all other witnesses is because the statement is in apposition with Χριστον in v. 23. Gregory does not cite v. 23, and therefore it was appropriate for him to adapt by using the nominative. For these reasons the accusative is restored above and the unit of variation excluded below. There is no evidence for any of his other deviations from the standard text.

(1:26-27) βλέπετε [γὰρ] τὴν κλῆσιν ὑμῶν, ἀδελφοί, ὅτι οὐ πολλοὶ σοφοὶ κατὰ σάρκα, οὐ πολλοὶ δυνατοί, οὐ πολλοὶ εὐγενεῖς· (27) ἀλλὰ τὰ μωρὰ τοῦ κόσμου ἐξελέξατο ὁ θεός.

I. CIT. βλεπετε, φησι, την κλησιν . . . (Ep. 17.12; VIII, ii, 54, 10-13. VR: ου πολλοι δυνατοι om. ms.).

II. There is no evidence for the omission of γαρ.

(2:6) σοφίαν δὲ λαλοῦμεν ἐν τοῖς τελείοις.

I. CIT. ειπων· σοφιαν . . . (Cant. 14; VI, 399, 19).

(2:9) ἃ ὀφθαλμὸς οὐκ εἶδεν καὶ οὖς οὐκ ἤκουσεν καὶ ἐπὶ καρδίαν ἀνθρώπου οὐκ ἀνέβη, ἃ ἡτοίμασεν ὁ θεὸς τοῖς ἀγαπῶσιν αὐτόν.

I. CIT. τον αποστολον . . . λεγοντα . . . οφθαλμος ουκ ειδεν . . . και ους ουκ ηκουσεν . . . και επι καρδιαν ανθρωπου ουκ ανεβη (Cant. 8; VI, 247, 2-7. VR: ο οφθαλμος mss.; ιδεν ms., οιδε ms.; αναβαινει ms.); ALLUS. ος φησιν . . . επι καρδιαν ανθρωπου αναβηναι φυσιν ουκ εχει (Cant. 11; VI, 336, 2, 9-10. VR: αναβαινει ms.); ALLUS. ουτε γαρ οφθαλμος ειδεν ουτε ους ηκουσεν ουτε των επι καρδιαν ανθρωπου συνηθως αναβαινοντων εστιν (V. Moy. 2; VII, i, 84, 11-13. VR: των om. ms.); ADAPT. η θεοπνευστος διδασκει γραφη οτι ουτε ο οφθαλμος ειδεν ουτε ους ηκουσεν ουτε επι καρδιαν ανθρωπου ανεβη, α ητοιμασεν . . . (Prof.; VIII, i, 141, 27—142, 3. VR: ανθρωπου ουκ ms.; ο θεος ητοιμασεν ms.; θεος αγαθα ms.); ALLUS. α ουτε οφθαλμος ειδεν ουτε ους ηκουσεν ουτε επι καρδιαν ανθρωπου ανεβη (Pascha 2; IX, 309, 18-19).

II. There is no evidence for any of Gregory's deviations from the standard text.

III-35. α² Greg {A} et rel.]   οσα   A B Cᵛⁱᵈ (K 075 vac.).

(2:10) διὰ τοῦ πνεύματος . . . πάντα ἐρευνᾷ, καὶ τὰ βάθη τοῦ θεοῦ.

I. CIT. λογον καταλιπειν εκεινοις οι δια του πνευματος τα βαθη του θεου ερευναν δυναμιν εχουσιν (V. Moy. 2; VII, i, 91,

3-4); CIT. καθὼς φησιν ο αποστολος, και παντα . . . (*C. Eun.* 2.218; I, 289, 2-3); CIT. τα βαθη του θεου διερευνωντι, καθως φησιν ο αποστολος (*V. Moy.* 2; VII, i, 67, 1-2).

II. Because of the omissions in the quotation in *V. Moy.*, p. 91, it is not safe to cite Gregory for the omission of αυτου after πνευματος. ερευνα /εραυνα is considered to be an itacistic variant.

(2:11) **(τίς)** [γὰρ] οἶδε τὰ τοῦ ἀνθρώπου εἰ μὴ τὸ πνεῦμα τὸ ἐν αὐτῷ.

I. ADAPT. φησι . . . ουδεις οιδε . . . (*C. Eun.* 3.5.2; II, 160, 23-24. VR: τα] το ms.; ενοικουν εν ms.); ADAPT. ουδεις οιδε . . . (*C. Eun.* 3.5.3; II, 161, 11-12. VR: ενοικουν εν ms.); ADAPT. λεγεται γαρ παρα της γραφης . . . ουδεις οιδε . . . (*Ant. Apol.*; III, i, 172, 24-28).

II. There is no evidence for the substitution of ουδεις for τις or the omission of γαρ. In addition to A 33 below, the omission of ανθρωπων after οιδε is supported only by Ath³/⁴ Cyr. In addition to G, the omission of του ανθρωπου after πνευμα is supported only by F a b f g m bo Amb^pt Eus^pt Hil Or^pt Pelag Tert.

III-36. οιδε   Greg {B} A 33] + ανθρωπων   *rel.* (K 075 vac.).

-37. πνευμα   Greg {B} G] + του ανθρωπου   *rel.* (K 075 vac.).

(2:14-15) **ψυχικὸς δὲ ἄνθρωπος οὐ δέχεται τὰ τοῦ πνεύματος· μωρία γὰρ αὐτῷ ἐστιν. . . . (15) ὁ δὲ πνευματικὸς ἀνακρίνει μὲν πάντα αὐτὸς δὲ ὑπ' οὐδενὸς ἀνακρίνεται.**

I. CIT. λεγει ψυχικὸς . . . (*Hom. opif.* 8.6.61; Forbes 144, 16-19. VR: μεν τα mss.); ADAPT. ειπει δε παλιν ο αποστολος ιδιον (15) του πνευματικου φησι το ανακρινειν τα παντα (*Infant.*; III, ii, 76, 7-8).

II. του θεου after πνευματος is omitted with 2 216 255 330 440 823 1506 1827 pesh Ath Chr Clem Epiph Hil Ir Mcion Theot. (15) Because the passage from *Infant.* is an adaptation, it is very doubtful that Gregory should be cited as supporting τα παντα.

III-38. (15) μεν παντα Greg {B} *et rel.*] παντα G; μεν τα παντα P 33 1739; τα παντα 𝔓46 A C D* UBS (K 075 vac., ℵ* hom.).

(3:2) γάλα ὑμᾶς ἐπότισα, οὐ βρῶμα· οὔπω γὰρ ἠδύνασθε.

I. CIT. φησιν, οτι γαλα . . . (*Infant.*; III, ii, 83, 16-17. VR: εδυνασθε ms., + αλλ ουδε ετι νυν δυνασθε ms.).

II. ηδυνασθε / εδυνασθε is considered to be an itacistic variant and therefore is not treated in apparatus III.

(3:3) σαρκινοί ἐστε. ὅπου γὰρ ἐν ὑμῖν ζῆλος καὶ ἔρις, οὐχὶ 'σαρκικοί / σαρκινοί' ἐστε;

I. CIT. φησι προς Κορινθιους . . . σαρκινοι εστε (*Hom. opif.* 8.6.61; Forbes 144, 13-15); CIT. οπου . . . υμιν, φησι, ζηλος . . . ουχι σαρκικοι εστε; (*Ant. Apol.*; III, i, 142, 3-4. VR: σαρκινοι mss.); CIT. προς Κορινθιους φησι . . . σαρκινοι εστε (*Ant. Apol.*; III, i, 141, 27-28).

II. Gregory's σαρκιν̯οι εστε, as opposed to σαρκικ̯οι εστε, is elsewhere attested only by Or^pt, but D* F G d e f g vg^mss Clem Cyp Hil Or^pt have εστε σαρκιν̯οι. It would serve no purpose first to cite Gregory with D* G for the spelling variation and then against them in the word order variation. σαρκινοι, however, should be accepted in the reconstruction. In the last part of the verse it is best to conclude that he knew both readings, although the text of *Ant. Apol.* is not certain.

III-39. ερις Greg {B} ℵ (A ερεις) B C P Ψ 0150 1739 UBS] + και διχοστασιαι *rel.* (K 075 vac.).

(3:8) ἕκαστος [δὲ] τὸν ἴδιον μισθὸν λήψεται κατὰ τὸν ἴδιον κόπον.

I. CIT. φησιν οτι εκαστος τον . . . (*Cant.* prolog.; VI, 13, 7-8); CIT. τον μισθον ληψεται, καθως φησιν ο αποστολος, κατα τον ιδιον κοπον εκαστος (*C. Eun.* 2.8; I, 228, 22-23).

II. δε is omitted by C 104 as well as *Cant.*, but it is the kind of introductory word about which Gregory shows no consistency. It is best to restore it with 𝔐.   The displacement of εκαστος in *C. Eun.* is unattested.

(3:9) θεοῦ γεώργιον . . . ἐστε.

I. CIT. ο δε αποστολος προς ημας λεγει οτι θεου γεωργιον εστε   (*Eccl.* 6; V, 382, 4-5).

II. It would not be safe in a critical apparatus of the Greek NT to cite Gregory for the addition of εστε after γεωργιον with D^c 1611 f z vg har arm Chr Pelag.

(3:11) θεμέλιον [γὰρ] ἄλλον οὐδεὶς δύναται θεῖναι παρὰ τὸν κείμενον, ὅς ἐστιν Ἰησοῦς Χριστός.

I. CIT. φησιν οτι θεμελιον αλλον . . . (*Cant.* 14; VI, 417, 11-13. VR: αλλο ms., om. ms.; Ιησους] pr. ο mss., om. mss.). CIT. κατα την του Παυλου φωνην, ος φησιν οτι θεμελιον ουδεις . . . κειμενον (*Ref. Eun.* 112; II, 359, 16-17).

II. There is no evidence for the omission of γαρ in both quotations or of αλλον in *Ref. Eun.*

III-40. Ιησους Χριστος Greg^ed {B} *et rel.*] Χριστος Ιησους D 0150; Χριστος Greg^mss C* (G K 075 vac.).

(3:12) εἰ [δέ] τις ἐποικοδομεῖ ἐπὶ τὸν θεμέλιον τοῦτον 'χρυσόν, ἄργυρον / χρυσίον, ἀργύριον,' λίθους τιμίους, (ξύλα, χόρτον, καλάμην).

I. ADAPT. ει τις γαρ εποικοδομει . . . χρυσιον και αργυριον και λιθους τιμιους, ταυτα η αρετη ονομαζεται· ζυλω δε και χορτω και καλαμη η της κακιας ερμηνευεται φυσις (*Eccl.* 6; V, 385, 4-8. VR: οικοδομει mss.; χρυσον mss.; και^{1,2} om. mss.; αργυρον mss.; ζυλα mss.; χορτος mss.); ALLUS. ο μεγας αποστολος κατα ταυτον [sic ed. without variant] ονομαση ξυλα και χορτον και καλαμην χρυσον τε και αργυρον και λιθους τιμιους (*C. Eun.* 3.2.101; II, 86, 1-3).

II. There is no evidence for the omission of δε, the addition of και before λιθους, or the substitution of datives for the three accusatives at the end of the verse—all in *Eccl.* και before αργυριον in *Eccl.* is found only in (𝔓46) B (pesh) eth Chr Clem Cyr-Jer Or. Inasmuch as

Gregory seems to have added the second και apart from ms. dependence, it is likely that he added the first one in the same way. For this reason the addition is not allowed in the reconstruction, nor is the unit treated below. Another question is whether Gregory knew both χρυσον αργυρον and χρυσιον αργυριον. The latter is supported by א (B) C^vid 0150 (0289) 441 623 630 927 1175 1241^s 1506 1739 1838 2143 Bas^pt Clem Dam Ephr Epiph^pt Or^pt, the former by *rel*. Inasmuch as both readings have good attestation, it is best to include both in the reconstruction.

III-41. τουτον   Greg {A} *et rel.*]   om. 𝔓46 א* A B C* UBS (G K 075 vac.).

(3:17) εἴ τις τὸν ναὸν τοῦ θεοῦ φθείρει, φθερεῖ τοῦτον ὁ θεός.

I. CIT. παραγγελιαν βοωντι ει . . .   (*For.*; IX, 217, 11-13).

III-42. φθερει   Greg {B} *et rel.*]   φθειρει   D G L P 049* 0150 0151 (33 φθηρει) (K 075 vac.).

-43. τουτον   Greg {A} *et rel.*]   αυτον   A D G (K 075 vac.).

(3:19) ὁ δρασσόμενος τοὺς σοφοὺς ἐν τῇ πανουργίᾳ αὐτῶν.

I. ALLUS. ωστε δια παντων ο δρασσομενος . . .   (*C. Eun.* 3.5.18; II, 166, 16-17).

II. The wording unquestionably is that of I Cor. 3:19 rather than Job 5:13.

(4:2) ὧδε λοιπὸν ζητεῖται ἐν τοῖς οἰκονόμοις, ἵνα πιστός τις εὑρεθῇ.

I. CIT. ουτωσι γραψας τω ρηματι·   ωδε . . .   (*Cant.* 14; VI, 408, 17-19. VR: ωδε] ο δε mss.).

III-44. ωδε   Greg^ed {C} *et rel.*]   ο δε   Greg^mss L 049 056 0142 0150 0151 223 1739 2423 𝔐   (K 075 vac.).

-45. ζητειται   Greg {A} *et rel.*]   ζητειτε   𝔓46 א A C D G P 33 1739 (K 075vac.)

-46. πιστος τις ευρεθη Greg {A} *et rel.*] τις ευρεθη πιστος D*; τις πιστος ευρεθη G (K 075 vac.).

(4:9) θέατρον (ἐγενήθημεν) τῷ κόσμῳ καὶ ἀγγέλοις καὶ ἀνθρώποις.

I. CIT. κατα την Παυλου φωνην θεατρον εγενηθη τω κοσμω . . . (*Steph.* 1; X, i, 76, 3-4. VR: ανθρωποις και αγγελοις mss.).

II. There is no evidence for εγενηθη.

(4:10) ἡμεῖς μωροὶ διὰ Χριστόν.

I. CIT. λεγει ημεις . . . (*Eccl.* 5; V, 359, 15-16; VR: τον Χριστον ms.).

(5:8) μὴ ἐν ζύμῃ παλαιᾷ μηδὲ ἐν ζύμῃ κακίας καὶ πονηρίας ἀλλ' ἐν ἀζύμοις εἰλικρινείας καὶ ἀληθείας.

I. CIT. φησιν ο αποστολος ο μη εν ζυμη . . . (*Trid.*; IX, 296, 14-16. VR: μη εν] μηδε ms., μη mss.; παλαια . . . ζυμη om. ms.; μηδε εν ζυμη om. ms.; μηδε] η ms.; εν² om. mss.; αζυμοις] ζυμοις ms.; και αληθειας om. ms.).

III-47. μηδε Greded {B} *et rel.*] μη B 056*vid; η Gregms 1739 (𝔓46 K 075 vac.).

(5:12) τί [γάρ] μοι τοὺς ἔξω κρίνειν;

I. CIT. τι μοι . . . κρινειν; φησιν ο ειπων (*Virg.* 7; VIII, i, 282, 20); CIT. τι μοι . . . κρινειν; φησιν ο ειπων (*Euag.*; IX, 335, 10-11).

II. There is no evidence for the omission of γαρ.

III-48. μοι Greg {B} *et rel.*] + και D L Ψ 056 0142 0150 0151 223 2423 𝔐 (K 049 075 vac.).

(5:13) ἐξάρατε τὸν πονηρὸν ἐξ ὑμῶν αὐτῶν.

I. CIT. εξαρατε. . . . ταυτα κελευει ο θειος αποστολος (*Eccl.* 7; V, 408, 5-6. VR: τον] το ms.; εξαραι ms.).

III-49. εξαρατε Greg {B} *et rel.*] εξαρειτε   L 223 2423 𝔐;
εξαιρετε 𝔓46 1739 (K 049 075 vac.).

**(6:18) φεύγετε τὴν πορνείαν. πᾶν ἁμάρτημα ὃ ἐὰν
ποιήσῃ ἄνθρωπος ἐκτὸς τοῦ σώματός ἐστι· ὁ δὲ
πορνεύων εἰς τὸ ἴδιον σῶμα ἁμαρτάνει.**

I. CIT. σκοπει μοι την εις τουτο του Παυλου λεπτολογιαν·
φευγετε, φησι, την πορνειαν. δια τι; οτι παν . . . εστι . . .
ο δε πορνευων . . . (*For.*; IX, 213, 6-12); CIT. φευγετε γαρ,
φησι, την πορνειαν   (*For.*; IX, 211, 8-9); CIT. φευγετε την
πορνειαν   (*For.*; IX, 212, 4-5 and 214, 18).

(7:31) (παράγει [γὰρ] τὸ σχῆμα τοῦ κόσμου.)

I. CIT. του κοσμου παραγει το σχημα, καθως φησιν ο
αποστολος   (*Mart.* 1a; X, i, 140, 22-23. VR: παρελευσονται
ms.).

II. There is no evidence for Gregory's word order or the omission or
γαρ.

**(7:32-33) ὁ ἄγαμος μεριμνᾷ τὰ τοῦ κυρίου . . .
(33) ὁ δὲ γαμήσας μεριμνᾷ τὰ τοῦ κόσμου.**

I. CIT. ο γαρ αγαμος . . .   (*Virg.* 9; VIII, i, 288, 7-9. VR: τα
om. ms.); CIT. ο γαρ αγαμος . . .   (*Virg.* 20; VIII, i, 326,15-16).

II. There is no evidence for the insertion of γαρ.

**(8:2) εἴ τις δοκεῖ ἐγνωκέναι τι, οὔπω ἔγνω καθὼς
δεῖ γνῶναι.**

I. CIT. του αποστολου φωνη η λεγουσα οτι ει τις . . .   (*Cant.*
11; VI, 320, 18-20. VR: το εγνωκεναι ms.; τι om. mss.;
ουδεπω mss.); CIT. δι ων φησιν . . . ει τις . . .   (*Cant.* 11;
VI, 326, 17-19. VR: εγνωκε ms.).

II. In accordance with the principles used in this study, δε is omitted
from the reconstruction with 𝔓46 ℵ A B P Ψ 0150 0278 33 81 104
630 1175 1739 1881 2464 2495 *pc.* vg^st Ambst Clem Cyp Epiph,
contra D F G 𝔐 vg^cl pesh har*, but because it is a transition word

which Gregory has no concern to reproduce, one can have little confidence whether it did or did not appear in Gregory's NT ms(s).

III-50. ἐγνωκέναι Greg {B} *et rel.*] εἰδέναι K L 056 0142 0151 223 2423 𝔐 (C 049 075 vac.).

-51. οὐπω Greg^{ed} {C} *et rel.*] οὐδεπω Greg^{mss} D* G Ψ; οὐδεπω οὐδεν K L 056 0142 0151 223 2423 𝔐 (C 049 075 vac.).

-52. ἐγνω Greg^{ed} {B} *et rel.*] ἐγνωκε(ν) Greg^{ms} K L 056 0142 0151 223 2423 𝔐; ἐδει 33 (C 049 075 vac.).

(8:6) εἰς θεὸς ὁ πατὴρ ἐξ οὗ τὰ πάντα . . . εἰς κύριος Ἰησοῦς Χριστὸς δι' οὗ τὰ πάντα.

I. CIT. ο μεγας αποφαινεται Παυλους . . . εις . . . εξ ου τα παντα (*Cant.* 2; VI, 54, 15-16. VR: ο] και mss.); CIT. εις γαρ θεος, φησι, και πατηρ εξ ου τα παντα (*C. Eun.* 3.10.9; II, 292, 18-19); ALLUS. μαθων οτι εις κυριος . . . (*Thphl.*; III, i, 128, 12-13. VR: Ιησους Χριστος om. ms.); ALLUS. εις κυριος δι ου τα παντα (*Ant. Apol.*; III, i, 148, 7); CIT. εις κυριος . . ., λεγεται Χριστος ωσαυτως (*Ant. Apol.*; III, i, 222, 4-5); CIT. βοωντος ακουω του Παυλου οτι εις κυριος Ιησους Χριστος (*C. Eun.* 3.8.43; II, 255, 9-10); ALLUS. εις κυριος Ιησους Χριστος (*Ref. Eun.* 183; II, 389, 24).

II. There is no evidence for the substitution of και for ο in *C. Eun.* 3.10.9 or for the omission of Ιησους Χριστου in *Ant. Apol.*, p. 148.

III-53. θεος Greg {A} *et rel.*] pr. ο G; om. ℵ* (C 049 075 vac.).

(8:13) οὐ μὴ φάγω κρέα εἰς τὸν αἰῶνα.

I. CIT. ει γαρ δια βρωμα, φησιν, ο αδελφος μου λυπειται, ου μη . . . (*C. Eun.* 1.546; I, 184, 16-17).

(9:9) οὐ φιμώσεις βοῦν ἀλοῶντα. μὴ τῶν βοῶν μέλει τῷ θεῷ;

I. CIT. ο μακαριος Παυλος . . . λεγων ου . . . αλοωντα . . . μη των βοων . . . (*Cant.* 7; VI, 226, 3-8. VR: φημωσεις ms., κημωσεις mss.; περι των mss.; μελη mss.; μελλει mss.).

III-54. φιμώσεις   Greg^ed {B} *et rel.*]   κημωσεις   Greg^mss B* D* G
1739 UBS (049 075 vac.).

-55. τῶν   Greg^ed {B} *et rel.*]   pr. περι   Greg^mss D G (049 075
vac.).

(9:15) τὸ καύχημά μου οὐδεὶς κενώσει.

I. CIT. το . . . (*Fil.*; III, ii, 25; 16-17).

III-56. ουδεις κενωσει   Greg {B} 𝔓46 ℵ B D 33 1739 UBS] ουδεις
μη καινωσει A; τις κενωσει G; ινα τις κενωση *rel.* (049 075
vac.).

(10:4) ἡ [δὲ] πέτρα (ἦν) ὁ Χριστός.

I. CIT. η γαρ πετρα, καθως φησιν ο αποστολος, ο Χριστος
εστιν (*V. Moy.* 2; VII, i, 76, 18-19).

II. There is no evidence for γαρ instead of δε or εστιν instead of ην.
δε πετρα is the reading of 𝔐 and is therefore more likely than πετρα
δε as the reading of Gregory's NT.

(10:11) τυπικῶς συνέβαινεν ἐκείνοις, ἐγράφη δὲ
πρὸς νουθεσίαν ἡμῶν, εἰς οὓς τὰ τέλη τῶν αἰώνων
κατήντησεν.

I. CIT. φησιν οτι τυπικως μεν συνεβαινεν . . . ημων (*Cant.*
prolog.; VI, 6, 4-5. VR: εν εκεινοις ms.; δε om. ms.; ημων
+ εις ους τα τελη των αιωνων κατηντησεν ms.); CIT. εγραφη
γαρ ταυτα, φησι, προς . . . (*Cant.* 7; VI, 231, 10-11. VR: των
αιωνων] της νουθεσιας mss.; κατηντηκεν mss.); CIT. ακουσ-
ατω του αποστολου· οτι εκεινοις μεν συνεβαινε τυπικως,
εγραφη . . . ημων (*Virg.* 18; VIII, i, 322, 18-20.).

II. There is no evidence for μεν after τυπικως in *Cant.* prolog, γαρ
for δε in *Cant.* 7, or the word order εκεινος συνεβαινε τυπικως in
Virg.

III-57. τυπικως συνεβαινεν   Greg {B} *et rel.*] τυποι συνεβαινον
D G L 056 0142 0150 223 2423 𝔐; τυπικως σενεβαινον A Ψ (049
075 vac.).

-58. κατηντησεν Greg^{ed} {B} *et rel.*] κατηντησαν P; κατηντηκεν Greg^{mss} 𝔓46 ℵ B D G 1739 UBS (049 075 0150 vac.).

(10:31) εἴτε (οὖν) ἐσθίετε εἴτε πίνετε εἴτε τι ποι- εἴτε, πάντα εἰς δόξαν θεοῦ ποιεῖτε.

I. CIT. ειτε γαρ εσθιετε, φησι, ειτε πινετε . . . (*Ant. Apol.*; III, i, 210, 25-26. VR: τι om. ms.).

II. There is no evidence for γαρ instead of ουν.

III-59. τι ποιειτε Greg {A} *et rel.*] ποιειτε τι D G (049 075 vac.).

-60. ποιειτε² Greg {A} *et rel.*] om. 𝔓46 G (049 075 vac.).

(11:1) μιμηταί μου γίνεσθε καθὼς κἀγὼ Χριστοῦ.

I. CIT. του μεγαλου Παυλου του λεγοντος . . . μιμηται . . . (*Cant.* 2; VI, 46, 19—47, 1. VR: γινεσθαι mss.); CIT. ελεγεν . . . μιμηται . . . (*Cant.* 7; VI, 212, 2-4. VR: γινεσθαι mss.; καθως] ως mss.; καγω] εγω mss.; του Χριστου mss.); CIT. καθως ειπε ο αποστολος· μιμηται . . . (*Or. Dom.* 5; Krabinger 96, 9-10).

(11:5) καταισχύνει τὴν κεφαλὴν ἑαυτῆς.

I. CIT. καταισχυνει . . . εαυτης, καθως φησιν ο αποστολος (*Cant.* 7; VI, 220, 15. VR: καταισχυνη mss.; αυτης mss.).

III-61. εαυτης Greg^{ed} {C} B 223 2423 𝔐] αυτης Greg^{mss} *et rel.* (049 075 vac.).

(11:28-29) δοκιμαζέτω δὲ ἕκαστος ἑαυτὸν καὶ οὕτως ἐκ τοῦ ἄρτου ἐσθιέτω καὶ ἐκ τοῦ ποτηρίου πινέτω· (29) ὁ γὰρ ἀναξίως ἐσθίων καὶ πίνων κρίμα ἑαυτῷ ἐσθίει καὶ πίνει.

I. CIT. ουτω του αποστολου προσδιορισαντος οτι δοκιμαζετω . . . (29) ο δε αναξιως . . . (*Perf.*; VIII, i, 192, 2-5. VR: εις κριμα mss.; εαυτω κριμα ms.); ALLUS. (29) ο γαρ αναξιως . . . (*Cant.* 10; VI, 311, 3-4. VR: εις κριμα mss.; εαυτω om. ms.).

II. Gregory's εκαστος for ανθρωπος is supported only by 4 257 Chr^pt Or^pt. Because of this substitution it is not safe to cite him for ανθρωπος εαυτον rather than εαυτον ανθρωπος. (29) His displacement of αναξιως in both quotations is supported only by 104 467.

III-62. (29)   αναξιως   (Greg {A} ⁵) et rel.] om.   𝔓46 ℵ* A B C* 33 1739 UBS (049 075 vac.).

(12:3) οὐδεὶς δύναται εἰπεῖν κύριον Ἰησοῦν, εἰ μὴ ἐν πνεύματι ἁγίῳ.

I. CIT. καθως ο αποστολος λεγει οτι ουδεις . . . Ιησουν Χριστον, ει . . . (Fid.; III, i, 67, 22-23. VR: Χριστον om. mss.); CIT. ουδεις γαρ δυναται . . . (Maced.; III, i, 114, 4-5); CIT. ουδεις γαρ δυναται . . . (Cant. 4; VI, 106, 9-10); ALLUS. ουτως αδυνατον εστι κυριον Ιησουν ειπειν μη εν πνευματι αγιω (Maced.; III, i, 98, 27-28); ALLUS. αμηχανον γαρ αλλως θεωρηθηναι τον κυριον Ιησουν, ει . . . αγιω, καθως φησιν ο αποστολος (C. Eun. 1.531; I, 180, 4-6. VR: τον om. mss.).

II. There is no evidence for Gregory's addition of Χριστον in Fid. only.

III-63. κυριον Ιησουν Greg {A} et rel.] κυριος Ιησους 𝔓46 ℵ A B C 33 1739 UBS (049 075vac.).

(12:4-6) διαιρέσεις δὲ χαρισμάτων εἰσί, τὸ δὲ αὐτὸ πνεῦμα· (5) καὶ διαιρέσεις διακονιῶν εἰσιν, ὁ δὲ αὐτὸς κύριος· (6) καὶ διαιρέσεις ἐνεργημάτων εἰσίν, ὁ δὲ αὐτὸς θεός.

I. CIT. τας εκ των γραφων μαρτυριας . . . διαιρεσεις . . . (C. Eun. 1.199; I, 84, 22-26. VR: κυριος . . . αυτος om. ms.); ALLUS. ειπων, εν μεσοις ειναι ως ο διακονων, ο τας διαιρεσεις των διακονιων ενεργων, καθως φησιν ο αποστολος (Steph. 1; X, i, 79, 2-3. VR: (5) ο om. mss.; διακονων mss.).

II. (5) Gregory's ο δε instead of και ο is also attested by 57 103 218 441 1827 1831 1926 d e f m vg arm Ath Bas Chr Cyr Epiph Eus Hil Ir^lat Or^lat.

III-64. (5) ο δε   Greg {C} 33] και   A*; και ο   rel. (049 075 vac.).

-65. (6) ο δε αυτος Greg {B} *et rel.*] και ο αυτος 𝔓46 B C 1739; ο αυτος δε D G (049 075 vac.).

-66. θεος Greg {B} *et rel.*] pr. εστιν (B θεος . . . εστιν) K L 0150 0151 223 (1739 θεος . . . εστιν) 2423 𝔐 (049 075 vac.).

(12:11) πάντα δὲ ταῦτα ἐνεργεῖ τὸ ἕν καὶ τὸ αὐτὸ πνεῦμα διαιροῦν ἰδίᾳ ἑκάστῳ καθὼς βούλεται.

I. CIT. εν τοις σωζουσιν ημας αναγεγραπται, ταυτα παντα ενεργει . . . (*Ref. Eun.* 220; II, 405, 5-7. VR: παντα ταυτα ms.); ALLUS. διαιρουν . . . (*Ref. Eun.* 229; II, 409, 4-5); CIT. διαιρει μεν ιδια εκαστω τα αγαθα, καθως φησιν ο αποστολος, το εν . . . πνευμα (*Tres dei*; III, i, 51, 9-11. VR: ιδια vers.; τα αγαθα ιδια εκαστω excerptor); CIT. παντα γαρ ταυτα . . . βουλεται. και μυριας αλλας εκ των γραφων εστιν αποδειξεις ευρειν (*Fid.*; III, i, 66, 11-14); CIT. η διδασκαλια του λογου, παντα . . . (*Euag.*; IX, 338, 11-13. VR: το[1] om. mss).

II. There is no evidence for the omission of δε in *Ref. Eun.* 220 or the substitution of γαρ in *Fid.*   *Ref. Eun.* 220 may attest the word order ταυτα δε παντα which is found in D F G 181 it vg bo arm Ath Bas Chr Cyr Did Or Thdrt, but the effect of the omission of δε creates enough uncertainty that the reading should not be included in the reconstruction or treated in apparatus III.   *Euag.* clearly has παντα δε ταυτα, the reading of *rel.* There is no evidence for the substitution of διαρει or the addition of μεν in *Tres dei*.

III-67. το[1] Greg[ed] {B} *et rel.*] om. Greg[mss] D* G (049 075 vac.).

-68. ιδια Greg {A} *et rel.*] om. 𝔓46 D* G (049 075 vac.).

(12:20) πολλὰ μὲν μέλη ἕν δὲ σῶμα.

I. ALLUS. ωστε ειναι πολλα . . . (*Fil.*; III, ii, 20, 6-7).

III-69. μεν Greg {A} *et rel.*] om. 𝔓46* B D* (049 075 vac.).

(12:21) οὐ δύναται ὁ ὀφθαλμὸς εἰπεῖν τῇ χειρί· χρείαν σου οὐκ ἔχω.

I. CIT. Παυλου ος φησιν οτι ου δυναται . . . (*Cant.* 14; VI, 406, 11-13. VR: ο om. mss); ALLUS. φησι που των εαυτου

λογων ὁ θειος αποστολος μη δυνασθαι λεγειν τον οφθαλμον τη
χειρι . . .   (*Cant.* 13; VI, 393, 19-21).

II. Because Gregory's omission of δε after δυναται is supported
elsewhere by A C F G P 33 104 326 365 614 *al*. lat pesh, δε is also
omitted from the reconstruction, but because the textual question in-
volves a transition word, there is no treatment in apparatus III.

III-70. o   Greg^ed {B} *et rel.*] om. Greg^mss K 1739 (049 075 vac.).

(12:27) ὑμεῖς [δέ] ἐστε σῶμα Χριστοῦ καὶ μέλη ἐκ
μέρους.

I. CIT. προς την Κορινθιων εκκλησιαν φησιν· υμεις εστε
. . . (*Fil.*; III, ii, 19, 3-5).

II. There is no evidence for the omission of δε.

III-71. μερους   Greg {A} *et rel.*] μελους D* Ψ   (049 075 vac.).

(12:28) ἔθετο ὁ θεὸς ἐν τῇ ἐκκλησίᾳ πρῶτον ἀποσ-
τόλους, δεύτερον προφήτας, τρίτον διδασκάλους.

I. CIT. καθως φησιν ο αποστολος οτι εθετο . . . διδασκαλους
επειτα τα καθ εκαστον παντα προς τον καταρτισμον των
αγιων [= Eph. 4:12] (*Cant.* 7; VI, 211, 11-14).

(12:29) (μὴ) πάντες ἀπόστολοι; (μὴ) πάντες προ-
φῆται;

I. ADAPT. ου παντες γαρ, φησιν, αποστολοι, ουδε παντες
προφηται (*V. Moy.* 2; VII, i, 86, 2-3. VR: ουδε] ου ms.).

(13:7) πάντα πιστεύει, πάντα ἐλπίζει, πάντα ὑπο-
μένει.

I. CIT. η αγαπη παντα πιστευει και παντα ελπιζει και παντα
υπομενει, καθως φησιν ο αποστολος (*Bas.*; X, i, 118, 14-15.
VR: υπομενη ms.).

II. There is no evidence for the additions of και.

(13:8) ἡ ἀγάπη οὐδέποτε ἐκπίπτει· [εἴτε δὲ] προφητεῖαι, καταργηθήσονται· [εἴτε γλῶσσαι, παύσονται· εἴτε] γνώσεις, (καταργηθήσονται).

I. ADAPT. προφητειαι γαρ, φησι, καταργηθησονται και γνωσεις παυσονται· η δε αγαπη ουδεποτε εκπιπτει (*Anim. et res.*; Krabinger 88, 30-32. VR: γνωσεις] γλωσσαι ms.; πιπτει mss.).

II. There is no evidence for any of Gregory's variations, and they are due to adaptation and / or loose quotation.

III-72. εκπιπτει Greg^ed {B} *et rel.*] πιπτει Greg^mss 𝔓46 ℵ* A B C* 0151 33 1739 UBS (049 075 vac.).

-73. προφητειαι καταργηθησονται Greg {A} *et rel.*] προφητεια καταργηθησεται B; προφητεια καταργηθησονται A (049 075 vac.).

-74. γνωσεις καταργηθησονται (Greg {B} παυσονται) (ℵ γνωσις) A G 0150 (33 γνωσις)] γνωσις καταργηθησεται *rel.* (C 075 vac.).

(13:9) ἐκ μέρος [δὲ] γινώσκομεν καὶ ἐκ μέρους προφητεύομεν.

I. CIT. φησιν οτι εκ μερος γινωσκομεν . . . (*Cant.* 11; VI, 326, 17-18).

II. There is no evidence for the omission of δε / γαρ. Gregory's NT probably contained δε, the reading of 𝔐.

(13:11) ὅτε ἤμην νήπιος, ὡς νήπιος ἐλάλουν, ὡς νήπιος ἐφρόνουν, ὡς νήπιος ἐλογιζόμην· ὅτε δὲ γέγονα ἀνήρ, κατήργηκα τὰ τοῦ νηπίου.

I. CIT. ο μεγας αποστολος εν τη προς Κορινθιους διδασκει, λεγων· οτε ημην . . . (*Hom. opif.* 31.31.137; Forbes 316, 21-25).

III-75. ως νηπιος ελαλουν, ως νηπιος εφρονουν, ως νηπιος ελογιζομην Greg {A} *et rel.*] ελαλουν ως νηπιος, εφρονουν ως νηπιος, ελογιζομην ως νηπιος ℵ A B 0150 33 1739 UBS (C 075 vac.).

-76. δε   Greg {B} *et rel.*] om. ℵ* A B D* 1739 UBS (𝔓46 C
075 vac.).

-77. κατηργηκα τα του νηπιου   Greg {A} *et rel.*] τα του
νηπιου κατηργηκα D G Ψ (C 075 vac.).

(14:2) πνεύματι [δὲ] λαλεῖ μυστήρια.

I. CIT. Παυλος . . . φησιν, εν πνευματι λαλει τα μυστηρια
(*Steph.* 1; X, i, 92, 6-7. VR: τα om. mss.).

II. There is no evidence for the addition of εν or τα or for the omission
of δε.

**(14:34-35) αἱ γυναῖκες ἐν ταῖς ἐκκλησίαις σιγά-
τωσαν . . . (35) εἰ δέ τι μαθεῖν θέλουσιν, ἐν οἴκῳ
τοὺς ἰδίους ἄνδρας ἐπερωτάτωσαν.**

I. CIT. αι . . . σιγατωσαν· παλιν εδωκα τη σιγη τον καιρον·
(35) ει . . . θελουσιν, ων αγνοουσιν, εν οικω . . . (*Eccl.* 7; V,
409, 20—410, 2. VR: εκκλησιας ms.; σιγητωσαν ms.;
μανθανειν mss.; ων αγνοουσιν om. mss.; εν οικω om. ms.).

III-78. γυναικες   Greg {B} 𝔓46 ℵ A B Ψ 0150 33 1739 UBS] +
υμων   *rel.* (C P 075 vac.).

-79. (35) δε τι   Greg {A} *et rel.*] τι δε D G (C P 075 vac.).

-80. μαθειν Greg^ed {B} *et rel.*] μανθανειν Greg^mss ℵ* A 33 (C
P 075 vac.).

(14:40) πάντα (εὐσχημόνως καὶ κατὰ τάξιν) γινέσθω.

I. CIT. Παυλος ο λεγων παντα κατα ταξιν εν υμιν και
ευσχημονως γινεσθω   (*Cant.* 4; VI, 112, 20-21. VR: και ευσ-
χημονως εν υμιν mss.; εν υμιν om. mss.; ημιν mss.;
ευσχημοσυνην mss.).

II. Gregory's NT probably omitted δε after παντα with K L 049 056
0142 0151 𝔐, but it is not safe to treat this in the apparatus. There is
no evidence for Gregory's change of word order or the addition of εν
υμιν.

(15:12) πῶς λέγουσί τινες [ἐν ὑμῖν] ὅτι ἀνάστασις νεκρῶν οὐκ ἔστιν;

I. CIT. αν ειη το αποστολικον επιφθεγξασθαι, πως λεγουσι τινες οτι . . . (*Hom. opif.* 26.12.114; Forbes 264, 21-22).

II. There is no evidence for the omission of εν υμιν. It is more likely that Gregory's NT had these words after τινες with D F G K L Ψ 049 056 0142 0151 223 𝔐 than before τινες with 𝔓46 ℵ A B P 048 0150 0243 0270 33 1739.

(15:13, 17) εἰ [δὲ] ἀνάστασις νεκρῶν οὐκ ἔστιν, οὐδὲ Χριστὸς ἐγήγερται. (17) εἰ δὲ Χριστὸς οὐκ ἐγήγερται, ματαία ἡ πίστις [ὑμῶν] ἐστιν.

I. CIT. λεγων οτι ει αναστασις . . . (17) . . . ματαια και η εις αυτον πιστις εστιν (*Fil.*; III, ii, 12, 11-13. VR: (17) ει . . . εγηγερται om. ms.; ο Χριστος mss.; η om. ms; εστιν om. mss.).

II. There is no evidence for the omission of δε, except ℵ* *al.* which omit ει . . . εστιν due to hom. (17) There is no evidence for και or εις αυτον. There is no evidence for the omission of υμων, although 38 1245 1836 1898 2004 substitute ημων. The addition of εστιν is supported only by it vg syr Tert.

III-81. (17) εστιν   Greg^ed {C} B D*] om. Greg^mss *et rel.* (C 075 vac.).

(15:19) εἰ (ἐν) τῇ ζωῇ ταύτῃ ἠλπικότες ἐσμὲν [ἐν Χριστῷ μόνον] ἐλεεινότεροι πάντων ἀνθρώπων ἐσμέν.

I. CIT. φησιν· ει επι τη ζωη . . . εσμεν, ελεεινοτεροι . . . (*Pascha* 1; IX, 251, 19-20. VR: ελπικοτες ms.).

II. There is no evidence for επι instead of εν or the omission of μονον. The omission of εν Χριστω is attested only by 1912. Because Gregory omits both εν Χριστω and μονον, it is not safe to cite him for any of the word order variations involving εν Χριστω ηλπικοτες εσμεν μονον. It is likely that his NT had the word order in the reconstruction, the one supported by K L P 049 056 0142 0151 𝔐.

III-82. παντων ανθρωπων εσμεν Greg {A} *et rel.*] εσμεν παντων
ανθρωπων D Ψ (C 075 vac.).

(15:20) Χριστὸς ἐγήγερται ἐκ νεκρῶν ἀπαρχὴ τῶν
κεκοιμημένων ʾἐγένετο / om.ʾ.

I. CIT. τουτο εστι το παρα του Παυλου λεγομενον οτι
Χριστος . . . κεκοιμημενων (*Ant. Apol.*; III, i, 226, 17-19);
ALLUS. απαρχη των κεκοιμημενων εγενετο (*Fil.*; III, ii, 15, 7).

II. εγενετο is included by Dᶜ K L Ψ 049 056 0142 0150 0151 104
1506 2495 𝔐 syr and omitted by 𝔓46 ℵ A B D* F G P 0243 6 33 81
365 630 1175 1241s 1739 1881 2464 *pc.* latt cop Epiph

(15:21) ἐπειδὴ γὰρ διʾ ἀνθρώπου ὁ θάνατος, καὶ διʾ
ἀνθρώπου ἀνάστασις νεκρῶν.

I. CIT. προσμαρτυρει λεγων επειδη . . . (*C. Eun.* 3.4.10; II,
137, 5-6); CIT. του αποστολου διαρρηδην βοωντος οτι δι
ανθρωπου αναστασις εκ νεκρων (*Ant. Apol.*; III, i, 215, 1-2).

II. There is no evidence for εκ before νεκρων in *Ant. Apol..*

III-83. ο Greg {A} *et rel.*] om. 𝔓46 ℵ A B D* K 0151 1739 UBS
(C 075 33 vac.).

(15:22-28) ὥσπερ γὰρ ἐν τῷ ᾿Αδὰμ πάντες ἀπο-
θνήσκουσιν, οὕτως καὶ ἐν τῷ Χριστῷ πάντες ζωο-
ποιηθήσονται. (23) ἕκαστος δὲ ἐν τῷ ἰδίῳ τάγ-
ματι· ἀπαρχὴ Χριστός, ἔπειτα οἱ τοῦ Χριστοῦ ἐν
τῇ παρουσίᾳ αὐτοῦ, (24) εἶτα τὸ τέλος, ὅταν
παραδιδῷ τὴν βασιλείαν τῷ θεῷ καὶ πατρί, ὅταν
καταργήσῃ πᾶσαν ἀρχὴν καὶ ἐξουσίαν καὶ δύναμιν.
(25) δεῖ γὰρ αὐτὸν βασιλεύειν (ἄχρις οὗ) ἂν θῇ
τοὺς ἐχθροὺς ὑπὸ τοὺς πόδας αὐτοῦ. (26) ἔσχα-
τος ἐχθρὸς καταργεῖται ὁ θάνατος· (27) πάντα γὰρ
ὑπέταξεν ὑπὸ τοὺς πόδας αὐτοῦ. ὅταν δὲ εἴπῃ ὅτι
πάντα (ὑποτέτακται), δῆλον ὅτι ἐκτὸς τοῦ ὑπο-
τάξαντος αὐτῷ τὰ πάντα. (28) ὅταν δὲ (ὑποταγῇ)
αὐτῷ τὰ πάντα, τότε καὶ αὐτὸς ʾὁ υἱὸς ὑπο-
ταγήσεται / ὑποταγήσεται ὁ υἱόςʾ τῷ ὑποτάξαντι
αὐτῷ τὰ πάντα, ἵνα ᾖ ὁ θεὸς τὰ πάντα ἐν πᾶσιν.

I. CIT. ουτως· ωσπερ . . . (25) . . . βασιλευειν εως αν . . .
(27) . . . οτι παντα υπεταξεν, δηλον . . . (28) . . . αυτος
υποταγησεται τω . . . (*Fil.*; III, ii, 17, 1-12. VR: αποθνησκομεν
ms.; αποθνησκουσιν . . . παντες om. ms.; (23) παραδω mss.;
(24) πασαν εξουσιαν ms.; (26-27) εσχατος . . . αυτου om.
ms.; (27) υποτετακται ms.; (28) οταν . . . παντα² om. ms.);
CIT. τουτο εστι το παρα του Παυλου λεγομενον οτι . . .
ωσπερ εν τω Αδαμ . . . ουτως εν . . . ζωοποιηθησομεθα
(*Ant. Apol.*; III, i, 226, 17-20); CIT. το ωσπερ εν . . . παντες
αποθνησκουμεν ουτως . . . ζωοποιηθησομεθα (*Fil.*; III, ii, 13,
11-13); CIT. φησι και τουτο ωσπερ εν . . . παντες
αποθνησκομεν, ουτως εν . . . παντες ζωοποιηθησομεθα
(*Inscript. Pss.* 2.8; V, 97, 5-7. VR: απεθνησκομεν ms.); CIT.
επειδη γαρ, καθως φησιν ο αποστολος, εν τω Αδαμ παντες
αποθνησκομεν (*Or. Dom.* 5; Krabinger 102, 36—104, 1); ALLUS.
(23) οπου δε η απαρχη, Χριστος δε η απαρχη, εχει και οι του
Χριστου, καθως φησιν ο αποστολος (*Ref. Eun.* 84; II, 346, 25—
347, 1. VR: Χριστος Χριστος (sic) ms.); CIT. (24) οταν . . .
βασιλειαν ημων τω . . . πατρι (*Fil.*; III, ii, 21, 9. VR: παραδω
ms.); CIT. (24) οταν γαρ καταργη, φησι, πασαν . . . δυναμιν
(*Cant.* 14; VI, 421, 14-15. VR: πασαν εξουσιαν mss. vers.;
πασαν δυναμιν vers.); CIT. (25) δει . . . βασιλευειν, εως αν
θη . . . αυτου (*Fil.*; III, ii, 27, 19-20); ALLUS. (26) ο εσχατος
. . . θανατος (*Trid.*; IX, 285, 21-22. VR: o¹ om. mss.); CIT.
ος φησιν οτι (28) τοτε υποταγησεται ο υιος τω υποταξαντι
αυτω τα παντα (*Fil.*; III, ii, 4, 8-9); CIT. εκ της προς
Κορινθιους επιστολης, οτι (28) τοτε αυτος ο υιος
υποταγησεται τω υποταξαντι αυτω τα παντα (*Fil.*; III, ii, 5, 7-
8. VR: τοτε + και mss.); CIT. (28) παντα εν πασι γινεται,
καθως φησιν ο αποστολος (*Infant.*; III, ii, 85, 28—86, 1).

II. (24) ημων in *Fil.*, p. 21, is without other support. The omission
of πασαν before εξουσιαν in *Fil.*, p. 17, and *Cant.* is found elsewhere
only in 1319 1898 vg Did and is therefore accepted in the recon-
struction. (25) εως instead of αχρι(ς) ου in *Fil.*, pp. 17& 27, is
unattested. Other than Ψ below, it would appear that the omission of
παντας after θη in the same passages is supported only by Mcion.
(27) υπεταξεν instead of υποτετακται in *Fil.*, p. 17, is unattested.
(28) υποταξη finds other support only in Ψ (below). The omission
of και in *Fil.*, p. 5, is unique. The omission of ο υιος in *Fil.*, p. 17,
is supported only by vgᵐˢ Ambst Greg-Naz Hip Mcell Ps-Ath Ps-Ign

Tert, and the change of word order *Fil.*, p. 4, appears to be attested only by Ψ. There is no evidence for γινεται in *Infant.*

III-84. (24) παραδιδω Greg^{ed} {C} 𝔓46 ℵ A D P Ψ UBS] παραδιδοι B G; παραδω Greg^{ms} *et rel.* (C 075 vac.).

-85. (25) αν Greg {A} K L Ψ 049 056 0142 0151 223 2423 𝔐] om. *rel.* (C 075 vac.).

-86. θη Greg {C} Ψ] + παντας *rel.* (C 075 vac.).

-87. εχθρους Greg {A} *et rel.*] + αυτου A G 33 (C 075 vac.).

-88. (27) οτι Greg {A} *et rel.*] om. 𝔓46 B 33 (C 075 vac.).

-89. (28) υποταξη Greg {C} Ψ] υποταγη *rel.* (𝔓46 C 075 vac.).

-90. υποταγη αυτω (Greg {A} υποταξη) *et rel.*] αυτω υποταγη D (Ψ υποταξη) (𝔓46 C 075 vac.).

-91. και Greg {A} *et rel.*] om. B D* G 33 1739 (𝔓46 C 075 vac.).

-92. τα³ Greg {A} *et rel.*] om. A B D* 33 1739 (𝔓46 C vac.).

(15:31) καθ᾿ ἡμέραν ἀποθνήσκω, νὴ τὴν ὑμετέραν καύχησιν.

I. CIT. εν οις φησιν οτι καθ . . . (*Eccl.* 6; V, 381, 4-5. VR: αποθνησκω om. ms.; νη] μη ms.).

III-93. αποθνησκω Greg^{ed} {B} *et rel.*] αποθνησκων 𝔓46 33; om. Greg^{ms} (A C vac.).

(15:32) φάγωμεν καὶ πίωμεν, αὔριον γὰρ ἀποθνήσκομεν.

I. CIT. ευρεθησεται λογος· φαγωμεν . . . (*Pascha* 1; IX, 251, 15-16); CIT. τα ρηματα Παυλου· φαγωμεν . . . (*Pascha* 1; IX, 264, 29—265, 1).

(15:35) πῶς ἐγείρονται οἱ νεκροί; ποίω (δὲ) σώματι ἔρχονται;

I. CIT. λεγοντες· πως . . . νεκροι και ποιω . . . (Fil.; III, ii, 10, 10-11).

II. There is no evidence for και instead of δε.

(15:36-38) ἄφρων, σὺ ὃ σπείρεις, [οὐ ζῳοποιεῖται ἐὰν μὴ ἀποθάνῃ· (37) καὶ ὃ σπείρεις,] οὐ τὸ σῶμα τὸ γενησόμενον σπείρεις ἀλλὰ γυμνὸν κόκκον εἰ τύχοι σίτου ἤ τινος τῶν λοιπῶν· (38) ὁ δὲ θεὸς δίδωσιν αὐτῷ σῶμα καθὼς ἠθέλησεν.

I. CIT. Παυλος . . . λεγων· αφρων . . . σπειρεις ου το . . . λοιπων σπερματων· (38) ο δε θεος . . . (Pascha 1; IX, 259, 17-22).

II. There is no evidence for the omission of ου . . . σπειρεις, and the words were probably omitted by an early scribe of Pascha due to hom. There is no evidence for the addition of σπερματων after λοιπων.

III-94. αφρων   Greg {B} et rel.] αφρον   K L Ψ 049 056 0142 223 1739 2423 𝔐   (C vac.).

-95. (37) γενησομενον   Greg {A} et rel.] γεννησομενον 𝔓46 G (C vac.).

-96. (38) διδωσιν αυτω   Greg {B} 𝔓46 ℵ A B P 0150 33 UBS] αυτω διδωσιν rel. (C vac.).

(15:41) ἄλλη δόξα ἡλίου, καὶ ἄλλη δόξα σελήνης, καὶ ἄλλη δόξα ἀστέρων· ἀστὴρ γὰρ ἀστέρος διαφέρει ἐν δόξῃ.

I. CIT. και αλλη δοξα ηλιου, φησιν ο αποστολος, και αλλη . . . (Hex.; Forbes 80, 25-29); ALLUS. ως γαρ αλλη δοξα ηλιου . . . σεληνης (Ref. Eun. 42; II, 329, 7-8).

II. Because of Gregory's carelessness in reproducing transitional words, it is not safe to cite him with rel. against the addition of δε after αλλη twice in F G.

(15:47-49) ὁ πρῶτος ἄνθρωπος ἐκ γῆς χοϊκός, ὁ
δεύτερος ἐξ οὐρανοῦ. (48) οἷος ὁ χοϊκός, τοιοῦτοι
καὶ οἱ χοϊκοί, καὶ οἷος ὁ ἐπουράνιος, τοιοῦτοι καὶ
οἱ ἐπουράνιοι· (49) καὶ καθὼς ἐφορέσαμεν τὴν
εἰκόνα τοῦ χοϊκοῦ, φορέσομεν καὶ τὴν εἰκόνα τοῦ
ἐπουρανίου.

I. CIT. ο πρωτος, φησιν, ανθρωπος . . . (49) . . . χοικου,
ουτω φορεσομεν . . . (Fil.; III, ii, 11, 20—12, 4. VR: δευτερος
+ ανθρωπος ο κυριος ms.; (49) φορεσωμεν mss.); CIT. ο γαρ
ειπων (48) οιος ο επουρανιος . . . επουρανιοι (Ant. Apol.; III,
i, 145, 17-18).

II. ανθρωπος ο κυριος (ℵᶜ A Dᶜ K L P Ψ 049 056 075 0142 0151 81
104 365 1241ˢ 1881 2464 2495 𝔐 syr) / ανθρωπος πνευματικος
(𝔓46) / ανθρωπος (ℵ* B C D* F G 0150 0243 6 33 1175 1739* pc.
latt bo) / ο κυριος (630 Mcion) after δευτερος is omitted only by
1912 sa Cyr. (49) There is no evidence for the addition of ουτω in Fil.
φορεσομεν is further supported by I 88 630 1881 Lect sa eth and about
10 fathers.

III-97. (48) επουρανιος . . . επουρανιοι   Greg {A} et rel.]
ουρανιος . . . ουρανιοι 𝔓46 D* (G).

-98. (49) φορεσομεν Gregᵉᵈ {C} B 049 056 0142 0150 UBS]
φορεσωμεν Gregᵐˢˢ et rel.

(15:51-52) ἰδοὺ μυστήριον ὑμῖν λέγω· πάντες μὲν
οὐ κοιμηθησόμεθα, πάντες δὲ ἀλλαγησόμεθα, (52)
ἐν ἀτόμῳ, ἐν ῥιπῇ ὀφθαλμοῦ, ἐν τῇ ἐσχάτῃ σάλ-
πιγγι· σαλπίσει γὰρ καὶ οἱ νεκροὶ ἀναστήσονται.

I. CIT. ο θειος αποστολος . . . φησιν· ιδου . . . (52) . . .
σαλπιγγι (Hom. opif. 23.6.103; Forbes 238, 16-21. VR: λεγω +
υμιν ms.); CIT. καθως ο θειος λογος φησι· (52) σαλπισει . . .
(Pascha 1; IX, 261, 21-22. VR: εγερθησονται ms.); CIT. τω
λεγοντι· (52) σαλπισει . . . (Pascha 1; IX, 268, 22-23); ALLUS.
(52) οτι μεν ουν αναστησομεθα παντες εν ριπη . . . σαλπιγγι
(Perf.; VIII, i, 204, 5-7. VR: παντες + εν ατομω mss.).

III-99. μεν Greg {A} et rel.] om. 𝔓46ᵛⁱᵈ B C* D* 1739 UBS.

Pauline Epistles 197

-100. ου κοιμηθησομεθα, παντες δε Greg {A} *et rel.*] ου κοιμηθησομεθα, ου παντες δε 𝔓46; κοιμηθησομεθα, ου παντες δε ℵ (A ου] οι) C 33 1739; αναστησομεθα, ου παντες δε D*; ουν κοιμηθησομεθα, ου παντες δε G.

-101. (52) ριπη Greg {A} *et rel.*] ροπη 𝔓46 D* G 1739.

-102. αναστησονται Greg^ed {B} A D G P 056 0142 0150] εγερθησονται Greg^ms *et rel.*

(15:53) δεῖ γὰρ τὸ φθαρτὸν τοῦτο ἐνδύσασθαι ἀφθαρσίαν καὶ τὸ θνητὸν τοῦτο ἐνδύσασθαι ἀθανασίαν.

I. CIT. Παυλον . . . λεγοντα ουτως· δει . . . (*Lucif.*; IX, 319, 16-18).

(15:55) ποῦ σου, θάνατε, τὸ κέντρον; ποῦ σου, ᾅδη, τὸ νῖκος;

I. CIT. διο και ημεις βοωμεν· που σου θανατε . . . (*Lucif.*; IX, 319, 5-7).

II. The wording is certainly that of I Corinthians rather than Hos. 13:14.

III-103. κεντρον . . . αδη . . . νικος Greg {A} *et rel.*] νικος . . . θανατε . . . κεντρον 𝔓46 ℵ* B C 1739* UBS; νικος . . . αδη . . . κεντρον 0150 33; κεντρον . . . θανατε . . . νικος D* G (A hom.).

(15:58) ἑδραῖοι γίνεσθε καὶ ἀμετακίνητοι.

I. CIT. ο θειος αποστολος . . . λεγων· εδραιοι . . . (*V. Moy.* 2; VII, i, 95, 22-23. VR: και om. mss.).

II. In addition to A below, και is found only in f vg pesh eth Ambst.

III-104. και Greg {C} A] om. *rel.*

II CORINTHIANS

(1:3-4) εὐλογητὸς ὁ θεὸς καὶ πατὴρ τοῦ κυρίου ἡμῶν Ἰησοῦ Χριστοῦ, ὁ πατὴρ τῶν οἰκτιρμῶν καὶ

θεὸς πάσης παρακλήσεως,   (4)   ὁ παρακαλῶν ἡμᾶς
ἐπὶ πάσῃ τῇ θλίψει ἡμῶν.

I. CIT. ο μεγας αποστολος . . . λεγων ευλογητος . . .
Χριστου,   (4) ο παρακαλων . . . (*Ref. Eun.* 185; II, 390, 22-25.
VR: (4) επι] εν mss.; τη om. ms.); CIT. ειποντος του
Παυλου ευλογητος . . . Χριστου, (4) ο παρακαλων . . . (*Ref.
Eun.* 225; II, 407, 10-12); ALLUS. ο πατηρ των . . . παρα-
κλησεως   (*Ep.* 18.1; VIII, ii, 51, 3-5).

(1:9) αὐτοὶ ἐν ἑαυτοῖς τὸ ἀπόκριμα τοῦ θανάτου
ἐσχήκαμεν.

I. CIT. εν οις φησιν . . . αυτοι . . . (*Eccl.* 6; V, 381, 4-7. VR:
εσχηκωμεν ms.).

(2:7) μή [πως] τῇ περισσοτέρᾳ λύπῃ καταποθῇ ὁ
τοιοῦτος.

I. ADAPT. λεγων, ινα μη τη . . . (*Eccl.* 7; V, 408, 11-12).

II. There is no evidence for the omission of πως; it is possibly the
result of adaptation due to the use of ινα.

(2:15-16) ὅτι Χριστοῦ εὐωδία ἐσμὲν ἐν τοῖς
σῳζομένοις καὶ ἐν τοῖς ἀπολλυμένοις,   (16)   οἷς
μὲν ὀσμὴ θανάτου εἰς θάνατον, οἷς δὲ ὀσμὴ ζωῆς
εἰς ζωήν.

I. CIT. ελεγεν . . . οτι Χριστου . . . (*Cant.* 3; VI, 92, 5-7.
VR: (16) εκ θανατου . . . εκ ζωης mss.).

II. In addition to K 0151 below, τω θεω after εσμεν is also omitted by
0151 Adam Aug^pt Or^pt Philo.

III-105. εσμεν   Greg {C} K 0151] + τω θεω   *rel.* (P vac., 075
supp.).

-106. (16) θανατου . . . ζωης   Greg^ed {B} *et rel.*] εκ θανατου
. . . εκ ζωης   Greg^mss 𝔓46 ℵ A B C 0150 33 1739 UBS (P vac.,
075 supp.).

(3:3) οὐ μέλανι ἀλλὰ πνεύματι θεοῦ ζῶντος, οὐκ ἐν πλαξὶ λιθίναις.

I. CIT. ου . . . ζωντος εγχαρασσομενων τη ψυχη των τοι·
ουτων γραμματων, ουκ . . . λιθιναις, καθως φησιν ο αποστολος
(Cant. 14; VI, 414, 17-19).

(3:6) τὸ γὰρ γράμμα 'ἀποκτέννει / ἀποκτείνει', τὸ
δὲ πνεῦμα ζωοποιεῖ.

I. CIT. το γαρ γραμμα, φησιν, αποκτεννει, το . . . (C. Eun.
199; I, 283, 6. VR: αποκτενει ms.); CIT. φησι . . . το γραμμα
αποκτεννει, το . . . (C. Eun. 3.5.2; II, 160, 22—161, 1. VR:
αποκταινει ms.); CIT. φησι το γραμμα αποκτεννει, το . . .
(C. Eun. 3.5.9; II, 163, 18-19. VR: αποκταινει ms.); CIT. φησιν
οτι το γραμμα αποκτεινει, το . . . (Cant. prologue; VI, 7, 1-2.
VR: το¹ om. ms.;   αποκτεννει   mss., αποκτενει mss.,
αποκταεινει (sic) ms.); CIT. ο του αποστολου λογος . . . το
γραμμα αποκτεινει (πονηρων γαρ εχει πραγματων εν εαυτου
υποδειγμα), το . . . (Cant. prologue; VI, 7, 12-14. VR: αποκτεν·
νει mss., αποκτενει mss.).

II. There is no evidence for the omission of γαρ in all except the first
quotation. αποκτεννει is found in 𝔓46ᶜ ℵ F G K P Ψ 056 075 0142
0234 6 33 1739 𝔐Pˡ and αποκτεινει in B 𝔐Pˡ Ath Bas OrPˡ. (𝔓46 A
C D E L 049 0150 0151 al. have αποκτενει.)

(3:15) κάλυμμα ἐπὶ (τὴν καρδίαν).

I. CIT. ο αποστολος καλυμμα επι της καρδιας εχειν φησι (C.
Eun. 3.5.9; II, 163, 14-15).

II. There is no evidence for the genitive rather than the accusative.

(3:16-17) (ἡνίκα δ' ἄν) ἐπιστρέψῃ πρὸς κύριον
περιαιρεῖται τὸ κάλυμμα. (17) ὁ δὲ κύριος τὸ πνεῦ-
μα ἐστιν· οὗ δὲ τὸ πνεῦμα κυρίου, ἐλευθερία.

I. CIT. λεγων· οταν δε επιστρεψη . . . (17) . . . εστιν
(Cant. 12; VI, 361, 2-4); CIT. ειπων γαρ ο Παυλος (17) ο δε
κυριος . . . (C. Eun. 3.5.7; II, 162, 18-19); CIT. τον αποστολον
. . . λεγοντα προς Κορινθιους (17) ο δε κυριος . . . εστιν
(C. Eun. 3.5.1; II, 160, 4-6); CIT. (17) ο δε κυριος . . . εστιν

(*C. Eun.* 3.5.5; II, 162, 3-4 and 3.5.6; II, 162, 8-9); CIT. Παυλος
. . . φησιν· (17) ο δε κυριος . . . εστιν (*Or. Dom.* 3;
Krabinger 64, 33-35).

II. οταν δε in *Cant.* is attested only Bas Did Thdrt^[pt] and is probably
the result of loose quotation. ηνικα δ αν (א^c B D I K L P Ψ 049 056
075 0142 0150 0151 0243 223 436 462 876 1241 1739 2344 𝔐) was
more likely the reading in Gregory's NT than ηνικα δε εαν (𝔓46 א* A
33 330 1175), ηνικα δε (C 489 927 Dam Macar) or οταν δ αν (F G).

III-107. (17) ελευθερια   Greg {B} 𝔓46 א A B C D 33 1739 UBS]
pr. εκει *rel.*

(4:8) ἐν παντὶ θλιβόμενοι ἀλλ' οὐ στενοχωρούμενοι.

I. CIT. οντως, καθως φησι ο θειος αποστολος, το θλιβεσθαι και
μη στενοχωρεισθαι τουτο εστι. εν παντι γαρ, φησι, θλιβομενοι
. . . (*Mart.* 1a; X, i, 137, 12-15).

II. There is no evidence for γαρ.

(4:10) πάντοτε τὴν νέκρωσιν τοῦ Ἰησοῦ ἐν τῷ
σώματι (περιφέροντες).

I. CIT. ως και ο Παυλος . . . παντοτε . . . εν τω ιδιω
σωματι περιφερων (*Cant.* 12; VI, 347, 1-4. VR: τω om. ms.;
ιδιω om. mss.).

II. There is no evidence for ιδιω or περιφερων.

III-108. Ιησου Greg {B} 𝔓46 א A B C P 33 UBS] κυριου Ιησου
rel.; Χριστου D* G; κυριου ημων Ιησου 0142.

-109. σωματι Greg {A} *et rel.*] + ημων D G Ψ.

(4:16) εἰ καὶ ὁ ἔξωθεν ἡμῶν ἄνθρωπος διαφθείρεται,
ἀλλ' ὁ ἔσωθεν ἀνακαινοῦται ἡμέρᾳ καὶ ἡμέρᾳ.

I. CIT. εν οις φησιν ει και . . . διαφθειρεται, το σωμα λεγων,
αλλ . . . (*Ant. Apol.*; III, i, 185, 19-21).

II. εξωθεν is also attested by 263 442 547^c 623 Bas^[pt] Thdrt^[pt].

III-110. ἐξωθεν   Greg {B} D* Ψ] ἐξω   rel. (A vac., C illeg.).

-111. διαφθειρεται   Greg {B} et rel.] φθειρεται   K L 049 075 0151 (A vac.).

-112. ἐσωθεν   Greg {A} K L Ψ 049 056 0142 0151 2423 𝔐] ἐσω rel. (A 33 vac.).

-113. ἐσω /ἐσωθεν   Greg {A} et rel.] + ημων   𝔓46 ℵ B C D G 1739 UBS (A 33 vac.).

(4:18) μὴ σκοπούντων ἡμῶν τὰ βλεπόμενα ἀλλὰ τὰ μὴ βλεπόμενα· τὰ γὰρ βλεπόμενα πρόσκαιρα, τὰ δὲ μὴ βλεπόμενα αἰώνια.

I. CIT. διδασκει τουτο η του αποστολου φωνη λεγουσα· μη . . . (Eccl. 7; V, 400, 5-7). CIT. μη σκοπουντων γαρ ημων, φησι, τα . . . (Cant. 14; VI, 411, 8-10. VR: σκοπουντων] σιωπουντων ms.; γαρ om. ms.; αλλα . . . βλεπομενα om. mss.); CIT. ειποντος του Παυλου οτι μη σκοπουντων . . . (Mort.; IX, 40, 15-17. VR: σκοπειν ms.; ημων om. ms.; αλλα τα μη βλεπομενα om. mss.); CIT. καθως και ημιν εγκελευεται . . . οτι τα μεν βλεπομενα προσκαιπα . . . (Hex. 76; Forbes 92, 3-9. VR: προσκαιρα τα δε om. mss).

II. There is no evidence for the minor variations in Hex., and they are due to loose quotation or adaptation.

III-114. σκοπουντων ημων   Greg {A} et rel.] σκοπουσιν ημων Ψ; σκοπουντες D* G (A 33 vac.).

(5:1) ὅτι ἐὰν ἡ ἐπίγειος ἡμῶν οἰκία τοῦ σκήνους καταλυθῇ, οἰκοδομὴν ἐκ θεοῦ (ἔχομεν), οἰκίαν ἀχειρ-οποίητον αἰώνιον ἐν τοῖς οὐρανοῖς.

I. CIT. αληθες γαρ εστιν ως φησιν η θεια φωνη οτι εαν . . . καταλυθη, τοτε αυτην ευρησομεν οικοδομην εκ θεου . . . (Mort.; IX, 62, 5-8. VR: οικια] ουσια ms.; αιωνιαν ms.).

II. There is no evidence for γενομενην rather than εχομεν.

III-115. οικοδομην   Greg {A} et rel.] pr. οτι   (𝔓46) D G (A vac.).

(5:4) [ἵνα] καταποθῇ τὸ θνητὸν ὑπὸ τῆς ζωῆς.

I. ADAPT. καθὼς φησιν ο αποστολος οτι κατεποθη το . . .
(*Ant. Apol.*; III, i, 201, 17-18); ALLUS. καταποθη . . . (*Trid.*; IX,
283, 5-6); ALLUS. αλλα το μεν θνητον υπο της ζωης
κατεποθη (*Thphl.*; III, i, 126, 7).

II. There is no evidence for the indicative rather than the subjunctive in
Ant. Apol. and *Thphl.*, and it is due to adaptation.

(5:7) διὰ πίστεως [γὰρ] (περιπατοῦμεν), οὐ διὰ
εἴδους.

I. CIT. καθὼς φησιν ο αποστολος, δια πιστεως περιπατων, ου
. . . (*C. Eun.* 2.86; I, 252, 9-10).

II. Only 88 omits γαρ. There is no evidence for περιπατων.

(5:13) εἴτε γὰρ ἐξέστημεν, θεῷ· εἴτε σωφρονοῦμεν,
ὑμῖν.

I. CIT. λεγων ειτε γαρ . . . θεω (προς εκεινον γαρ αυτω η
εκστασις ην), ειτε . . . (*Cant.* 10; VI, 309, 10-12. VR: τω θεω
mss.).

(5:16) εἰ καὶ ἐγνώκαμεν κατὰ σάρκα Χριστόν, ἀλλὰ
νῦν οὐκέτι γινώσκομεν.

I. CIT. ειποντος του Παυλου οτι ει και εγνωκαμεν ποτε κατα
. . . (*C. Eun.* 3.4.20; II, 141, 15-16); CIT. ει γαρ και εγνωκαμεν
ποτε, φησι, κατα . . . (*Ant. Apol.*; III, i, 222, 29—223, 1. VR:
εγνωκειμεν mss.); ALLUS. ημεις οι κατα την του Παυλου
φωνην γνοντες μεν κατα σαρκα Χριστον νυν δε ουκετι
γινωσκοντες (*Ant. Apol.*; III, i, 183, 9-11).

II. Despite the fact that he twice has it, there is no other evidence for
ποτε. It is unsafe to cite Gregory in connection with any of the
variants involving ει και because two of them involve δε, an intro-
ductory word which is of no concern to Gregory. Nor can he be cited
for the omission of κατα σαρκα after γινωσκομεν because it stands at
the end his his quotation.

III-116. εγνωκαμεν Greg {A} *et rel.*] εγνωμεν 33 1739 (A vac.).

Pauline Epistles

(5:17) εἴ τις ἐν Χριστῷ, καινὴ κτίσις· τὰ ἀρχαῖα παρῆλθεν, ἰδοὺ γέγονε τὰ πάντα καινά.

I. CIT. καθως φησιν ο αποστολος . . . ει . . . Χριστω, φησι, καινη . . . (C. Eun. 3.2.53; II, 69, 28—70, 5.

II. In addition to those mss. included below, τα παντα καινα is supported by about 40 minuscules, vg^{cl}, and about 15 fathers.

III-117. τα παντα καινα Greg {A} 33 223 056 075 0142] καινα τα παντα K L P Ψ 049 0150 0151 2423 𝔐; καινα rel. (A vac.).

(5:19) ὁ θεὸς ἦν ἐν Χριστῷ κόσμον (καταλλάσσων ἑαυτῷ).

I. CIT. ο θεος . . . κοσμον εαυτω καταλλασσων, ικανος εις μαρτυριαν ο μεγας Παυλος (Ant. Apol.; III, i, 202, 17-18).

II. In addition to those indicated below, o is supported by 216 440 442 Chr Thdrt. The word order εαυτω καταλλασσων is supported only by 2005.

III-118. o Greg {B} 𝔓46 G K 0150 0151] om. rel. (A vac.).

(5:20) ὑπὲρ Χριστοῦ πρεσβεύομεν ὡς τοῦ θεοῦ παρακαλοῦντος δι᾽ ἡμῶν· δεόμεθα ὑπὲρ Χριστοῦ, καταλλάγητε τῷ θεῷ.

I. CIT. τω λεγοντι οτι υπερ . . . (Fil.; III, ii, 27, 14-16. VR: θεου] Χριστου mss.; υμων mss.; του Χριστου ms.); CIT. ο μεγας αποστολος . . . φησι . . . υπερ . . . (Eccl. 8; V, 435, 19—436, 4. VR: καταλλαγηται ms.); CIT. ο Παυλος . . . προς τους Κορινθιους γραφων . . . υπερ . . . (Ref. Eun. 186; II, 391, 8-14).

III-119. Χριστου¹ Greg {B} 𝔓46 D* G Ψ] + ουν rel. (A vac.).

-120. δεομεθα . . . καταλλαγητε Greg {A} et rel.] δεομενοι . . . καταλλαγηναι D* G Ψ (A vac.).

(5:21) τὸν μὴ γνόντα ἁμαρτίαν ὑπὲρ ἡμῶν ἁμαρτίαν ἐποίησεν.

204 Text of Gregory

I. CIT. τον μη . . . ημων, φησιν, αμαρτιαν . . . (C. Eun.
3.4.10; II, 137, 15-16); CIT. δια του ειπειν αμαρτιαν εποιησεν
(C. Eun. 3.4.12; II, 138, 7).

II. The omission of γαρ after τον is supported by 𝔓34 𝔓46 ℵ B C D*
F G 048 1243 al., the inclusion by ℵc Dc K L P Ψ 049 056 075 0142
0150 0151 𝔐. Because it is an introductory word, one cannot deter-
mine whether it stood in Gregory's NT. It must be excluded from
apparatus III.

(6:6) ἐν ἁγνότητι.

I. CIT. ακουσον Παυλου . . . ειπων, και εν αγνοτητι φησιν
(Virg. 20; VIII, i, 327, 15-18. VR: om. εν ms.).

(6:7-8) διὰ τῶν ὅπλων τῆς δικαιοσύνης τῶν δεξιῶν
καὶ ἀριστερῶν, (8) διὰ δόξης καὶ ἀτιμίας.

I. ALLUS. δια . . . αριστεων (V. Moy 2; VII, i, 102, 10-11.
VR: δια αριστεων om. mss.); ALLUS. καλως δε τους δια
. . . δικαιοσυνης (Cant. 6; VI, 198, 6); CIT. δια των δεξιων
οπλων και αριστερων, φησιν ο αποστολος, (8) δια . . . (Virg.
4; VIII, i, 271, 24-25. VR: δεξιων τε mss.; οπλων om. mss.).

(6:14-16) τίς κοινωνία φωτὶ πρὸς σκότος; (15) τίς
[δὲ] συμφώνησις Χριστῷ πρὸς Βελιάρ; [ἢ] τίς μερὶς
πιστῷ μετὰ ἀπίστου; (16) [τὶς δὲ συγκατάθεσις]
ναῷ θεοῦ μετὰ εἰδώλων; . . . ἐνοικήσω ἐν αὐτοῖς
καὶ ἐμπεριπατήσω.

I. ALLUS. τις γαρ κοινωνια . . . σκοτος (15) η Χριστω προς
Βελιαρ; (Eccl. 7; V, 399, 10-11); (14) ALLUS. τις γαρ κοινωνια
. . . σκοτος; (Eccl. 6; V, 385, 17); ADAPT. ουδεμια γαρ
κοινωνια . . . σκοτος, φησιν ο αποστολος (Cant. 10; VI, 298, 1-
2); CIT. τις γαρ κοινωνια . . . σκοτος; φησιν ο αποστολος
(Perf.; VIII, i, 180, 7-8); CIT. αλλ ου τις . . . σκοτος, φησιν ο
αποστολος (Or. Dom. 2; Krabinger 34, 20-21. VR: τις] ουδεις
mss.); ALLUS. τις . . . σκοτος (Or. Dom. 2; Krabinger 36, 29-
30); ALLUS. τις κοινωνια (15) Χριστω προς Βελιαρ; τις
μερις . . . απιστου; (14) τι κοινον τω φωτι προς το σκοτος
(Perf.; VIII, i, 207, 5-7. VR: (14) το om. mss.; (15) Χριστου
. . . πιστου ms.); ADAPT. καθως και ο Παυλος βοα οτι ουκ
εστι (15) συμφωνησις Χριστος προς Βελιαρ, (16) ουδε

κοινωνια ναω . . . ειδωλων   (*Ref. Eun.* 39; II, 328, 2-4; (16) CIT.
ο ειπων ενοικτησω . . .   (*Cant.* 2; VI, 68, 16-17).

II. There is no evidence for any of the minor variations from the reconstructed text, including (v. 15) κοινωνια for συμφωνησις in *Perf.*

III-121. (15) Χριστω   Greg^ed {B} *et rel.*] Χριστου   Greg^ms 𝔓46 א B C P 0150 33 1739 UBS (A vac.).

-122. Βελιαρ   Greg {A} *et rel.*] Βελιαν   D K Ψ 049; Βελιαβ G (A vac.).

-123. πιστω   Greg^ed {B} *et rel.*] πιστου   Greg^ms B 33 (A vac.).

(7:6) ὁ παρακαλῶν τοὺς ταπεινοὺς παρεκάλεσεν ἡμᾶς ἐν τῇ παρουσίᾳ Τίτου.

I. CIT. ο Παυλος . . . λεγων ο παρακαλων . . . (*Ref. Eun.* 186; II, 391, 8-11. VR: τους . . . ημας] ημας τους . . . ms.).

II. ο θεος after ημας is omitted with 102 206 234 429 1758 1799 *l*44 Bas Chr Thdrt.

(8:9) δι' ἡμᾶς ἐπτώχευσε πλούσιος ὤν.

I. ALLUS. δι . . . (*Cant.* 15; VI, 444, 4).

II. ημας is also read by 0151, about 30 minuscules, and about a dozen fathers.

III-124. ημας   Greg {A} C^vid K 056 0142 0151] υμας   *rel.* (A vac.).

(8:14) τὸ ὑμῶν περίσσευμα εἰς τὸ ἐκείνων ὑστέρημα.

I. CIT. το υμων περισσευμα, φησιν, εις . . . (*Mihi fecistis*; IX, 123, 21).

(10:4-5) λογισμοὺς (καθαιροῦντες) (5) καὶ πᾶν ὕψωμα ἐπαιρόμενον κατὰ τῆς γνώσεως τοῦ θεοῦ.

I. CIT. παντας τω λογω της αληθειας κατηγωνιζετο, λογισμους
καθαιρων (5) και . . . (*Steph.* 2; X, i, 98, 14-16).

II. There is no support for the singular καθαιρων.

(12:2, 4) εἴτε ἐν σώματι οὐκ οἶδα, εἴτε ἐκτὸς τοῦ
σώματος οὐκ οἶδα, ὁ θεὸς οἶδεν, ἁρπαγέντα τὸν
τοιοῦτον ἕως τρίτου οὐρανοῦ. (4) ἡπάργη εἰς τὸν
παράδεισον καὶ ἤκουσεν ἄρρητα ῥήματα, ἃ οὐκ ἐξὸν
ἀνθρώπῳ λαλῆσαι.

I. CIT. τουτο γαρ και αυτος τω ιδιω λογω παρασημαινεται
ειπων, οτι ειτε εν . . . ουρανου (*Hex.* 75; Forbes 90, 12-15.
VR: τω σωματι mss.; ειγε twice mss.; του om. mss.); CIT.
τριτον ουρανον ειδεν εκεινος και (4) ηπαργη . . . λαλησαι.
αλλ ουδε εκεινος φανερως δια της σαρκος ταυτης την
τοιαυτην χαριν εδεξατο. ου γαρ επικρυπτεται την αμφιβολιαν
λεγων· (2) ειτε εν σωματι . . . οιδεν (*Bas.*; X, i, 118, 22—
119, 3. VR: (4) ρημα ms; ανθρωπων mss.); CIT. (4) α ουκ
. . . λαλησαι καθως φησιν ο αποστολος (*Mort.*; IX, 47, 13-14).

(13:3) ἐπεὶ δοκιμὴν ζητεῖτε τοῦ ἐν ἐμοὶ λαλοῦντος
Χριστοῦ.

I. CIT. τα ρηματα του Παυλου παρα του Χριστου λαλεισθαι
φησιν ο ειπων· η δοκιμην . . . (*Fil.*; III, ii, 24, 4-6). CIT.
καθως φησιν . . . επει . . . (*Perf.*; VIII, i, 175, 10-12. VR:
επει] οτι ει mss.).

II. There is no evidence for η instead of επει in *Fil.*

III-125. επει   Greg {A} *et rel.*] επι   A D*; οτι   G.

(13:4) ἐσταυρώθη ἐξ ἀσθενείας, (ἀλλὰ) ζῆ ἐκ δυ-
νάμεως.

I. CIT. φησιν . . . εσταυρωθη εξ ασθενειας (την σαρκα δια της
ασθενειας σημαινων), ζη δε εκ δυναμεως (το θεον δια της
δυναμεως εν δεικνομενος) (*C. Eun.* 3.4.10; II, 137, 8-11).

II. There is no evidence for δε instead of αλλα.

(13:13) ἡ χάρις τοῦ κυρίου ἡμῶν Ἰησοῦ Χριστοῦ καὶ ἡ ἀγάπη τοῦ θεοῦ καὶ ἡ κοινωνία τοῦ ἁγίου πνεύματος.

I. ALLUS. η χαρις . . . θεου   (*C. Eun.* 1.199; I, 84, 20-21); ALLUS. και ελθοι εφ υμας η χαρις . . . Χριστου και η κοινωνια . . . πνευματος αυτου εις το γενεσθαι υμιν θεραπειαν   (*Ep.* 17.1; VIII, ii, 51, 6-8).

II. In addition to 223, ημων is found in 5 35 57 69 201 226ᶜ 255 330 440 479 480 489 498 664 1831 1960 2298 f m vg pesh sa bo eth arm goth Ambst Bas Chr Did Thdrt.

III-126. ημων   Greg {A} 223] om. *rel.* (C vac.).

-127. Χριστου   Greg {A} *et rel.*] om. B Ψ   (C vac.).

GALATIANS

(1:1) οὐκ (ἀπ') ἀνθρώπων οὐδὲ δι' ἀνθρώπων, ἀλλὰ διὰ Ἰησοῦ Χριστοῦ.

I. ALLUS. ουκ εξ ανθρωπων . . .   (*Trid.*; IX, 305, 3-4. VR: ανθρωπων[1]] ουρανων ms.; ουδε δι ανθρωπων om. mss.; δι] παρ ms.).

II. There is no evidence for εξ instead of απ.   ανθρωπων instead of ανθρωπου after δι is supported by 216 440 823 1518 1959 Chr Cyrᵖˡ Eus Mcell Or Thdrt.

(1:16) οὐ (προσανεθέμην) σαρκὶ καὶ αἵματι.

I. ALLUS. ου γαρ προσανεθετο σαρκι . . .   (*Cant.* 14; VI, 403, 8-9. VR: προανεθετο ms.); ALLUS. καθως φησιν ο αποστολος, σαρκι και αιματι προσανεχειν ωετο δειν   (*V. Gr. Thaum.*; X, i, 16, 7-8).

(2:19-20) Χριστῷ συνεσταύρωμαι· (20) ζῶ δὲ οὐκέτι ἐγώ, ζῇ δὲ ἐν ἐμοὶ Χριστός.

I. CIT. φησι γαρ του των εαυτου λογων ο Παυλος οτι Χριστω . . . (*Fil.*; III, ii, 23, 22—24, 1); CIT. καθως φησιν . . .

οτι (20) ζω . . . (Perf.; VIII, i, 175, 10-13. VR: εγω ουκ ετι mss.).

(3:20) ὁ [δὲ] μεσίτης ἑνὸς οὐκ ἔστιν, ὁ δὲ θεὸς εἷς ἐστιν.

I. CIT. επει ουν ο μεσιτης . . . (Ref. Eun. 144; II, 374, 12-13).

II. There is no evidence for the omission of δε, although 33 substitutes γαρ.

(3:28) οὐκ ἔνι 'ἄρσεν / ἄρρεν' καὶ θῆλυ.

I. CIT. επειδη γαρ, καθως φησιν ο αποστολος, ουκ ενι αρσεν . . . (Virg. 20; VIII, i, 328, 4-5. VR: αρρεν); CIT. εν γαρ Χριστω Ιησου, καθως φησιν ο αποστολος, ουτε αρρεν ουτε θηλυ εστιν (Hom. opif. 17.7.85; Forbes 200, 5-7. VR: αρσεν mss.).

II. There is no evidence for ουτε . . . ουτε . . . εστιν in Hom. opif. The Attic form αρρεν in the same work (also a variant in Virg.) is supported only by ℵ 330 Clem^pt.

(4:8) (ἐδουλεύσατε) τοῖς 'φύσει μὴ / μὴ φύσει' οὖσιν θεοῖς.

I. ADAPT. μαθετωσαν παρα του μεγαλου Παυλου, οτι οι δουλευοντες τοις μη φυσει θεοις θεω ου δουλευουσιν (Ref. Eun. 30; II, 323, 26-27. VR: μη + ουσει ms.); ADAPT. ημεις τοινυν οι μηκετι δουλευοντες τοις μη φυσει ουσι θεοις επεγνωμεν τον φυσει οντα θεον (Ref. Eun. 30; II, 324, 3-5. VR: φυσει μη mss.); ALLUS. αποσταντες γαρ του θεου οι ανθρωποι εδουλευσαν τοις φυσει μη ουσι θεοις (Ref. Eun. 82; II, 346, 10-11. VR: μη ουσι φυσει ms.); ALLUS. ουκετι γαρ δουλευσουσι τοις φυσει μη ουσι θεοις (Ref. Eun. 118; II, 362, 15); ALLUS. ως μηκετι ονειδος ειναι τοις δουλευσασι τοις φυσει μη ουσι θεοις (Trid.; IX, 305, 12-13. VR: μη φυσει mss.).

II. There is no evidence for the variant forms of δουλεύω. There is no evidence for the omission of ουσιν in Ref. Eun., p. 323. Gregory seems to attest both φυσει μη (𝔓46 ℵ A B C D* P 0150 0151 33 81 104 1739 al. f vg pesh bo goth Amb Aug Bas Cyr^pt Dam Euthal Hier) and μη φυσει (Dᶜ [F G] L Ψ 049 𝔐, arm Chr Cyrᵖᵗ Mcion Thdrt, although there is much uncertainty in his ms. tradition.

(4:12) γίνεσθε ὡς ἐγώ, ὅτι (κἀγὼ) ὡς ὑμεῖς.

I. CIT. του μεγαλου Παυλου του λεγοντος γινεσθε . . . οτι και εγω ως υμεις (*Cant.* 2; VI, 46, 19-20. VR: γινεσθαι mss.; καγω ms.; ημεις ms.); CIT. ελεγεν οτι γινεσθε ως εγω (*Cant.* 7; VI, 212, 2-3. VR: γινεσθαι mss.).

II. και εγω is attested only by Ψ.

(4:22) Ἀβραὰμ δύο υἱοὺς ἔσχεν, ἕνα ἐκ τῆς παι-δίσκης καὶ ἕνα ἐκ τῆς ἐλευθέρας.

I. CIT. εγραφη . . . Αβρααμ . . . (*Cant.* 7; VI, 226, 8-10).

(4:30) ἔκβαλε τὴν παιδίσκην καὶ τὸν υἱὸν αὐτῆς· οὐ γὰρ μὴ κληρονομήσῃ ὁ υἱὸς τῆς παιδίσκης μετὰ τοῦ υἱοῦ τῆς ἐλευθέρας.

I. CIT. εκβαλε γαρ, φησι, την παιδισκην . . . (*Cant.* 15; VI, 465, 19-21. VR: εκβαλλε ms.; εμβαλλει ms.; κληρονομησει ms.).

II. The wording is that of Galatians, not Gen. 21:10 LXX.

III-128. μη   Greg {A} *et rel.*] om. 𝔓46 G.

-129. κληρονομηση   Gregᵉᵈ {B} *et rel.*] κληρονομησει   Gregᵐˢ 𝔓46 ℵ B D P 075 33 2423 UBS.

(5:6) πίστις δι' ἀγάπης ἐνεργουμένη.

I. ALLUS. πιστις . . . (*Cant.* 7; VI, 229, 8-9); CIT. ερουμεν ο παρα του Παυλου εμαθομεν οτι . . . πιστις . . . (*Cant.* 13; VI, 378, 19-21. VR: αγαπης ενεργουμενη] διενεργουμενη mss.).

III-130. ενεργουμενη   Greg {A} *et rel.*] ενεργουμενης   𝔓46 Ψ.

(5:13) (διὰ) [τῆς] ἀγάπης (δουλεύετε ἀλλήλοις).

I. ALLUS. οτι χρη δι αγαπης αλληλοις δουλευειν ημας (*Pyth.*; III, 2, 101, 15-16. VR: δι] δ ms.).

II. There is no evidence for the omission of the article or change of word order.

III-131. δια της αγαπης (Greg {A} δι αγαπης) *et rel.*] τη αγαπη του πνευματος D G.

(5:17) ἡ γὰρ σὰρξ ἐπιθυμεῖ κατὰ τοῦ πνεύματος, τὸ δὲ πνεῦμα κατὰ τῆς σαρκός.

I. ADAPT. ινα μηκετι η σαπξ επιθυμη κατα . . . (*Perf.*; VIII, i, 184, 12-14. VR: σαρκικου mss.); ALLUS. η γαρ σαρξ . . . πνευματος (*C. Eun.* 3.1.31; II, 14, 21-22); ALLUS. η σαρξ . . . πνευματος (*Virg.* 23; VIII, i, 340, 11-12); ALLUS. γαρ η σαρξ . . . πνευματος (*Bas.*; X, i, 126, 16. VR: επεθυμει ms.).

II. There is no evidence for the omission of γαρ in *Perf.* and *Virg.* or for the substitution of the subjunctive for the indicative in *Perf.*

(5:25) εἰ ζῶμεν πνεύματι, πνεύματι καὶ στοιχῶμεν.

I. CIT. φησι . . . ει ζωμεν . . . (*C. Eun.* 3.5.2; II, 160, 22—161, 2. VR: πνευματι ζωμεν ms.; πνευματι² om. ms.; και om. ms.; στοιχουμεν ms.).

III-132. ζωμεν πνευματι Greg^ed {B} *et rel.*] πνευματι ζωμεν Greg^ms D G; ζωμεν εν πνευματι L.

-133. και Greg^ed {B} *et rel.*] om. Greg^ms 𝔓46 G.

-134. στοιχωμεν Greg^ed {B} *et rel.*] στοιχουμεν Greg^ms D K L 0150 0151 1739.

(6:3) εἰ [γὰρ] (δοκεῖ τις) εἶναί τι μηδὲν ὤν, φρεναπατᾷ ἑαυτόν.

I. CIT. ακουσατω της Παυλου φωνης οτι ει τις δοκει ειναι . . . (*Or. catech.* 40; Srawley 162, 1-3).

II. There is no evidence for the omission of γαρ or the change of word order.

III-135. φρεναπατα εαυτον Greg {B} 𝔓46 ℵ A B C 0150 33 1739 UBS] εαυτον φρεναπατα *rel.* (075 supp.).

(6:8) ὁ σπείρων εἰς τὴν σάρκα [ἑαυτοῦ] ἐκ τῆς σαρκὸς θερίσει φθοράν, ὁ (δὲ) σπείρων εἰς τὸ πνεῦμα ἐκ τοῦ πνεύματος θερίσει ζωὴν αἰώνιον.

I. CIT. ο γαρ σπειρων, φησιν, εις το . . . αιωνιον· ο δε σπειρων . . . σαρκα εκ της . . . φθοραν (*V. Moy.* 2; VII, i, 79, 22-25).

II. There is no evidence for the reversal of clauses or the variation in conjunctions at the beginning of each. εαυτου is omitted only by Aug Cassio Cyr Or^pt Procop Zen (αυτου is substituted by D* F G Ψ 2 5 103 122 206 257 326 623 1241s 1845 1898 1913 Or^pt Thdrt Thphyl).

III-136. σαρκος Greg {A} *et rel.*] + αυτου D* G (𝔓46 vac., 075 supp.).

(6:14) μὴ γένοιτο καυχᾶσθαι εἰ μὴ (ἐν) τῷ σταυρῷ τοῦ [κυρίου ἡμῶν 'Ιησοῦ] Χριστοῦ.

I. CIT. μη γενοιτο, φησιν, επι τινι αλλω καυχασθαι ει μη επι τω σταυρω του Χριστου (*C. Eun.* 3.3.39; II, 121, 18-19. VR: γενοιτο + μου ms.).

II. There is no evidence for επι instead of εν or the omission of κυριου ημων Ιησου.

III-137. καυχασθαι Greg {A} *et rel.*] καυχησασθαι A D* K (075 supp., 0150 illeg.).

(6:17) τὰ στίγματα τοῦ Χριστοῦ ἐν τῷ σώματί μου (βαστάζω).

I. CIT. ελεγεν οτι τα στιγματα . . . μου περιφερω (*Cant.* 12; VI, 366, 4-5. VR: μου om. mss.).

II. Χριστου is also supported by 81 255 256 442 463 1175 1319 1908 2127 bo arm eth *al*. περιφερω for βασταζω is otherwise attested only by Ps-Ign Thdot.

III-138. Χριστου   Greg {B} P Ψ]   Ιησου   𝔓46 A B C* 33 UBS; κυριου Ιησου   *rel.*; κυριου Ιησου Χριστου   ℵ; κυριου ημων Ιησου Χριστου   D* G (075 supp.).

EPHESIANS

(1:7) τὴν ἀπολύτρωσιν διὰ τοῦ αἵματος αὐτοῦ, τὴν ἄφεσιν τῶν (παραπτωμάτων).

I. CIT. την λεγουσαν δι αυτου ημας ειληφεναι την απολυ- τρωσαν . . . των αμαρτιων   (*Ant. Apol.*; III, i, 151, 26-28); CIT. η φησιν εχειν ημας την απολυτρωσιν . . . των αμαρτιων (*Ant. Apol.*; III, 1, 154, 19-21).

II. There is no evidence for the substitution of αμαρτιων for παραπτωματων in both quotations.

(2:14) αὐτὸς [γὰρ] ἐστιν ἡ εἰρήνη ἡμῶν . . . τὸ μεσότοιχον τοῦ φραγμοῦ λύσας.

I. CIT. φησι ο αποστολος, οτι αυτος εστιν . . . ημων (*Eccl.* 8; V, 436, 9-10. VR: η om. ms.); ALLUS. το μεσοτοιχον . . . (*Perf.*; VIII, i, 184, 8-9).

II. There is no evidence for the omission of γαρ.

(2:15) τὸν νόμον τῶν ἐντολῶν (ἐν δόγμασιν) κατ- αργήσας, ἵνα τοὺς δύο κτίσῃ ἐν ἑαυτῷ εἰς ἕνα και- νὸν ἄνθρωπον ποιῶν εἰρήνην.

I. CIT. ος φησιν οτι τον νομον των εντολων καταργησας τοις εαυτου δογμασιν   (*Ref. Eun.* 142; II, 373, 22-23. VR: κατηργησας ms.); ALLUS. τους δυο εκτισεν εν . . . (*Perf.*; VIII, i, 184, 9- 10); CIT. φησι και Παυλος· ινα . . . ανθρωπον (*Ref. Eun.* 178; II, 387, 2-3); ALLUS. ινα . . . (*Cant.* 7; VI, 201, 15-16. VR: εν om. mss.; αυτω mss.; και ποιων vers.).

II. There is no evidence for any of the variations, except of course those treated below.

III-139. εαυτω Greg^ed {B} *et rel.*] αυτω Greg^mss 𝔓46 ℵ A B P
0150 33 1739 UBS (C 2423 vac.).

-140. καινον Greg {A} *et rel.*] κοινον 𝔓46 G; μονον K;
κενον 0142 0150 (C 2423 vac.).

(2:18) δι' (αὐτοῦ) ἔχομεν τὴν προσαγωγὴν [οἱ ἀμ-
φότεροι] ἐν ἑνὶ πνεύματι πρὸς τὸν πατέρα.

I. CIT. δι ου εχομεν την προσαγωγην εν . . . (*Fil.*; III, ii, 28,
2-3).

II. There is no evidence for ου instead of αυτου or the omission of οι
αμφοτεροι.

(2:20) (ἐποικοδομηθέντες) ἐπὶ τῷ θεμελίῳ τῶν ἀπο-
στόλων καὶ προφητῶν.

I. ALLUS. παντων εποικοδομηθεντων επι τω θεμελιω των
προφητων τε και αποστολων (*Fil.*; III, ii, 19, 15-17. VR:
αποστολων και προφητων mss.); CIT. καθως φησιν ο απο-
στολος, επι . . . (*Cant.* 7; VI, 202, 3-4. VR: και των ms., τε
και των mss.).

II. There is no evidence for the genitive or the change of word order in
Fil.

(2:22) (κατοικητήριον θεοῦ) ἐν πνεύματι.

I. ALLUS. θεου κατοικητηριον εν . . . (*Mort.*; IX, 62, 9).

II. There is no evidence for the change of word order. The omission of
του before θεου is attested by 1319 2127 only.

(3:10-12) ἵνα γνωρισθῇ νῦν ταῖς ἀρχαῖς καὶ ταῖς
ἐξουσίαις ἐν τοῖς ἐπουρανίοις διὰ τῆς ἐκκλησίας ἡ
πολυποίκιλος σοφία τοῦ θεοῦ, (11) κατὰ πρόθεσιν
τῶν αἰώνων ἣν ἐποίησεν ἐν Χριστῷ Ἰησοῦ τῷ κυρίῳ
ἡμῶν, (12) ἐν ᾧ ἔχομεν τὴν παρρησίαν καὶ προσ-
αγωγὴν ἐν πεποιθήσει διὰ τῆς πίστεως αὐτοῦ.

I. CIT. εχει δε η λεξις ουτως· ινα . . . (*Cant.* 8; VI, 254,
20—255, 4. VR: γνωρισθειη ms.; του θεου σοφια mss.; (11)

αιωνιων ms.; ην after κατα ms.; (12) την προσαγωσην mss.;
δια om. vers.).

III-141. νυν Greg {A} *et rel.*] om. G 2423* (𝔓46 vac.).

-142. (11) Χριστω Ιησου Greg {A} *et rel.*] τω Χριστω Ιησου A
B C* 33; τω κυριω Ιησου 𝔓46; om. G.

-143. (12) παρρησιαν . . . προσαγωγην Greg {A} *et rel.*] προσ-
αγωγην . . . παρρησιαν D* G.

-144. προσαγωγην Greg^ed {C} 𝔓46 ℵ* A B 33 1739 UBS] pr.
την Greg^mss *et rel.*

**(3:15) ἐξ οὗ πᾶσα πατριὰ ἐν οὐρανῷ καὶ ἐπὶ γῆς
ὀνομάζεται.**

I. CIT. ως και ο αποστολος λεγει εξ . . . *(Inscript. Pss.* 1.8;
V, 63, 22-23).

II. ουρανω is also read by 81 102 103 104 181 241 256 330 365 436
442 479 945 1175 1518 1827 1908 2127 2143 a vg^mss pesh har^mg
goth Bas Cyr^pt Ephr Epiph^pt Hil Method Or^pt Phot Thdrt.

III-145. ουρανω Greg {B} P 075 0150] ουρανοις *rel.*

**(3:18-19) ἵνα ἐξισχύσητε καταλαβέσθαι σὺν πᾶσι
τοῖς ἁγίοις τί τὸ πλάτος καὶ μῆκος καὶ βάθος καὶ
ὕψος, (19) γνῶναι τε τὴν ὑπερβάλλουσαν ἀγάπην
τῆς γνώσεως τοῦ Χριστοῦ, ἵνα πληρωθῆτε εἰς πᾶν
τὸ πλήρωμα τοῦ θεοῦ.**

I. CIT. προς Εφεσιους . . . λεγων· ινα . . . *(Trid.*; IX, 299,
16—300, 4. VR: συμπασι mss.; και¹] το mss.; (19) της] ης
ms.; της γνωσεως αγαπην mss.).

II. (19) The word order αγαπην της γνωσεως is found also in 103
206 429 917 1758 1799 1831 2147 Ath.

III-146. εξισχυσητε Greg {A} *et rel.*] ισχυσητε D* P.

-147. βαθος και υψος Greg {A} *et rel.*] υψος και βαθος 𝔓46
B C D G P 0150 33 UBS.

-148. (19) τε Greg {A} *et rel.*] om. D* G.

-149. αγαπην της γνωσεως Greg^{ed} {B} A] της γνωσεως αγαπην Greg^{mss} *et rel.*

-150. πληρωθητε εις Greg {A} *et rel.*] πληρωθη 𝔓46 B 33.

(4:6) εἷς θεὸς καὶ πατὴρ πάντων [ὁ] ἐπὶ πάντων καὶ διὰ πάντων καὶ ἐν πᾶσιν.

I. ALLUS. επειδη εις . . . παντων[1] (*C. Eun.* 1.213; I, 89, 2-3); CIT. του Παυλου φωνη . . . επι παντων αυτον λεγουσα και δια . . . (*Ref. Eun.* 169; II, 383, 17-19).

(4:12-13, 15-16) πρὸς τὸν καταρτισμὸν τῶν ἁγίων εἰς ἔργον διακονίας, εἰς οἰκοδομὴν τοῦ σώματος τοῦ Χριστοῦ, (13) μέχρι καταντήσωμεν οἱ πάντες εἰς τὴν ἑνότητα τῆς πίστεως καὶ τῆς ἐπιγνώσεως τοῦ υἱοῦ τοῦ θεοῦ, εἰς ἄνδρα τέλειον, εἰς μέτρον ἡλικίας τοῦ πληρώματος τοῦ Χριστοῦ, (15) ἀληθεύοντες δὲ ἐν ἀγάπῃ αὐξήσωμεν εἰς αὐτὸν τὰ πάντα, ὅς ἐστιν ἡ κεφαλή, ὁ Χριστός, (16) ἐξ οὗ πᾶν τὸ σῶμα συναρμολογούμενον καὶ συμβιβαζόμενον διὰ πάσης ἁφῆς τῆς ἐπιχορηγίας κατ' ἐνέργειαν ἐν μέτρῳ ἑνὸς ἑκάστου μέρους τὴν αὔξησιν τοῦ σώματος ποιεῖται εἰς οἰκοδομὴν ἑαυτοῦ ἐν ἀγάπῃ.

I. CIT. προαγει τον λογον ειπων οτι εθετο ο θεος εν τη εκκλησια αποστολους και προφητας και διδασκαλους και ποιμενας προς τον καταρτισμον . . . (13) . . . Χριστου. και παλιν (15) αυξησωμεν, φησιν, εις . . . (*Cant.* 13; VI, 382, 14— 383, 3. VR: (13) om. verse ms.; καταντησομεν mss.; υιου του om. ms.; θεου + και vers.; (15) αυτον] Χριστον vers.; ο om. mss; ο Χριστος] και vers.; (16) το om. ms.; κατ ενεργειαν om. ms.; την om. mss.; του . . . αγαπη] ποιειται του σωματος αυτου εις οικοδομην εν αγαπη mss.); CIT. καθως φησιν ο αποστολος . . . προς . . . αγιων (*Cant.* 7; VI, 211, 11-14); ALLUS. (13) μεχρις αν καταντησωμεν οι παντες εις ανδρα . . . του Χριστου (*Cant.* 8; VI, 256, 16-17); CIT. καθως φησιν ο αποστολος, (13) καταντησωμεν . . . Χριστου (*Fil.*; III, ii, 19, 17-20); CIT. σαφεστερον δε τοις Εφεσιοις το περι τουτου παρατιθεται δογμα δι ων φησιν οτι (15) αληθευοντες . . . (16) . . . αφης επιχορηγιας . . . (*Fil.*; III, ii, 19, 5-11. VR: (15) δε

om. mss.; (16) αφης om. mss.; ποιειται του σωματος mss.);
CIT. ειποντος του αποστολου, οτι (15) εκεινος μεν εστιν η
κεφαλη (16) εξ αυτου δε παν . . . επιχορηγιας της κατ
ενεργειαν . . . ποιειται (Perf.; VIII, i, 199, 8-12. VR: (15) μεν
om. ms.; η om. mss.; (16) εν μετρω om. mss.); ADAPT.
εκεινην λεγω την κεφαλην ητις εστιν ο Χριστος, (16) εξ ου
παν το σωμα συναρμολογειται και συμβιβαζεται (Cant. 7; VI,
234, 18-20).

II. εθετο . . . ποιμενας in Cant. 13 is a conflation of Eph. 4:11
and I Cor. 12:28 and is unusable. (13) There is no evidence for
μεχρις αν in Cant. 8. μεχρις alone is attested by Dᶜ 2005 2138 and
μεχρις ου by 1317 and 2127. (16) There is no evidence for αυτου δε
instead of ου and της before κατ in Perf. There is no evidence for the
omission of της in Fil.

III-151. διακονιας Greg {A} et rel.] pr. της D* G (2423 vac.).

-152. (13) καταντησωμεν Gregᵉᵈ {B} et rel.] καταντησομεν
Gregᵐˢˢ 223 1739; καταντησω G (2423 vac.).

-153. οι Greg {A} et rel.] om. D* G (2423 vac.).

-154. (15) ος εστιν Greg {A} et rel.] ο εστιν 𝔓46* D
1739ᵛⁱᵈ; om. 0142 (2423 vac.).

-155. η Greg {A} et rel.] om. D* G 1739 (2423 vac.).

-156. ο Χριστος Greg {A} et rel.] Χριστος ℵ* A B C 0150 33
1739 UBS; του Χριστου 𝔓46 (2423 vac.).

-157. (16) κατ ενεργειαν Gregᵉᵈ {B} et rel.] κατα την
ενεργειαν 33; και ενεργειας 𝔓46; om. Gregᵐˢ G (2423 vac.).

-158. μερους Greg {A} et rel.] μελους A C Ψ (2423 vac.).

-159. εαυτου Greg {A} et rel.] αυτου ℵ D* G (2423 vac.).

(4:14) [ἵνα μηκέτι ὦμεν] (νήπιοι, κλυδωνιζόμενοι)
καὶ (περιφερόμενοι) παντὶ ἀνέμῳ τῆς διδασκαλίας.

I. ALLUS. ουτω και επι του θειου καλλους ο τε νηπιος ετι και κλυδωνιζομενος και περιφερομενος παντι . . . (*Cant.* 1; VI, 38, 12-13).

II. There is no evidence for the use of the singular.

(4:24) 'ἐνδύσασθε / ἐνδύσασθαι' τὸν καινὸν ἄνθρωπον τὸν κατὰ θεὸν κτισθέντα ἐν ὁσιότητι καὶ δικαιο- σύνῃ.

I. CIT. φησιν ενδυσασθε . . . κτισθεντα (*C. Eun.* 3.1.52; II, 22, 2-3); CIT. καθως φησιν ο αποστολος . . . ενδυσασθε . . . κτισθεντα (*C. Eun.* 3.2.53; II, 69, 28—70, 4. VR: ανθρωπον + και ms.); ALLUS. τον γαρ καινον εκεινον ανθρωπον . . . κτισθεντα (*C. Eun.* 3.10.13; II, 294, 4-5); CIT. Παυλος . . . λεγων ενδυσασθε . . . κτισθεντα (*Ref. Eun.* 112; II, 359, 7-9); CIT. του αποστολου υφηγησιν, ος κελευει . . . ενδυσασθαι τον καινον χιτωνα τον κατα . . . (*Cant.* 11; VI, 328, 8-11. VR: τον καινον om. mss.).

II. ενδυσασθε (in four of the quotations) is supported by 𝔓46 ℵ B Dᶜ K 0150 0151 104 323 1241s 1881 *al.* latt pesh har bo 9 fathers, whereas ενδυσασθαι (only in *Cant.*) is supported by 𝔓49ᵛⁱᵈ A D* F G L P Ψ 049 33 81 365 630 1175 2464 2495 𝔐 HierPᵗ. There is no evidence for κιτωνα instead of ανθρωπον in *Cant.* Only Ambst joins Gregory and ℵ in the word order οσιοτητι και δικαιωσυνη.

III-160. οσιοτητι και δικαιωσυνη   Greg [C] ℵ*] δικαιωσυνη και οσιοτητι   *rel.*

(4:25) (λαλεῖτε) ἀλήθειαν ἕκαστος μετὰ τοῦ πλησίον αὐτοῦ.

I. CIT. λαλειτω αληθειαν . . . αυτου· παλιν η εξουσια του λογου. και πολλα τοιαυτα εστιν ειπειν και εκ της αρχαι- οτερας γραφης (*Eccl.* 7; V, 410, 3-6. VR: εκαστος αληθειαν mss.; μετα του] προς τον ms.; αυτου om. ms.).

II. The use of μετα του rather than προς τον would seem to indicate that the quotation is from Ephesians rather than Zech. 8:16 (but see the VR). There is no evidence for λαλειτω.

(4:26) ὁ ἥλιος μὴ ἐπιδυέτω ἐπὶ τῷ παροργισμῷ
ὑμῶν.

I. CIT. ο ηλιος . . . υμων, φησιν ο αποστολος   (Trid.; IX, 296,
13-14).

III-161. τω   Greg {A} et rel.] om. ℵ* A B 1739 (C vac.).

(4:29) πᾶς λόγος σαπρὸς ἐκ τοῦ στόματος ὑμῶν μὴ
ἐκπορευέσθω, ἀλλ᾽ εἴ τις ἀγαθὸς πρὸς οἰκοδομὴν
τῆς πίστεως, ἵνα δῷ χάριν τοῖς ἀκούουσιν.

I. CIT. Παυλος . . . το λεγειν πας . . . εκπορευεσοω· ουτος
σιωπης ο νομος· αλλ . . . (Eccl. 7; V, 409, 16-19. VR: μη
εκπορευεσθω εκ . . . υμων ms.; ει] η ms.; της om. mss.).

II. In addition to the two indicated below, πιστεως is read by F 181
1836 1898 d e f g m vg^cl goth Ambst Bas Cassio Clem^pt Cyp Pelag
Ps-Hier Tert Victorin.

III-162. πιστεως   Greg {C} D* G] χρειας   rel. (C vac.).

(5:2) (παρέδωκεν ἑαυτὸν ὑπὲρ ἡμῶν προσφορὰν καὶ
θυσίαν).

I. ALLUS. εαυτον γαρ, φησιν, ανηνεγκε προσφοραν και θυσιαν
υπερ ημων   (Perf.; VIII, i, 186, 12-13. VR: προσφοραν και om.
ms.).

II. There is no evidence for any of Gregory's variations in this verse,
since all are due to loose quotation.

(5:27) μὴ ἔχουσαν σπίλον ἢ ῥυτίδα ἤ τι τῶν τοι-
ούτων.

I. ALLUS. μη εχουσαν . . . (Virg. 16; VIII, i, 313, 5-8);
ALLUS. σπιλον . . . (Cant. 1; VI, 38, 18-19. VR: σπιλην ms.).

(5:31-32) ἔσονται οἱ δύο εἰς σάρκα μίαν. (32) τὸ
μυστήριον τοῦτο μέγα ἐστίν· ἐγὼ δὲ λέγω εἰς
Χριστὸν καὶ εἰς τὴν ἐκκλησίαν.

I. CIT. ειπων γαρ οτι εσονται . . . μιαν επηγαγεν οτι (32) το μυστηριον . . . (*Cant.* 4; VI, 108, 16-18. VR: (32) εἰς² om. mss.).

III-163. (32) εἰς² Greg^ed {B} *et rel.*] om. Greg^mss B K 2423*? (C vac., 049 illeg.).

(6:2-3) τίμα τὸν πατέρα σου καὶ τὴν μητέρα σου, ἥτις ἐστὶν ἐντολὴ πρώτη ἐν ἐπαγγελίαις, (3) ἵνα εὖ σοι γένηται.

I. CIT. τιμα γαρ, φησι, τον . . . (*Mart.* 1a; X, i, 138, 12-13).

II. σου after μητερα is also added by F 69 81 263 296 635 pesh cop Or Thdot. επαγγελιαις is also found in 2 81 Bas Chr.

III-164. σου² Greg {B} G P 075] om. *rel.* (C vac.).

(6:12) πρὸς τὰς ἀρχάς, πρὸς τὰς ἐξουσίας, πρὸς τοὺς κοσμοκράτορας τοῦ σκότους τούτου, πρὸς τὰ πνευματικὰ τῆς πονηρίας ἐν τοῖς ἐπουρανίοις.

I. CIT. Παυλος μεν αγωνιζεται προς τας αρχας . . . εξουσιας και προς τους . . . σκοτους και προς τα . . . (*Ref. Eun.* 229; II, 408, 27—409,3); ALLUS. προς τον κοσμοκρατορα του σκοτους τουτου και προς τα . . . (*Inscript. Pss.* 2.13; V, 132, 23-24. VR: σκοτους του αιωνος ms.).

II. There is no evidence for και after εξουσιας and σκοτους or the omission of τουτου in *Ref. Eun.* There is no evidence for τον κοσμοκρατορα or και after τουτου in *Inscript. Pss.*

III-165. σκοτους Greg^ed {C} 𝔓46 ℵ* A B D* G 0150 33 1739* UBS] + του αιωνος Greg^ms *et rel.* (C vac.).

(6:14) στῆτε περιζωσάμενοι τὴν ὀσφὺν ὑμῶν ἐν ἀληθείᾳ . . . θώρακα [τῆς] δικαιοσύνης.

I. CIT. Παυλος . . . παραγγελλει· στητε . . . αληθεια (*For.*; IX, 211, 13-16); CIT. θωρακα δικαιοσυνης, καθως φησιν ο αποστολος (*Mort.*; IX, 61, 26-27).

II. ουν is hesitantly omitted in the reconstruction with D F G d Ambst Ath Lcf Victorin, but inferential conjunctions at the beginning of a quotation are among those words which Gregory makes little effort to reproduce. Therefore it is not treated in apparatus III. There is no evidence for the omission of της in *Mort*.

III-166. περιζωσαμενοι   Greg {A} *et rel.*] περιεζωσμενοι   D* G (C vac.).

(6:17) (περικεφαλαίαν . . . μάχαιραν [τοῦ] πνεύ- ματος.)

I. CIT. καθως φησιν ο αποστολος και μαχαιραν πνευματος και περικεφαλαιαν ελπιδος και πασαν την του θεου πανοπλιαν κατεργασμενος   (*Mort.*; IX, 61, 26—62, 1).

II. There is no evidence for the change of word order or the omission of του. It is not possible to tell whether την του θεου πανοπλιαν is an allusion to v. 11 or 13, and therefore it cannot be used.

PHILIPPIANS

(1:6) ὁ ἐναρξάμενος [ἐν ὑμῖν] ἔργον ἀγαθὸν καὶ ἐπιτελέσει.

I. CIT. καθως φησιν ο αποστολος, ο εναρξαμενος εργον . . . (*Ep.* 25.1; VIII, ii, 79, 12-13).

II. There is no evidence for the omission of εν υμιν. Only 81 462 2344? have και before επιτελεσει.

(1:21) ἐμοὶ [γὰρ] τὸ ζῆν Χριστός.

I. CIT. ο γαρ ειπων οτι εμοι το . . . (*Cant.* 15; VI, 440, 13. VR: ο Χριστος mss.); CIT. ου χαριν εμοι το . . . (*Cant.* 15; VI, 441, 1. VR: ο Χριστος ms.).

II. There is no other evidence for the omission of γαρ in both quotations.

(1:23) τὸ ἀναλῦσαι καὶ σὺν Χριστῷ εἶναι, πολλῷ κρεῖττον.

I. CIT. οτι το αναλυσαι . . . κρειττον ειναι φησιν (*Flacill.*; IX, 484, 8-9).

II. In addition to 𝔓46 below, μαλλον after πολλω is omitted only by 436 Clem. Because the word does not stand near the beginning of his quotation, it is probably safe to cite Gregory for the omission of γαρ.

III-167. πολλω Greg {A} *et rel.*] ποσω D* G.

-168. (πολλω) Greg {A} *et rel.*] + γαρ 𝔓46 A B C 075 33 1739 UBS.

-169. πολλω Greg {C} 𝔓46] + μαλλον *rel.*

(2:5-7) τοῦτο φρονείσθω ἐν ὑμῖν ὃ καὶ ἐν Χριστῷ Ἰησοῦ, (6) ὃς ἐν μορφῇ θεοῦ ὑπάρχων οὐχ ἁρπαγμὸν ἡγήσατο τὸ εἶναι ἴσα θεῷ (7) ἀλλ' ἑαυτὸν ἐκένωσε μορφὴν δούλου λαβών, ἐν ὁμοιώματι ἀνθρώπου γενόμενος καὶ σχήματι.

I. CIT. τουτο φρονεισθω, φησιν, εν υμιν . . . (7) . . . λαβων (*Cant.* 4; VI, 126, 15-18. VR: φρονειτε vers.; ημιν mss.; εν Χριστω Ιησου] Ιησους Χριστος vers.); CIT. (6) ος εν μορφη θεου, φησιν, υπαρχων (*Ant. Apol.*; III, i, 159, 3); ADAPT. το μη λεγειν αγαθον ειναι τον (6) εν μορφη θεου υπαρχοντα και ουχ αρπαγμον ηγησαμενον το ειναι ισα θεω, (7) αλλ επι το ταπεινον της ανθρωπινης καταβαντα φυσεως (*C. Eun.* 3.9.8; II, 266, 25-28. VR: (6) ισα ειναι ms.); CIT. (6) ος . . . (7) . . . λαβων (*Ref. Eun.* 18; II, 319, 21-23); CIT. (7) εν ομοιωματι γαρ, φησιν, ανθρωπου . . . (*Ant. Apol.*; III, i, 159, 29-30); CIT. (7) εκενωσεν εαυτον, φησι, μορφην δουλου λαβων (*Ant. Apol.*; III, i, 159, 14); ALLUS. (7) ος εαυτον . . . λαβων (*Cant.* 15; VI, 444, 2-3); ALLUS. (7) εν ομοιωματι . . . (*Or. catech.* 24; Srawley 94, 8-9); ALLUS. (7) εκενωσεν εαυτον χρησις (*Fil.*; III, ii, 25, 16).

II. (7) The word order εκενωσεν εαυτον in *Ant. Apol.*, line 14, and in *Fil.* has no support. ανθρωπου in *Ant. Apol.*, line 29, and *Or. catech.* is supported by pesh pal sa bo Amb Cyp^pt Hil Mcion Or Tert, in addition to 𝔓46 0142 below.

III-170. φρονεισθω Greg {A} *et rel.*] φρονειτε 𝔓46 ℵ A B C D G 33 1739 UBS.

-171. υμιν Greg {A} *et rel.*] ημιν 𝔓46 B.

-172. (6) το Greg {A} *et rel.*] om. 𝔓46 G.

-173. (7) αλλ Greg {A} *et rel.*] αλλα 𝔓46 ℵ B G UBS.

-174. ανθρωπου Greg {C} 𝔓46 0142] ανθρωπων *rel.*

(2:9) διὸ καὶ ὁ θεὸς αὐτὸν ὑπερύψωσεν . . . ὑπὲρ πᾶν ὄνομα.

I. CIT. διο, φησι, και . . . υπερυψωσεν (*Ant. Apol.*; III, i, 161, 5-6); CIT. πως δ αν τις ευροι εκεινου ονομα, οπερ υπερ παν ονομα ειναι φησιν η θεια του αποστολου φωνη; (*Eccl.* 7; V, 406, 9-10. VR: παν om. mss.).

(2:10-11) ἐν τῷ ὀνόματι ''Ἰησοῦ / + Χριστοῦ᾽ πᾶν γόνυ κάμψει, ἐπουρανίων καὶ ἐπιγείων καὶ καταχθονίων (11) καὶ πᾶσα γλῶσσα ʽἐξομολο-γήσεται / ἐξομολογήσηται᾽ ὅτι κύριος Ἰησοῦς ʽΧρισ-τὸς / om.᾽ εἰς δόξαν θεοῦ πατρός.

I. ALLUS. εν τω ονοματι Ιησου παν γονυ καμπτει, επου-ρανιων . . . καταχθονιων (*Ref. Eun.* 85; II, 347, 7-9. VR: και[1,2] om. mss.); ALLUS. εν τω ονοματι του Χριστου παν γονυ καμπτει, επουρανιων . . . καταχθονιων (*Ref. Eun.* 128; II, 367, 13-15); ALLUS. εν γαρ τω ονοματι Ιησου παν γονυ καμψει (*Ant. Apol.*; III, i, 161, 19-20); CIT. προς Φιλιππησιους . . . οις φησιν οτι εν τω ονοματι Ιησου Χριστου παν . . . καταχθονιων (*Or. catech.* 32; Srawley 121, 3-6); CIT. παν αυτω γονυ . . . (11) . . . γλωσσα εξομολογησηται οτι κυριος Ιησους Χριστος (*Fil.*; III, ii, 20, 12-14. VR: καταχονιων ms.; και καταχθονιων om. ms.; (11) εξομολογησεται mss.); CIT. επιστολης προς Φιλιππησιους ειπων· αυτω παν γονυ καμψει . . . καταχθονιων (*Anim. et res.*; Krabinger 62, 6-8); CIT. υπο του Παυλου καλειται . . . επουρανιων . . . καταχθονιων (*Thphl.*; III, i, 128, 1-3); CIT. εν γαρ τω ονοματι, φησιν, Ιησου παν . . . (11) . . . γλωσσα εξομολογησεται οτι κυριος Ιησους εις . . . (*C. Eun.* 3.4.64; II, 159, 2-5. VR: καμπτει ms.; και[1,2] om. mss.; (11) Ιησους Χριστος ms.); ALLUS. παν γονυ καμπτει . . .

καταχθονιων . . .   (11) πασα γλωσσα εξομολογειται οτι κυριος
Ιησους εις . . .   (*Ref. Eun.* 30; II, 324, 5-9. VR: παντα mss.;
(11) εξομολογησεται mss.); CIT. ειποντος του Παυλου οτι
αυτω καμψει παν γονυ επουρανιων . . .   (11) . . . γλωσσα
εξομολογησεται οτι κυριος Ιησους . . .   (*Ref. Eun.* 199; II, 396,
21-24); CIT. ουτως εν τω ονοματι Ιησου Χριστου παν . . .
(11) . . . γλωσσα εξομολογησεται οτι κυριος Ιησους Χριστος
εις . . .   (*Ant. Apol.*; III, i, 162, 2-5. VR: καμπτει mss.;
και[1,2] om. mss.); CIT. φησι και ο μεγας αποστολος οτι (11)
πασα γλωσσα εξομολογησεται, (10) επουρανιων . . . κατα-
χθονιων (11) οτι κυριος Ιησους Χριστος εις . . .   (*Inscript. Pss.*
1.9; V, 66, 28—67, 1. VR: (11) πατρος αμην); CIT. λεγεται και
(11) πασα γλωσσα εξομολογειται οτι κυριος Ιησους Χριστος εις
. . .   (*C. Eun.* 3.3.66; II, 131, 14-16); ALLUS. οταν (11) πασα
σαρξ εξομολογησηται και πασα γλωσσα οτι κυριος Ιησους
Χριστος   (*Thphl.*; III, i, 128, 6-7. VR: εξομολογησεται mss.,
ομολογηται ms.; και om. ms.; πασα[2] om. mss.); ALLUS. (11)
πασαν γλωσσαν εξομολογησασθαι οτι κυριος Ιησους Χριστος εις
. . .   (*Eccl.* 6; V, 382, 13-15. VR: Χριστος om. ms.; πατρος]
θεος ms.; πατρος αμην ms.).

II. There is no evidence for: καμπτει (3 out of 10 times plus one
variant); του Χριστου instead of Ιησου or Ιησου Χριστου in *Ref. Eun.*
128;   αυτω instead of εν τω ονοματι Ιησου in *Fil.* and *Anim. et res.*;
the word order καμψει παν γονυ in *Ref. Eun.* 199; and γαρ at the
beginning of the verse in *C. Eun.* 3.4.64.   The addition of Χριστου
after Ιησου in *Ant. Apol.* is supported by ℵ* 5 81 102 103 255 330
383 442 363 876 1908 1912 har* eth arm Ast Ath Chr Cyr Mark Or
and must therefore be included in the reconstruction. (11) There is no
evidence for εξομολογειται in *Ref. Eun.* 30 or *C. Eun.* 3.3.66 or for
εξομολογησασθαι in *Eccl.* εξομολογησεται is supported by A C D F
G K L P 0150 0151 6 33 81 365 630* 1175 1241s 1739 1881 2464
𝔐Pt and εξομολογησηται by 𝔓46 ℵ B Ψ 104 323 2495 𝔐Pt Clem.
The omission of Χριστος in *C. Eun.* 3.4.64 and *Ref. Eun.* 30 is
supported by F G 1898 g m AmbstPt Did EusPt Hil Nov Orlat and
must therefore be included in the reconstruction.

(2:15) ἐν οἷς φαίνεσθε ὡς φωστῆρες ἐν κόσμῳ.

I. CIT. περι ων φησιν οτι . . . εν οις . . .   (*Cant.* 13; VI, 385,
7-8).

(3:13) ἐγὼ ἐμαυτὸν οὔπω λογίζομαι κατειληφέναι.

I. CIT. δι ων φησιν . . . εγω εμαυτον . . . (Cant. 11; VI, 326, 17-20); CIT. λεγει οτι εμαυτον . . . (Cant. 8; VI, 245, 15).

III-175.   ουπω   Greg {A} ℵ A D* P 075 0150 33 223 2423*? 𝔐ᵖᵗ] ου   rel . (C 049 vac.).

(4:1) (μου ἀγαπητοί) . . . χαρὰ καὶ στέφανός [μου], οὕτω στήκετε.

I. CIT. ο θειος αποστολος φησιν· αγαπητοι μου, χαρα και στεφανος, ουτω . . . (Steph. 2; X, i, 99, 6-7. VR: μου και επιποθητοι ms.; στεφανος μου ms.; στηκετε εν κυριω ms.).

II. The word order αγαπητοι μου is found elsewhere only in 635 which also adds αδελφοι. μου² is omitted only by B*.

(4:8) ὅσα [ἐστὶν] ἀληθῆ, ὅσα σεμνά, ὅσα δίκαια, ὅσα ἀγνά, ὅσα προσφιλῆ, ὅσα εὔφημα, εἴ τις ἀρετὴ καὶ εἴ τις ἔπαινος.

I. CIT. εστι δε ταυτα οσα αληθη . . . (Cant. 15; VI, 438, 18-20. VR: οσα σεμνα οσα δικαια om. mss.; οσα προσφιλη οσα αγνα mss.; οσα προσφιλη om. mss.; ει¹] ἤ mss.; ἤ ms.); CIT. οσα φησι ο αποστολος αληθη και οσα σεμνα και οσα προσφιλη, οσα δικαια, οσα αγνα, οσα ευφημα . . . (Cant. 15; VI, 442, 4-6. VR: και¹,² om. mss.; αγνα . . . προσφιλη mss.; προσφιλη και ms.; δικαια και mss.; αγνα και mss.; ευφημα και ms.; ει¹] ἤ mss.).

II. There is no evidence for the omission of εστιν (pp. 438, 442), for the addition of και twice (p. 442), or for the word order προσφιλη . . . δικαια . . . αγνα (p. 442).

(4:12) ἐν παντὶ καὶ ἐν πᾶσι (μεμύημαι) . . . καὶ (περισσεύειν καὶ ὑστερεῖσθαι).

I. ADAPT. ο γαρ εν παντι . . . μεμυημενος Παυλος οιδε και υστερεισθαι και περισσευειν (Eccl. 2; V, 304, 9-10. VR: μεμυημενος mss.; περισσευεσθαι mss.).

II. There is no evidence for μεμυημενος or the change of word order.

(4:13) πάντα ἰσχύω ἐν τῷ ἐνδυναμοῦντί με Χριστῷ.

I. ALLUS. παντα . . . (For.; IX, 217, 24-25).

III-176. Χριστω Greg {A} et rel.] om. ℵ* A B D* 33 1739 UBS (C vac.).

COLOSSIANS

(1:15,18) πρωτότοκος πάσης 'τῆς / om.' κτίσεως
. . . (18) πρωτότοκος ἐκ τῶν νεκρῶν.

I. CIT. ο θειος αποστολος . . . ειπων οτι πρωτοτοκος πασης κτισεως . . . (18) πρωτοτοκος . . . εκ . . . (Ref. Eun. 79; II, 344, 21-24. VR: πρωτοτοκος πασης κτισεως om. ms.); ADAPT. φησι πρωτοτοκον πασης της κτισεως . . . (18) πρωτοτοκον εκ . . . (C. Eun. 3.2.45; II, 67, 7-9); ALLUS. και (18) πρωτοτοκος εκ . . . (Fil.; III, ii, 15, 7-8).

II. της in C. Eun. is supported only by 88 181 483 917 920 2412.

III-177. (18) εκ Greg {A} et rel.] om. 𝔓46 ℵ*.

(1:16) ἐν αὐτῷ ἐκτίσθη τὰ πάντα ἐν τοῖς οὐρανοῖς καὶ ἐπὶ τῆς γῆς, τὰ ὁρατὰ καὶ τὰ ἀόρατα, εἴτε θρόνοι εἴτε (κυριότητες εἴτε ἀρχαὶ εἴτε ἐξουσίαι).

I. CIT. φησι . . . εν αυτω εκτισται τα παντα, τα ορατα . . . θρονοι, ειτε εξουσιαι, ειτε αρχαι, ειτε κυριοτητες ειτε δυναμεις (V. Moy. 2; VII, i, 93, 6-9. VR: εκτισθη mss.; τα¹ om. ms.; τε και ms.; αρχαι ειτε εξουσιαι ms.); CIT. ο θειος αποστολος εν αυτω εκτισθαι τα παντα λεγει (Cant. 7; VI, 203, 2-3. VR: εκτεισθαι ms., κεκτισθαι ms.); CIT. καθως ο Παυλος διεξεισιν, εν αυτω λεγων εκτισθαι τα παντα, ορατα και αορατα (C. Eun. 3.1.8; II, 6, 17-18. VR: αυτ ms.; τα om. ms.; ορατα τε ms.; τα αορατα ms.); CIT. εν ω, καθως φησι ο αποστολος, εκτισθη τα παντα (C. Eun. 3.10.4; II, 290, 11-13); ALLUS. ο υιος δι ου τα παντα εγενετο, ορατα τε και αορατα, εν τοις ουρανοις και επι της γης (Ref. Eun. 44; II, 330, 7-9. VR: τα τε ορατα και τα αορατα ms.); CIT. ορατα γαρ, φησι, και αορατα (C. Eun. 1.305; I, 117, 2).

II. There is no evidence for εκτισται in *V. Moy.* or εκτισθαι in *Cant.* and *C. Eun.* 3.1.8 (κετισται is read by F G), for the change in word order in *V. Moy.*, for the addition of δυναμεις in *V. Moy.* (cf. Eph. 1:21), or for the omission of τα twice in *C. Eun.* 1.305 and 3.1.8 and in *Ref. Eun.*

III-178. τα¹ Greg^ed {A} *et rel.*] om. Greg^mss K Ψ 0151.

(1:17) **καὶ αὐτός ἐστι πρὸ πάντων καὶ (τὰ πάντα ἐν αὐτῷ συνέστηκεν).**

I. ALLUS. και αυτος . . . παντων   (*Ant. Apol.*; III, i, 148, 7-8); CIT. καθως φησιν ο αποστολος . . . και εν ω τα παντα συνεστηκεν   (*C. Eun.* 3.10.4; II, 290, 12-13); CIT. εν η παντα, καθως φησιν ο αποστολος, συνεστηκε   (*C. Eun.* 1.373; I, 137, 1-2); CIT. εν ω τα παντα συνεστηκε, καθως φησιν ο αποστολος (*Ref. Eun.* 169; II, 383, 10-11).

II. There is no evidence for εν ω instead of εν αυτω or for the word order εν (αυτω) τα παντα in *C. Eun.* 3.10.4 and *Ref. Eun.* τα is omitted by D F G 33* arm, but in *C. Eun.* 1.373 the omission is at the beginning of a short quotation and is not relevant.

(1:24-25) **νῦν χαίρω ἐν τοῖς παθήμασι μου [ὑπὲρ ὑμῶν] καὶ ἀνταναπληρῶ τὰ ὑστερήματα τῶν θλίψεων (τοῦ Χριστοῦ) ἐν τῇ σαρκί μου ὑπὲρ τοῦ σώματος αὐτοῦ, ὅ ἐστιν ἡ ἐκκλησία, (25) ἧς ἐγενόμην [ἐγὼ] διάκονος κατὰ τὴν οἰκονομίαν.**

I. CIT. καθως φησι προς τους Κολοσσαεις ο αποστολος, ουτωσι λεγων τω ρηματι· νυν . . . παθημασι μου και . . . των υπερ Χριστου θλιψεων εν . . .   (25) ης εγενομην διακονος . . .   (*Fil.*; III, ii, 18, 23—19, 3. VR: εν] επι ms.; αναπληρω ms.; ο] οπερ ms.; (25) ης] η ms.; την αυτου ms.).

II. μου after παθημασι(ν) is found in ℵ^c 35 38 81 216 226 323 326 330 440 547 629 642 1241^s 1867 1912 2005 2464 vg^mss har arm Chr Cyr and is therefore included in the reconstruction, but it cannot be treated below because none of the witnesses employed in this study support Gregory. There is no evidence for the omission of υπερ υμων, although υπερ alone is omitted by ℵ* L 69*. There is no evidence for των υπερ Χριστου θλιψεων instead of των θλιψεων του Χριστου. (25) There is no evidence for the omission of εγω. Just because

Gregory omits εγω, it is not safe to cite him for the omission of Παυλος.

III-179. ο Greg^ed {B} *et rel.*] ος C D 0150 0151; οπερ Greg^ms.

(2:5) τὸ στερέωμα τῆς εἰς Χριστὸν πίστεως.

I. CIT. το στερεωμα . . . πιστεως καθως ο Παυλος φησι (*Cant.* 13; VI, 385, 2-3).

(2:8) διὰ τῆς φιλοσοφίας καὶ κενῆς ἀπάτης.

I. ALLUS. ουκ ερρωσθαι φρασαντες τοις δια της . . . (*Hom. opif.* 26.13.114; Forbes 264, 28—265, 2).

(2:9) ὅτι ἐν αὐτῷ κατοικεῖ πᾶν τὸ πλήρωμα τῆς θεότητος σωματικῶς.

I. ADAPT. εν ω κατωκησε το πληπωμα . . . (*C. Eun.* 3.10.13; II, 294, 5-6); ADAPT. εν αυτω δε κατοικειν το πληρωμα της θεοτητος ο μεγας Παυλος διαμαρτυρεται (*Ref. Eun.* 192; II, 393, 17-18. VR: κατοικει ms.); CIT. η της γραφης διδασκαλια . . . οτι εν . . . θεοτητος (*Trin.*; III, i, 6, 22—7, 1); ADAPT. εν αυτω φησιν ο αποστολος κατοικειν παν . . . (*Ant. Apol.*; III, i, 173, 17-19); ALLUS. εν ω κατωκησε παν . . . (*Cant.* 13; VI, 391, 4-5. VR: παν om. mss.; σωματικην ms.); ALLUS. εν η κατοικει . . . θεοτητος (*V. Moy.* 2; VII, i, 92, 18-19).

II. There is no evidence for any of Gregory's variations from the standard text.

(2:14) αὐτὸ ἦρκεν ἐκ τοῦ μέσου προσηλώσας τῷ σταυρῷ.

I. CIT. καθως φησιν . . . αυτο . . . (*Inscript. Pss.* 2.11; V, 119, 11-12).

III-180. ηρκεν Greg {A} *et rel.*] ηρεν D* G 223; ηρκται P.

(3:1-4) εἰ [οὖν] συνηγέρθητε τῷ Χριστῷ, τὰ ἄνω (ζη-τεῖτε) οὖ ὁ Χριστός ἐστιν ἐν δεξιᾷτοῦ (θεοῦ) καθή-μενος· (2) τὰ ἄνω φρονεῖτε, μὴ τὰ ἐπὶ τῆς γῆς. (3) ἀπεθάνετε γὰρ καὶ ἡ ζωὴ ὑμῶν κέκρυπται σὺν

τῷ Χριστῷ ἐν τῷ θεῷ· (4) ὅταν ὁ Χριστὸς φανε-
ρωθῇ, ἡ ζωὴ ὑμῶν, τότε καὶ ὑμεῖς σὺν αὐτῷ φανερω-
θήσεσθε ἐν δόξῃ.

I. CIT. ει συνηγερθητε τω Χριστω, (2) τα ανω . . . γης.
λεγει ταυτα προς ημας ο εν Παυλω λαλων· (3) απεθανετε
γαρ, φησι, και . . . (*Cant.* 9; VI, 262, 1-5. VR: (2) και μη
mss.; τα²] το ms.; της om. ms.; (3) ημων mss.; (4) και οταν
vers.; εν τη ζων ms.; ημων mss.; ημεις mss.; συν αυτω
om. mss.); CIT. ος εκ της αγαν προσοχης των θεοπνευστων
γραφων ουπω ηκουσεν οτι τα ανω φρονειτε, ου . . . δεξια
του πατρος καθημενος (*Ref. Eun.* 43; II, 329, 16-18. VR: εν τη
ms.); ALLUS. ου ο Χριστος . . . δεξια του πατρος καθημενος
(*Cant.* 9; VI, 262, 16-17. VR: εστιν om. mss.).

II. There is no evidence for the omission of ουν in *Cant.*, line 1, for
the substitution of φρονειτε for ζητειτε in *Ref. Eun.*, or for the
substitution of πατρος for θεου in *Cant.*, line 2, and *Ref. Eun.*

III-181. (3) τω² Greg {A} *et rel.*] om. K L 049.

-182. (4) υμων Greg^ed {C} 𝔓46 ℵ D* G P Ψ 075 33 UBS] ημων
Greg^mss *et rel.* (A illeg.).

(3:5) (νεκρώσατε [οὖν] τὰ μέλη τὰ ἐπὶ τῆς γῆς.)

I. ALLUS. ο γαρ δια του νεκρωσαι τα επι της γης μελη
(*Bas.*; X, i, 126, 20. VR: της om. ms.; τα μελη τα επι της
γης ms.).

II. There is no evidence for any of the changes Gregory makes.
Because the statement is a mere allusion with changes in word order, it
would be unsafe to cite Gregory for the omission of υμων after μελη.

(3:9-10) μὴ ψεύδεσθε εἰς ἀλλήλους, ἀπεκδυσάμενοι
τὸν παλαιὸν ἄνθρωπον σὺν ταῖς πράξεσι αὐτοῦ (10)
καὶ (ἐνδυσάμενοι) τὸν [νέον τὸν] ἀνακαινούμενον
[εἰς ἐπίγνωσιν] κατ' εἰκόνα τοῦ κτίσαντος [αὐτόν].

I. CIT. μη . . . αλληλους. . . . και πολλα τοιαυτα εστιν
ειπειν και εκ της αρχαιοτερας γραφης (*Eccl.* 7; V, 410, 2-3, 5-
6. VR: ψευδεσθαι mss.); CIT. καθως φησιν ο αποστολος . . .
απεκδυσαμενοι, λεγων, τον παλαιον . . . πραξεσι και ταις

επιθυμιαις αυτου   (*C. Eun.* 3.2.53; II, 69, 28—70, 3); CIT. ο
Παυλος . . . λεγων απεκδυσασθαι δειν τον παλαιον ανθρωπον
(10)   και ενδυσασθαι τον ανακαινουμενον κατ εικονα του
κτισαντος   (*Hom. opif.* 31.33.138; Forbes 318, 16-18).

II. The is no evidence for the addition of και ταις επιθυμιαις in *C.
Eun.* There is no evidence for any of the deviations in the quotation in
Hom. opif.

(3:11) πάντα καὶ ἐν πᾶσι Χριστός.

I. CIT. καθως φησιν ο αποστολος, ουκ ενι αρσεν και θηλυ,
παντα δε και . . .   (*Virg.* 20; VIII, i, 328, 5-6).

II. The first part of the quotation is from Gal. 3:28, although D* F G
629 d dem e f g Amb Aug Hier Hil Pelag add αρσεν και θηλυ here. It
is not safe to cite Gregory for the omission of τα before παντα.

I THESSALONIANS

(1:9) θεῷ ζῶντι καὶ ἀληθινῷ.

I. CIT. θεω ζωντι τε και αληθινω, καθως ο αποστολος λεγει
(*Ref. Eun.* 30; II, 323, 28—324, 1. VR: τε om. mss.).

II. There is no evidence for the addition of τε.

(2:7) ὡς ἐὰν τροφὸς θάλπῃ τὰ ἑαυτῆς τέκνα.

I. CIT. ως . . . τεκνα, καθως . . . ελεγεν ο αποστολος
(*Cant.* 7; VI, 242, 11-13. VR: θαλπει mss.).

III-183. εαν   Greg {B} B C D G P Ψ 1739 UBS] αν   rel.   (𝔓46
0142 vac.)

-184. θαλπη   Greg^ed {C} *et rel.*] θαλπει   Greg^mss K L P 0151
33^vid (𝔓46 0142 vac.).

(2:8) ὁμειρόμενοι ὑμῶν.

I. CIT. ειποντα οτι ομειρομενοι υμων   (*Fil.*; III, ii, 25, 20. VR:
ιμειρομενοι ms., ιμειρομενος ms.).

(4:13) οὐ θέλω [δὲ] ὑμᾶς ἀγνοεῖν, ἀδελφοί, περὶ τῶν
κεκοιμημένων, ἵνα μὴ 'λυπῆσθε / λυπεῖσθε' ὡς καὶ
οἱ λοιποὶ οἱ μὴ ἔχοντες ἐλπίδα.

I. CIT. τη του μεγαλου Παυλου φωνη . . . ου θελω υμας . . .
μη λυπησθε ως . . . (Mort.; IX, 66, 19-22. VR: θελομεν ms.);
CIT. ου θελω ουν υμας . . . κεκοιμημενων ταυτα α μεμα-
θηκαμεν, και ει τι αλλο προς τουτοις παρα του πνευματος του
αγιου τοις τελειοτεροις αποκαλυπτεται μαθημα, ινα μη
λυπησθε ως . . . (Mort.; IX, 68, 10-14); ADAPT. ακουσατε του
Παυλου παρεγγυωντος· μη λυπεισθε ως . . . (Melet.; IX, 456,
3-4).

II. There is no evidence for the omission of δε in Mort., p. 66, or the
substitution of ουν on p. 68. θελω instead of θελομεν in both
quotations from Mort. is also supported by 1 104 203 506 614 630 642
794 876 1908 2138 pesh har bo arm Aug^pt Bas Chr^pt Eus Or^pt
Thdrt^pt. λυπεισθε is attested A D* F G L (330 λυπεισθαι) 1241 1908
2344 2412 Bas Cyr Euthal, λυπησθε by ℵ B D^c K Ψ 0150 0151 69
223 436 462 876 1739 𝔐. ως is also read by ℵ^c 1 255 1149 1611
1872 1908 1912 2005 2138 Bas Cyr-Jer Hip Or.

III-185. θελω   Greg {B} 0142] θελομεν   rel. (𝔓46 C P 049 vac.).

-186. κεκοιμημενων Greg {A} et rel.]   κοιμωμενων ℵ A B 0150
0151 (33 κοιμημενων) 1739 UBS (𝔓46 C P 049 vac.).

-187. ως Greg {B} D* G Ψ 075 1739] καθως rel. (𝔓46 C P 049
vac.).

(4:16) (αὐτὸς ὁ κύριος ἐν κελεύσματι, ἐν φωνῇ ἀρχ-
αγγέλου . . . καταβήσεται).

I. ADAPT. φησιν ο αποστολος, αυτον καταβησεσθαι τον κυριον
εν κελευσματι, εν φωνη αρχαγγελου (Hom. opif. 26.11.113;
Forbes 262, 19-21).

II. There is no evidence for any of Gregory's alterations.

(4:17) ἁρπαγησόμεθα ἐν νεφέλαις εἰς ἀπάντησιν τοῦ
κυρίου εἰς ἀέρα· καὶ οὕτως πάντοτε σὺν κυρίῳ
ἐσόμεθα.

I. CIT. ειποντος του λογου . . . αρπαγησομεθα . . . (*Mort.*; IX, 62, 21-24); CIT. αρπαγησομεθα γαρ, καθως φησιν ο αποστολος, εν νεφελαις . . . (*Or. Dom.* 4; Krabinger 74, 33-36); CIT. κατα τον του αποστολου λογον και ημεις αρπαγησομεθα . . . αερα (*C. Eun.* 3.10.15; II, 295, 1-2. VR: υπαντησιν ms.).

III-188. απαντησιν Greg^ed {B} *et rel.*] υπαντησιν Greg^ms D* G (𝔓46 C 049 vac.).

-189. του κυριου Greg {A} *et rel.*] τω Χριστω D* G (𝔓46 C 049 vac.).

(4:18) παρακαλεῖτε ἀλλήλους ἐν τοῖς λόγοις τούτοις.

I. ALLUS. παρακαλειτε . . . (*Melet.*; IX, 457, 1-2. VR: εν om. ms.; εν καλως ms.).

(5:23) [αὐτὸς] (δὲ ὁ) θεὸς [τῆς εἰρήνης] ἁγιάσει ὑμᾶς ὁλοτελεῖς, καὶ ὁλόκληρον ὑμῶν (τὸ πνεῦμα) καὶ ἡ ψυχὴ καὶ (τὸ σῶμα).

I. CIT. δια τουτο τοις Θεσσαλονικευσιν . . . ειπων· ο δε θεος αγιασει . . . υμων το σωμα και η ψυχη και το πνευμα (*Ant. Apol.*; III, i, 210, 28-31).

II. There is no evidence for the omission of αυτος and the resulting change of word order or the omission of της ειρηνης. In addition to G below, αγιασει is found elsewhere only in bo (αγιαση in 1912).

III-190. αγιασει Greg {C} G] αγιασαι *rel.* (𝔓46 C 049 vac.).

II THESSALONIANS

(3:8) δωρεὰν ἄρτον (ἐφάγομεν).

I. ADAPT. το του αποστολου καυχησαιτο οτι δωρεαν αρτον ουκ εφαγον (*C. Eun.* 1.103; I, 57, 5-6. VR: εφαγον] ελαβον ms.).

II. There is no evidence for εφαγον.

I TIMOTHY

(1:7) μὴ (νοοῦντες) μήτε ἃ (λέγουσιν) μήτε περὶ τίνων διαβεβαιοῦνται.

I. ADAPT. καθως φησιν ο αποστολος, μη ειδως μητε α λεγει μητε . . . διαβεβαιουται (*C. Eun.* 3.5.64; II, 184, 7-8); ADAPT. ουκ ειδοτα δε, καθως φησιν ο αποστολος, ουτε ο λεγει ουτε περι . . . διαβεβαιουται (*C. Eun.* 3.8.29; II, 249, 26—250, 1).

II. There is no evidence for any of the adaptations.

(1:13) τὸ πρότερον (ὄντα βλάσφημον) καὶ (διώκτην) καὶ (ὑβριστήν).

I. ADAPT. καθως φησιν . . . το προτερον ων βλασφημος και διωκτης και υβριστης (*Cant.* 13; VI, 392, 13-15).

II. There is no evidence for the changes of case.

III-191. το   Greg {B} *et rel.*] τον   K L 0142 0150 0151 223 2423 𝔐 (𝔓46 B C 049 vac.).

-192. οντα   (Greg {A} ων) *et rel.*] + με   A Ψ   (𝔓46 B C 049 vac.).

(1:17) ἀφθάρτῳ ἀοράτῳ μόνῳ σοφῷ θεῷ.

I. CIT. οταν . . . λεγη ο θειος αποστολος αφθαρτω . . . (*Ref. Eun.* 124; II, 365, 11-12. VR: και αορατω ms.).

III-193. αφθαρτω αορατω   Greg {A} *et rel.*] αθανατω αορατω D*; αφθαρτω αορατω αθανατω G (𝔓46 B C 049 vac.).

-194. σοφω   Greg {A} *et rel.*] om. ℵ A D G 0150 33 1739 UBS (𝔓46 B C 049 vac.).

(2:4) ὃς πάντας ἀνθρώπους θέλει σωθῆναι καὶ εἰς ἐπίγνωσιν ἀληθείας ἐλθεῖν.

I. ALLUS. ος . . .   (*Cant.* 10; VI, 304, 1-2. VR: ως ms.; ος θελει παντας ανθρωπους mss.; om. παντας ανθρωπους σωθηναι ms.; om. ανθρωπους mss.); ALLUS. ουτω του θεου του παντας θελοντος σωθηναι . . . αληθειας (*C. Eun.* 2.249; I, 299, 2-3); ALLUS. ο παντας θελων σωθηναι . . . (*Ref. Eun.* 16; II, 319, 4-5); CIT. καθως φησιν ο αποστολος, παντας θελει . . . (*Ant. Apol.*; III, i, 176, 22-24); ALLUS. τουτο δε εστι το παντας ανθρωπους θελειν σωθηναι . . . (*Ant. Apol.*; III, i, 181, 28-29); ALLUS. ο γαρ παντας θελων σωθηναι . . . (*Cant.* 1; VI, 15, 15-16); ALLUS. ο θελων παντας σωθηναι . . . (*Cant.* 4; VI, 130, 2-3. VR: παντας ανθρωπους ms. vers.); ALLUS. τουτο δε εστι το παντας σωθηναι . . . (*Cant.* 4; VI, 131, 12-13. VR: το om. ms.; παντας ανθρωπους vers.); ALLUS. παντας θελει σωθηναι . . . (*Cant.* 7; VI, 215, 1-2. VR: θελει παντας mss.).

II. There is no evidence for any of the deviations from the standard text.

(2:5) εἶς [γὰρ] θεός, (εἶς καὶ) μεσίτης θεοῦ καὶ ἀνθρώπων, ἄνθρωπος Ἰησοῦς Χριστός.

I. ADAPT. ουτος εστιν ο μεσιτης . . . ανθρωπων, ειπων ουτω τω ρηματι οτι εις θεος και εις μεσιτης . . . (*Ref. Eun.* 142; II, 373, 23—374, 2. VR: Ιησους Χριστος mss.); ALLUS. μεσιτην αυτον θεου και ανθρωπων και ανθρωπον και θεον ονομαζων (*C. Eun.* 3.4.14; II, 139, 2-3); ALLUS. δι ο και μεσιτης λεγεται θεου και ανθρωπων (*Ant. Apol.*; III, i, 203, 25-26); ALLUS. δι αυτο δε τουτο το νοημα και μεσιτης . . . ανθρωπων ωνομασθη παρα του Παυλου ο κυριος (*Fil.*; III, ii, 21, 12-13); ALLUS. δια τουτο ο μεσιτης . . . ανθρωπων (*Ref. Eun.* 83; II, 346, 12-13).

II. There is no evidence for the omission of και in *Ref. Eun.* 142. και εις in the same work is read only by 51 241 436 547 r. Because the quotation has been adapted, it is best to restore εις και. In addition to K and 223 below, Ιησους Χριστος is supported by 103 201 216 234 337 425 460 480 483 498 664 1836 pesh eth arm Ath Chr Epiph^pt Eus^pt Hil^pt Mcell.

III-195. Ιησους Χριστος Greg^ed [C] K 223] Χριστος Ιησους Greg^mss *et rel.* ($\mathfrak{P}$46 B C 049 vac.).

(2:10, 9) ὡς πρέπει γυναιξὶν ἐπαγγελλομέναις θεοσέβειαν (9) μετὰ αἰδοῦς καὶ σωφροσύνης κοσμεῖν ἑαυτάς.

I. CIT. ουτω γραψας τω ρηματι οτι ως πρεπει . . . (*Cant.* 7; VI, 220, 7-9. VR: γυναιξιν om. mss.; επαγαλλομεναις mss.; θεοσεβειν mss.).

II. ως as opposed to ὅ is read only 255 642 919 2412 pesh arm Cyp Ephr.

(2:14) ἡ [δὲ] γυνὴ ἐξαπατηθεῖσα ἐν παραβάσει γέγονε.

I. CIT. καθως φησιν ο αποστολος, η γυνη . . . (*C. Eun.* 3.10.16; II, 295, 9-10).

II. There is no evidence for the omission of δε.

III-196. εξαπατηθεισα Greg {B} *et rel.*] απατηθεισα K L 075 0142 0151 223 𝔐 (𝔓46 B C 049 2423 vac.).

(2:15) (σωθήσεται) [δὲ] διὰ τῆς τεκνογονίας.

I. CIT. καλως εστι το αποστολικον ειπειν επι τουτου οτι σωζεται δια . . . (*Virg.* 13; VIII, i, 305, 15-16); ALLUS. δια της τεκνογονιας σωζομενην, καθως φησιν ο αποστολος (*Mart.* 1b; X. i, 155, 3-4).

II. There is no evidence for σωζεται or the omission of δε in *Virg.*

(3:2) (δεῖ) [οὖν] τὸν ἐπίσκοπον ἀνεπίλημπτον εἶναι.

I. ADAPT. δια της προς Τιμοθεον επιστολης . . . εν οις φησι δειν τον . . . (*Ep.* 17.22; VIII, ii, 56, 12-14).

II. There is no evidence for δειν or the omission of ουν.

(3:15) πῶς δεῖ ἐν οἴκῳ θεοῦ ἀναστρέφεσθαι . . . (στῦλος) καὶ ἑδραίωμα τῆς ἀληθείας.

I. CIT. καθως φησιν ο αποστολος οτι πως . . . αναστρεψεσθαι (*Cant.* 14; VI, 415, 21-22. VR: δειν ms.; αναστρεψεσθαι ητις εστιν εκκλησια θεου ζωντος vers.); ADAPT. καθως φησι . . . στυλον και . . . (*V. Moy.* 2; VIII, i, 96, 1. VR: στυλος mss.; αληθειας] εκκλησιας ms.).

II. There is no evidence for στυλον in *V. Moy.*

(3:16) μέγα [ἐστὶν] τὸ τῆς εὐσεβείας μυστήριον· 'ὁ
/ om.' θεὸς ἐφανερώθη ἐν σαρκί, ἐδικαιώθη ἐν
πνεύματι.

I. CIT. λεγω δε το μεγα της . . . μυστηριον, δι ου ο θεος
. . . σαρκι (*Cant.* 13; VI, 381, 16-17. VR: o om. mss.);
ALLUS. φησι το της ευσεβειας μυστηριον (*Or. catech.* 16;
Srawley 69, 13-14); ALLUS. πως ουν εφανερωθη εν σαρκι ο
θεος; (*C. Eun.* 3.2.26; II, 60, 22); ALLUS. θεος εφανερωθη εν
σαρκι (*C. Eun.* 3.3.35; II, 120, 7); ALLUS. ὃ ων μανθανομεν
οτι ουτ αν εν σαρκι ο θεος εφανερωθη (*C. Eun.* 3.4.46; II, 152,
5-6); CIT. Τιμοθεω δε διαρρηδην βοα οτι ο θεος . . . (*C. Eun.*
3.9.16; II, 269, 25—270, 1); CIT. φησι . . . ο θεος . . . σαρκι
(*Ant. Apol.*; III, i, 133, 4-6); ALLUS. και θεος . . . σαρκι (*Ant.
Apol.*; III, i, 147, 9); ALLUS. οτι θεος . . . σαρκι (*Cant.* 13; VI,
381, 5-6. VR: o θεος mss.).

II. There is no evidence for the omission of εστιν το in *Cant.* 13, line
16, or the changes of word order in *C. Eun.* 3.3 and 3.4. It is impos-
sible to decide whether Gregory's NT ms(s). had both o θεος and θεος
or only θεος or only o θεος. He himself could easily have added or
deleted the article while quoting from memory. The article is attested
only by 88 *pc.* But it is certain that he knew θεος as opposed to ος.

III-197. θεος (Greg {A} θεος and / or o θεος) *et rel.*] ος ℵ*
A*vid C* G 33 UBS; o D* (𝔓46 B 049 2423 vac.).

(4:2) (κεκαυτηριασμένων) τὴν ἰδίαν συνείδησιν.

I. ADAPT. ους κεκαυτηριασμενους την . . . συνειδησιν ο
αποστολος ονομαζει (*Virg.* 7; VIII, i, 282, 14-15).

II. There is no evidence for the accusative instead of the genitive.

III-198. κεκαυτηριασμενων (Greg {B} -μενους) *et rel.*] κεκαυστη-
ριασμενων ℵ A L 223 UBS (𝔓46 B 049 2423 vac.).

(4:4) πᾶν κτίσμα θεοῦ καλὸν καὶ οὐδὲν ἀπόβλητον
μετὰ εὐχαριστίας λαμβανόμενον.

I. ALLUS. παν γαρ κτισμα . . . αποβλητον (*Virg.* 12; VIII, i, 299, 14-15); ALLUS. ουκουν παν κτισμα θεου των εν ημιν κατεσκευασμενων καλον . . . (*Eccl.* 8; V, 428, 6-8. VR: μετ mss.); ADAPT. ως αν μηδεν αποβλητον ειη της κτισεως, καθως φησιν ο αποστολος (*Or. catech.* 6; Srawley 31, 1-2).

(4:10) σωτὴρ πάντων ἀνθρώπων μάλιστα πιστῶν.

I. CIT. ωσπερ εις ο πατηρ σωτηρ . . . πιστων υπο του αποστολου ωνομασται (*Tres dei*; III, i, 52, 3-4. VR: εις] οις ms.; εις θεος excerptor.; πατηρ om. mss.; σωτηρ om. ms.; παντων των ms.; ανθρωπων και excerptor.; μαλιστα δε vers.).

(4:13) πρόσεχε τῇ ἀναγνώσει.

I. CIT. ουκουν προσεχε τη αναγνωσει, τεκνον Τιμοθεε (*Pyth.*; III, ii, 101, 9).

II. τεκνον Τιμοθεε is derived from 1:18 but is treated here as a citation formula.

(5:17) οἱ [καλῶς προεστῶτες] πρεσβύτεροι διπλῆς τιμῆς ἀξιούσθωσαν, μάλιστα οἱ κοπιῶντες ἐν λόγῳ.

I. CIT. οι πρεσβυτεροι, φησι, διπλης . . . (*Eccl.* 1; V, 292, 8-9. VR: μαλιστα] μαλλον ms.; οι κοπιωντες] οικοποιωντες ms.).

II. There is no evidence for the omission of καλως προεστωτες.

(6:7) οὐδὲν [γὰρ] εἰσηνέγκαμεν εἰς τὸν κόσμον, [ὅτι] οὐδὲ ἐξενεγκεῖν τι (δυνάμεθα).

I. ADAPT. ουδεν εισηνεγκαμεν . . . κοσμον ουδε . . . τι οφειλομεν (*Mart.* 1b; X, i, 153, 19. VR: εις τον κοσμον om. ms.; ουδε] ουδεν ms.).

II. There is no evidence for the omission of γαρ or for the substitution of οφειλομεν for δυναμεθα. Only cop Hier omit οτι.

(6:10) ῥίζα [γὰρ] πάντων τῶν κακῶν (ἐστιν) ἡ φιλαργυρία.

I. ALLUS. αλλα ριζα παντων των κακων η φιλαργυρια γινεται (*Hom. opif.* 21.2.97; Forbes 226, 23-24).

II. There is no evidence for the omission of γαρ or the substitution of γινεται for εστιν.

(6:15-16) ὁ μακάριος καὶ μόνος δυνάστης, ὁ βασι- λεὺς τῶν βασιλευόντων καὶ κύριος τῶν κυριευόντων, (16) ὁ μόνος ἔχων ἀθανασίαν, φῶς οἰκῶν ἀπρόσιτον, ὃν εἶδεν 'οὐδεὶς ἀνθρώπων / ἀνθρώπων οὐδεὶς' οὐδὲ ἰδεῖν δύναται, ᾧ τιμὴ καὶ κράτος αἰώνιον.

I. CIT. ο μεγας Παυλος . . . εν τινι των επιστολων . . . ο μακαριος . . . (*Inscript. Pss.* 1.1; V, 25, 20—26, 2. VR: (16) και om. ms.); ADAPT. εως δ αν ο της γραφης αληθευη λογος, . . . και (16) ειδεν αυτον ανθρωπων ουδεις ουδε ιδειν δυναται, και οτι το περι αυτον φῶς απροσιτον (*C. Eun.* 3.5.55; II, 180, 1-5); ALLUS. ο μεν αληθως ατρεπτος τε και αναλλοιωτος (16) μονος εχει την αθανασιαν και φως οικει τω ζοφω της κακιας απροσιτον τε και απροσπελαστον (*C. Eun.* 3.6.78; II, 213, 18-21); CIT. ο λογος οτι . . . (16) ον ειδεν ανθρωπων ουδεις ουδε ιδειν δυναται (*C. Eun.* 3.8.8; II, 241, 15-17); ALLUS. (16) ον ουτε ειδε τις ανθρωπων ουτε ιδειν δυναται (*C. Eun.* 3.8.11; II, 242, 21); CIT. φησι γαρ ο Παυλος οτι (16) φως οικων απροσιτον (*C. Eun.* 3.10.25; II, 299, 12-13); CIT. (16) ουδε ιδειν τις δυναται, καθως ο Παυλος μαρτυρεται (*Cant.* 8; VI, 256, 13-14); CIT. ον ειδε γαρ φησιν (16) ανθρωπων ουδεις ουδε ιδειν δυναται (*Perf.*; VIII, i, 188, 10- 11. VR: ουτε ms.); ALLUS. (16) ουτε τις ειδεν ανθρωπων ουτε ιδειν δυναται (*Steph.* 1; X, i, 90, 16-17. VR: ειδεν αυτον mss.).

II. (16) και before φως in *C. Eun.* 3.6.78 is read only by D* 629 it^pt vg^cl pesh bo Ambst Did^pt Pelag Tert. It is not included in the restoration because of the loose nature of the quotation. The word order ανθρωπων ουδεις is found only in F G g goth Nov, but especially because Gregory has it three times (*C. Eun.* 3.5.55, 3.8.8, *Perf.*) it could have stood in one of his NT mss. *Inscript. Pss.* has the usual order ουδεις ανθρωπων. There is no evidence for Gregory's other variations, except that 2004 substitutes ουτε for ουδε.

III-199. (16) και Greg {A} *et rel.*] om. G P 223 (𝔓46 B C 049 2423 vac.).

II TIMOTHY

(2:6) τὸν κοπιῶντα γεωργὸν δεῖ πρῶτον τῶν καρπῶν μεταλαμβάνειν.

I. CIT. τον γαρ κοπιωντα . . . μεταλαμβανειν, φησιν (Eccl. 1; V, 292, 17-19); ALLUS. τουτο γαρ εστι το δειν πρωτον . . . μεταλαμβανειν (Eccl. 1; V, 292, 23-24. VR: δει mss.).

(2:7) κύριος σύνεσιν ἐν πᾶσιν.

I. CIT. τη του μεγαλου Παυλου φωνη . . . κυριος . . . (Pyth.; III, 2, 101, 10-11).

(2:13) εἰ ἀπιστοῦμεν, ἐκεῖνος πιστὸς μένει.

I. CIT. φησι γαρ ο αποστολος οτι ει . . . (Maced.; III, i, 97, 19-20).

(2:21) ἐὰν [οὖν] τις ἐκκαθάρῃ ἑαυτὸν [ἀπὸ τούτων], ἔσται σκεῦος εἰς τιμὴν, [ἡγιασμένον, καὶ εὔχρηστον] τῷ δεσπότῃ πρὸς πᾶν ἔργον ἀγαθὸν ἡτοιμασμένον.

I. CIT. εαν γαρ τις, φησιν, εκκαθαρη εαυτον, εσται . . . τιμην τω . . . (Cant. 7; VI, 208, 19—209, 1. VR: εαυτον απο τουτων ms. vers.; τιμην ευχρηστον ms. vers.; προς] εις mss.; ητοιμασμενον om. vers.).

II. There is no evidence for the omission of ουν, απο τουτων, or ηγιασμενον (και) ευχρηστον. και is included in the reconstruction because it is the Byzantine reading and Gregory is most closely related to the Byzantine type of text. In addition to D G below, προς is also attested by F 81 547 1022 1175 1611 1908 1912 2005.

III-200. προς Greg^{ed} {C} D G] εις Greg^{mss} et rel. (𝔓46 B 049 0151 2423 vac.).

(2:26) ἐζωγρημένοι [ὑπ' αὐτοῦ] εἰς τὸ ἐκείνου θέλημα.

I. CIT. οι εζωγρημενοι εις . . . θελημα κατα την του αποστολου φωνην (*Virg.* 7; VIII, i, 282, 23-24. VR: εις] προς mss.).

II. There is no evidence for the omission of υπ αυτου.

(3:14) μένε ἐν οἷς ἔμαθες καὶ ἐπιστώθης.

I. CIT. μενε, καθως φησιν ο αποστολος, εν . . . (*Eccl.* 1; V, 288, 21-22).

(3:16) πᾶσα γραφὴ θεόπνευστος καὶ ὠφέλιμος πρὸς διδασκαλίαν, πρὸς ἐλεγμόν, πρὸς ἐπανόρθωσιν, πρὸς παιδείαν τὴν ἐν δικαιοσύνῃ.

I. CIT. πασα γαρ, φησι, γραφη . . . ωφελιμος, ποικιλη δε και πολυειδης η ωφελεια, καθως φησιν ο αποστολος· προς διδασκαλιαν . . . (*C. Eun.* 3.5.8; II, 163, 5-9); CIT. δια τουτο πασα γραφη θεοπνευστος λεγεται (*C. Eun.* 3.5.15; II, 165, 13).

III-201. ελεγμον Greg {B} ℵ A C G 33 1739 UBS] ελεγχον *rel.* (𝔓46 B 049 0151 2423 vac.).

(3:17) ἄρτιος (ἦ) ὁ τοῦ θεοῦ ἄνθρωπος.

I. ADAPT. ει μελλοι αρτιος ειναι ο του θεου ανθρωπος, καθως φησιν ο αποστολος (*Perf.*; VIII, i, 178, 17-19).

II. There is no evidence for ειναι instead of η.

(4:7-8) τὸν καλὸν ἀγῶνα ἠγώνισμαι, τὸν δρόμον τετέλεκα, τὴν πίστιν τετήρηκα· (8) (λοιπὸν ἀπόκειταί μοι) ὁ τῆς δικαιοσύνης στέφανος, ὅν ἀποδώσει μοι . . . ὁ δίκαιος κριτής.

I. CIT. το του αποστολου . . . (8) αποκειται μοι λοιπον ο . . . μοι ο δικαιος κριτης, επειδη (7) τον καλον . . . ηγωνισμαι και τον . . . τετελεκα και την . . . (*V. Macr.*; VIII, i, 392, 11-15. VR: (7) τον αγωνα τον καλον mss.).

II. There is no evidence for the word order αποκειται μοι λοιπον in v. 8 or for the addition of και twice in v. 7.

III-202. τον καλον αγωνα Greg {B} א A C G 33 UBS] τον αγωνα τον καλον *rel.* (𝔓46 B 049 0151 2423 vac.).

TITUS

(1:9) τοῦ **κατὰ** τὴν **διδαχὴν** πιστοῦ λόγου.

I. ALLUS. του . . . (*Or. catech.* prologue; Srawley 1, 3-4).

(2:8) ἵνα ὁ ἐξ ἐναντίας ἐντραπῇ μηδὲν ἔχων λέγειν.

I. CIT. ινα, καθως φησιν ο αποστολος, ο εξ . . . (*V. Moy.* 2; VII, i, 135, 16-17).

(2:9) δούλους ἰδίοις δεσπόταις ὑποτάσσεσθαι.

I. CIT. δουλους τοις ιδιοις . . . υποτασσεσθαι, νομοθετει ο αποστολος (*Ref. Eun.* 198; II, 396, 9-11); ADAPT. οι δουλοι, φησι, τοις ιδιοις . . . υποτασσεσθωσαν (*Fil.*; III, ii, 4, 18-19).

II. There is no evidence for τοις before ιδιοις in both passages. οι δουλοι and υποτασσεσθωσαν in *Fil.* are supported only by D* and are probably due to adaptation.

III-203. ιδιοις δεσποταις Greg {A} *et rel.*] δεσποταις ιδιοις A D P 1739 (𝔓46 B 049 0151 2423 vac.).

(2:11) ἐπεφάνη ἡ χάρις τοῦ θεοῦ ἡ σωτήριος πᾶσιν ἀνθρώποις.

I. CIT. καθως φησιν ο αποστολος, επεφανη η . . . (*Or. catech.* 18; Srawley 75, 7-8); CIT. ο Παυλος βοα . . . επεφανη ημιν η σωτηριος χαρις (*Ant. Apol.*; III, i, 189, 1-2).

II. γαρ after επεφανη is omitted by 2 69 104 206^c 330 440 460 462 823 1311 1908 and therefore from the reconstruction, but because of Gregory's failure to reproduce accurately introductory words one cannot have much confidence whether the word did or did not stand in his NT.

III-204. η σωτηριος Greg {A} *et rel.*] σωτηριος A C D* 33 1739 UBS; σωτηρος א*; του σωτηρος ημων G (𝔓46 B 049 0151 2423 vac.).

(2:12) παιδεύουσα ἡμᾶς, (ἵνα ἀρνησάμενοι) τὴν ἀσέβειαν.

I. ADAPT. ο Παυλος βοα . . . παιδευουσα ημας αρνησασθαι μεν την ασεβειαν (Ant. Apol.; III, i, 189, 1-3).

II. There is no evidence for αρνησασθαι μεν.

(2:13) τὴν μακαρίαν ἐλπίδα καὶ ἐπιφάνειαν [τῆς δόξης] τοῦ μεγάλου θεοῦ καὶ σωτῆρος ἡμῶν Ἰησοῦ Χριστοῦ.

I. ALLUS. την μακαριαν . . . επιφανειαν του μεγαλου θεου (Virg. 14; VIII, i, 309, 5-6); CIT. ο Παυλος βοα . . . την μακαριαν ελπιδα (Ant. Apol.; III, i, 189, 1-4); ALLUS. κεχρηται των ονοματων . . . και μεγαν θεον (C. Eun. 3.4.15; II, 139, 9-10. VR: μεγα ms.); CIT. προς . . . Τιτον γραφων κατα την επιφανειαν του . . . (C. Eun. 3.9.16; II, 269, 23-25); CIT. λεγων· του μεγαλου . . . (Perf.; VIII, i, 194, 7-8. VR: ημων om. mss.).

II. There is no evidence for the omission of της δοξης in Virg. and C. Eun. 3.4.15.

III-205. Ιησου Χριστου Greg [A] et rel.] Χριστου ℵ* G; Ιησου 1739 (𝔓46 B 049 0151 2423 vac.).

HEBREWS

(1:1-2) πολυμερῶς καὶ πολυτρόπως πάλαι ὁ θεὸς λαλήσας τοῖς πατράσιν ἐν τοῖς προφήταις (2) ἐπ' ἐσχάτων τῶν ἡμερῶν [τούτων] ἐλάλησεν ἡμῖν ἐν υἱῷ.

I. CIT. πολυμερως . . . προφηταις· αυτη η της φωνης ακοη. (2) επ . . . ημερων ελαλησεν . . . (Cant. 5; VI, 140, 17—141, 1. VR: λαλησας] ελαλησε mss.; πατρασιν υμων mss.; (2) υιω αυτου vers.); ADAPT. επειδη γαρ γεγραπται οτι (2) επ . . . ημερων εν υιω ελαλησεν ημιν (1) ο θεος ο πολυμερως και πολυτροπως εν τοις προφηταις λαλησας τοις πατρασι το προτερον, αποδειξις εστι, φησι (Ant. Apol.; III, i, 155, 13-17).

II. (2) In addition to those below, εσχατων is the reading of 319 629 1245 1518 1739 1908 2005 2298 d e z pesh har eth Cyr^pt Cyr-Jer Mcell Or^pt Ps-Ath Thdrt^pt Tit and the TR but not 𝔐. There is no evidence for the omission of τουτων or the many changes of *Ant. Apol.*

III-206. (2) εσχατων   Greg {A} Ψ 075 0142 0150]   εσχατου *rel.* (C G 049 223 vac.)

(1:3) [ὃς] ὢν ἀπαύγασμα τῆς δόξης καὶ χαρακτὴρ τῆς ὑποστάσεως αὐτοῦ, φέρων [τε] τὰ (πάντα) τῷ ῥήματι τῆς δυνάμεως αὐτοῦ, καθαρισμὸν τῶν ἁμαρ-τιῶν ἡμῶν ποιησάμενος ἐκάθισεν ἐν δεξιᾷ τῆς μεγαλωσύνης.

I. ADAPT. το παρα του αποστολου ειρημενον . . . το απαυγασμα ειναι της δοξης και χαρακτηρα της υποστασεως τον υιον   (*C. Eun.* 3.6.12; II, 190, 5-7); CIT. κατα την αποστολικην μαρτυριαν, και το απαυγασμα . . . και ο χαρακτηρ της υποστασεως   (*C. Eun.* 3.6.51; II, 203, 24-26); CIT. ων γαρ, φησιν, απαυγασμα της δοξης   (*C. Eun.* 1.637; I, 209, 18-19); ALLUS. ο Παυλος απαυγασμα δοξης αυτον ονομαζει (*Fid.*; III, i, 63, 26-27); ALLUS. τον φεροντα τα συμπαντα τω ρηματι της δυναμεως αυτου   (*C. Eun.* 3.1.11; II, 7, 18-19); ALLUS. αρα ο τα συμπαντα φερων τω ρηματι της δυναμεως αυτου   (*Ref. Eun.* 47; II, 331, 11-12); ALLUS. ο γαρ τα συμπαντα φερων τω ρηματι της δυναμεως αυτου   (*Ref. Eun.* 70; II, 341, 12-13); ADAPT. ταυτα φησιν ο προφητης περι του τα συμπαντα φεροντος τω ρηματι της δυναμεως αυτου   (*Ref. Eun.* 135; II, 370, 16-17. VR: αυτου om. ms.); CIT. ων, φησιν, απαυγασμα . . . υποστασεως αυτου   (*Ref. Eun.* 161; II, 380, 19-20); ALLUS. ο τα συμπαντα φερων τω ρηματι της δυναμεως αυτου   (*Ref. Eun.* 162; II, 380, 27-28); ALLUS. το γαρ απαυγασμα της δοξης και ο χαρακτηρ της υποστασεως τον καθαρισμον . . . ημων εποιησατο   (*Ref. Eun.* 223; II, 406, 11-12); CIT. προσμαρτυρει ο αποστολος· καθαρισμον γαρ, φησι, των αμαρτιων . . . μεγαλοσυνης του πατρος   (*Or. Dom.* 3; Krabinger 60, 33-36. VR: πατρος εν υψηλοις ms.).

II. There is no evidence for the omission of ος or τε in all of the quotations containing those parts of the verse, for the substitution of τον υιον for αυτου in *C. Eun.* 3.6.12, for συμπαντα instead of παντα in all of the quotations containing that portion, for the substitution of ειναι for ων in *C. Eun.* 3.6.12, for the addition of του πατρος in *Or. Dom.*, or for the various other deviations due to loose quotation.

III-207. αυτου[2]   Greg[ed] {A} *et rel.*] om. Greg[ms] 𝔓46 1739 (C G 049 223 vac.).

-208. των αμαρτιων (ημων) ποιησαμενος Greg {B} *et rel.*] ποιησαμενος των αμαρτιων (ημων) K L Ψ 075 0142 0151 2423 𝔐 (C G 049 223 vac.).

-209. ημων Greg {A} K L 075 0142 0150[vid] 0151 33 2423 𝔐] om. *rel.* (C G 049 223 vac.).

(1:5-8, 10, 12) τίνι γὰρ εἶπέ ποτε τῶν ἀγγέλων· υἱός μου εἶ σύ; . . . (6) ὅταν δὲ πάλιν εἰσαγάγῃ τὸν πρωτότοκον εἰς τὴν οἰκουμένην, λέγει· καὶ προσκυνησάτωσαν αὐτῷ πάντες ἄγγελοι θεοῦ. (7) καὶ πρὸς μὲν τοὺς ἀγγέλους λέγει· ὁ ποιῶν τοὺς ἀγγέλους αὐτοῦ πνεύματα καὶ τοὺς λειτουργοὺς αὐτοῦ πυρὸς φλόγα, (8) πρὸς δὲ τὸν υἱόν· ὁ θρόνος σου ὁ θεὸς εἰς τὸν αἰῶνα τοῦ αἰῶνος, ῥάβδος εὐθύτητος ἡ ῥάβδος τῆς βασιλείας σου. (10) σὺ κατ᾽ ἀρχάς, (κύριε,) τὴν γῆν ἐθεμελίωσας, καὶ ἔργα τῶν χειρῶν σού εἰσιν οἱ οὐρανοί· (12) σὺ δὲ ὁ αὐτὸς εἶ καὶ τὰ ἔτη σου οὐκ ἐκλείψουσι.

I. CIT. ακουσατωσαν της μεγαλης του Παυλου φωνης . . . τινι . . . (6) και οταν παλιν . . . (8) . . . σου, και οσα αλλα μετα τουτων η προφητεια θεολογουσα διεξεισι. προστιθησι δε και αφ ετερας υμνωδιας τα προσφορα το (10) συ κατ αρχας την γην εθεμελιωσας, κυριε, και εργα . . . ουρανοι, και τα εφεξης παντα εως τον (12) συ . . . εκλειψουσι, δι ων το αναλλοιωτον τε και το αιδιον υπογραφει της φυσεως (*C. Eun.* 3.2.40-41; II, 65, 10-26. VR: (6) αυτω] αυτον ms.; (7) και[2] . . . φλογα om. ms.; (10) κυριε την γην εθεμελιωσας mss.); CIT. εν δε τη προς Εβραιους επιστολη . . . λεγει . . . (6) οταν . . . αγγελοι αυτου (*C. Eun.* 3.2.45; II, 67, 9-13. VR: αυτον ms.; αυτου] θεου ms.); CIT. (6) οταν παλιν εισαγαγη, φησι, τον . . . οικουμενην (*C. Eun.* 3.2.47; II, 67, 21-22); CIT. ειπων· (6) οταν . . . θεου (*Ref. Eun.* 79; II, 344, 25—345, 1); CIT. φησιν (6) οταν . . . λεγει (*Ref. Eun.* 84; II, 347, 4-5); CIT. (6) οταν γαρ εισαγαγη τον πρωτοτοκον, φησιν, εις . . . παντες οι αγγελοι αυτου (*Ant. Apol.*; III, i, 201, 31—202, 2. VR: οι om.

ms.); CIT. (6) οταν γαρ, φησιν, εισαγαγη . . . αγγελοι αυτου, και το (8) ο θρονος . . . αιωνος, και το (12) συ . . . (*C. Eun.* 3.9.28; II, 274, 9-13. VR: (6) αυτω] αυτον; (12) συ δε] ου ms.).

II. (6) There is no evidence for: και instead of δε in *C. Eun.* 3.2.40; αυτου instead of θεου in *C. Eun.* 3.2.45, 3.9.28, and *Ant. Apol.*; the omission of δε in *C. Eun.* 3.2.47; γαρ for δε in *Ant. Apol.* and *C. Eun.* 3.9.28; the omission of παλιν in *Ant. Apol.*; and the addition of οι before αγγελοι in *Ant. Apol.* (10) There is no evidence for the displacement of κυριε in *C. Eun.* 3.2.41.

III-210. ποτε των αγγελων   Greg {A} *et rel.*] των αγγελων ποτε D*; των αγγελων   0150 (C G 049 vac.).[1]

-211. (7) αγγελους[1]   Greg {A} *et rel.*] + αυτου D (𝔓46 C G 049 vac.).

-212. πνευματα   Greg {A} *et rel.*] πνευμα D (𝔓46 C G 049 vac.).

-213. (8) του αιωνος   Greg {A} *et rel.*] om. B 33 (C G 049 vac.).

-214. αιωνος   Greg {A} K L P Ψ 0142 0151 223 𝔐] + και *rel.* (C G 049 vac.).

-215. ραβδος ευθυτητος η ραβδος   Greg {A} *et rel.*] η ραβδος της ευθυτητος ραβδος 𝔓46 A B 0150 33 1739 UBS; η ραβδος ℵ* (C G 049 vac.).

-216. σου[2]   Greg {A} *et rel.*] αυτου 𝔓46 ℵ B (C G 049 vac.).

-217. (12) ο   Greg {A} *et rel.*] και ℵ; om. 33 (C G 049 vac.).

(1:14) λειτουργικὰ πνεύματα εἰς διακονίαν ἀπο-στελλόμενα διὰ τοὺς μέλλοντας κληρονομεῖν σωτη-ρίαν;

---

[1]This unit is included because F G are vac., thus leaving D as the only Western witness. The same is true of units 211, 212, 218, 219, 221, and 224.

I. ALLUS. ουτοι τα λειτουργικα πνευματα τα εις . . . (*Cant.* 3; VI, 88, 8-10. VR: πνευμα ms.; τα om. ms.; σωτηριαν] βασιλειαν ms.); ALLUS. τα λειτουργικα πνευματα τα εις . . . (*Cant.* 5; VI, 166, 15-16. VR: πνευμα ms.; εις] ει ms.); ALLUS. λειτουργικα πνευματα τα εις . . . (*Cant.* 12; VI, 364, 5-7. VR: πνευμα mss.; τα om. mss.; κλειρονομεις ms.; σωτηριαν] βασιλειαν ms.); ALLUS. εις διακονιαν αποστελλομενοι δια . . . (*V. Moy.* 2; VII, i, 93, 16-17).

II. There is no evidence for τα before εις in the first three quotations..

(2:9) βραχύ τι παρ' ἀγγέλους ἠλαττωμένον.

I. ALLUS. βραχυ . . . (*Hom. opif.* 18.2.90; Forbes 210, 30).

(2:10) τὸν ἀρχηγὸν τῆς σωτηρίας ἡμῶν.

I. CIT. καθως φησιν ο αποστολος, κατα τον αρχηγον . . . (*Or. catech.* 35; Srawley 131, 4-5).

(2:14) διὰ τοῦ θανάτου καταργήσῃ τὸν τὸ κράτος ἔχοντα τοῦ θανάτου.

I. ALLUS. δια . . . (*Cant.* 7; VI, 242, 16-17. VR: καταρτιση ms.; καταργιση ms.; καταργης ms.); ALLUS. τω το κρατος εχοντι του θανατου (*Inscript. Pss.* 1.8; V, 54, 4-5).

III-218. θανατου[1] Greg [A] *et rel.*] + θανατον D (G 049 vac.).

(3:1-2) ἀπόστολον καὶ ἀρχιερέα . . . (2) πιστὸν ὄντα τῷ ποιήσαντι αὐτόν.

I. CIT. εν τη προς Εβραιους επιστολη το ισον εστι παρα του Παυλου μαθειν, λεγοντος αποστολον και αρχιερεα τον Ιησουν παρα του θεου γεγενησθαι, (2) πιστον . . . (*C. Eun.* 3.4.18; II, 140, 16-19).

(3:7-9) διό, καθὼς λέγει τὸ πνεῦμα τὸ ἅγιον . . . (8) μὴ σκληρύνητε τὰς καρδίας ὑμῶν ὡς ἐν τῷ παραπικρασμῷ κατὰ τὴν ἡμέραν τοῦ πειρασμοῦ ἐν τῇ ἐρήμῳ, (9) οὗ ἐπείρασάν με οἱ πατέρες ὑμῶν.

I. CIT. ο αποστολος . . . ουτω γραψας τω ρηματι· διο . . .
(*Ref. Eun.* 194; II, 394, 11-16. VR: (8) υμων] ημων ms.;
πειρασμου] παραπιου ms.); CIT. προς Εβραιους το πνευμα
προταξας εν οις φησιν οτι διο . . . αγιον   (*C. Eun.* 3.5.14; II,
165, 1-3).

III-219. (9) ου Greg {A} *et rel.*] οπου D (G 049 vac.).

-220. με Greg {A} *et rel.*] om. 𝔓46 ℵ* A B C D* 33 UBS (G
049 vac.).

(4:12) τομώτερος ὑπὲρ πᾶσαν μάχαιραν δίστομον.

I. ALLUS. τουτο τοινυν το βελος ο ζων του θεου λογος εστι
και τομωτερος . . . (*Inscript. Pss.* 2.11; V, 119, 18-19).

(4:15) 'πεπειρασμένον / πεπειραμένον' [δὲ] κατὰ
πάντα καθ' ὁμοιότητα χωρὶς ἁμαρτίας.

I. ALLUS. τον πεπειραμενον κατα . . . (*C. Eun.* 3.4.28; II,
144, 30-145, 1); ALLUS. επειραθη γαρ κατα . . . (*C. Eun.*
3.1.93; II, 35, 23-24); ALLUS. ης μετασχων κατα . . . (*Ref.
Eun.* 111; II, 359, 2); ALLUS. ο ουκ ανελαβεν ο κατα παντα
πεπειρασμενος καθ ομοιοτητα χωρις αμαρτιας (*Ref. Eun.* 175;
II, 386, 10-11); ALLUS. ο γαρ πεπειραμενος κατα . . .
αμαρτιας εκ των ημετερων ημιν διαλεγεται (*Eccl.* 2; V, 305,
16-17); ALLUS. επειρασθη γαρ κατα . . . (*Cant.* 4; VI, 116,
17—117, 1. VR: κατα om. ms.; καθ ομοιοτητα om. mss.;
ομοιοτητα ημετεραν ms.); ALLUS. κατα . . . (*Cant.* 11; VI,
338, 7. VR: κατα παντα] και παντα τα ms.); ADAPT. εκει
μεν γαρ ο πεπειραμενος κατα . . . αμαρτιας εδεξατο (*Fil.*;
III, ii, 7, 23-24).

II. The spelling πεπειραμενον is found in C K L P Ψ 0150 0151 33
69 223 330 436 462 876 1241 1908 2344 𝔐 Antioch Chr^pt Cyr Epiph
Euthal Or^pt Thdrt, whereas πεπειρασμενον (*Ref. Eun.* 175 only and
there adapted to -μενος) is the spelling of 𝔓46 ℵ A B D 1739 Chr^pt
Dam Or^pt Thphyl. There is no evidence for the substitution of
επειρα(σ)θη for πεπειρα(σ)μενον in *C. Eun.* 3.1.93 and *Cant.* 4. Nor
does the substitution of γαρ for δε in *C. Eun.* 3.1.93 or the change of
word order in *Ref. Eun.* 175 find other support.

(5:14) τελείων δέ ἐστιν ἡ στερεὰ τροφή, τῶν διὰ τὴν ἕξιν τὰ αἰσθητήρια γεγυμνασμένα ἐχόντων.

I. CIT. κατα την του Παυλου φωνην, ος φησιν οτι τελειων . . . (Pyth.; III, 2, 107, 12-14); CIT. τελειων δε εστι, φησιν, η . . . (Infant.; III, ii, 83, 18-19. VR: η om. ms.).

(6:7) ἡ (πιοῦσα) τὸν ἐπ' αὐτὴν ἐρχόμενον ὑετόν.

I. ALLUS. η πινουσα τον . . . (Cant. 13; VI, 385, 3-4. VR: αυτη mss., αυτης mss.).

II. αυτην is attested only by Bᶜ 122ᶜ 1952. πολλακις after ερχομενον is omitted only by 263 1836. There is no evidence for πινουσα.

(6:8) τὸ τέλος εἰς καῦσιν.

I. CIT. το . . . καυσιν, ως φησιν ο αποστολος (Virg. 21; VIII, i, 330, 12-13).

(6:16) ἄνθρωποι [γὰρ] κατὰ τοῦ μείζονος ὀμνύουσι.

I. CIT. η γραφη . . . εν τω λεγειν ανθρωποι κατα . . . (Tres dei; III, i, 54, 4-6).

II. There is no evidence for the omission of γαρ. It is not safe to cite Gregory for the omission of μεν after ανθρωποι because it too is an introductory word.

(6:20) ὅπου πρόδρομος ὑπὲρ ἡμῶν εἰσῆλθεν ('Ιησοῦς).

I. ALLUS. οπου . . . εισηλθεν ο Χριστος (C. Eun. 3.10.15; II, 295, 6-7. VR: ο om. mss.).

II. There is no evidence for the substitution of ο Χριστος for Ιησους, although D adds Χριστος after Ιησους.

(7:3) μήτε ἀρχὴν ἡμερῶν μήτε ζωῆς (τέλος ἔχων).

I. ALLUS. μήτε αρχην . . . ζωῆς εχοντι τελος   (*C. Eun.*
1.688; I, 223, 224, 1); CIT. καθως ειπεν ο αποστολος, μήτε
αρχην . . . ζωῆς εχοντος τελος   (*C. Eun.* 2.456; I, 359, 26-28).

II. There is no evidence for εχοντι in 1.688, εχοντος in 2.456, or
the change of word order in both.

(7:7) χωρὶς (δὲ) πάσης ἀντιλογίας τὸ ἔλαττον ὑπὸ
τοῦ κρείττονος εὐλογεῖται.

I. ALLUS. χωρις γαρ πασης . . . (*Ep.* 3.19; VIII, ii, 25, 7-8).

II. There is no evidence for the substitution of γαρ for δε.

(7:9-10) Λευὶς ὁ δεκάτας λαμβάνων δεδεκάτωται·
(10) [ἔτι γὰρ] ἐν τῇ ὀσφύϊ τοῦ πατρὸς ἦν ὅτε . . .
συνήντησεν.

I. CIT. φησιν ο αποστολος, οτι Λευις ο τας δεκατας . . .
δεδεκατωται, και την αποδειξιν τοις λεγομενοις επηγαγεν, οτι
(10) εν τη . . . πατρος αυτου ην οτε Αβρααμ τω ιερει του
υψιστου συνηντησεν   (*C. Eun.* 1.634; I, 208, 25—209, 2).

II. There is no evidence for τας before δεκατας. The spelling Λευις
is found in A 81 1739 (the minor variation Λευεις in ℵ^c B C* I), but
because it is a spelling variation it is not treated in apparatus III.   (10)
There is no evidence for αυτου after πατρος or for the substitution of
Αβρααμ τω ιερει του υψιστου for αυτω (ο) Μελχισεδεκ or for
changing the location of συνηντησεν.

(10:1) σκιὰν γὰρ [ἔχων ὁ νόμος] τῶν μελλόντων
ἀγαθῶν, οὐκ αὐτὴν τὴν εἰκόνα τῶν πραγμάτων.

I. ALLUS. σκιαν γαρ ο τοιχος ποιει των μελλοντων . . .
(*Cant.* 5; VI, 162, 1-2).

II. There is no evidence for the substitution of ο τοιχος ποιει for
εχων ο νομος.

(10:20) ὁδὸν πρόσφατον καὶ ζῶσαν.

I. ALLUS. οδον προσφατον τε και ζωσαν   (C. Eun. 3.1.51; II, 21, 23-24).

II. There is no evidence for τε.

III-221. και Greg {A} et rel.] om. D* (B G 049 vac., 075 supp.).

(10:27) φοβερὰ [δέ] τις ἐκδοχὴ κρίσεως καὶ πυρὸς ζῆλος ἐσθίειν μέλλοντος τοὺς ὑπεναντίους.

I. ALLUS. μενει ημας φοβερα τις . . . (Eccl. 6; V, 388, 4-5).

II. There is no evidence for the omission of δε.

(11:1) ἔστι (δὲ) πίστις ἐλπιζομένων ὑπόστασις.

I. ALLUS. εστι γαρ πιστις . . . (V. Moy. 2; VII, i, 43, 5-6).

II. There is no evidence for γαρ instead of δε.

(11:3) πίστει νοοῦμεν κατηρτίσθαι τοὺς αἰῶνας ῥήματι θεοῦ, εἰς τὸ μὴ ἐκ φαινομένων τὰ βλεπόμενα γεγονέναι.

I. CIT. πιστει . . . θεου, καθως φησιν ο αποστολος (C. Eun. 2.78; I, 250, 1-2); ADAPT. κατηρτισθαι τους αιωνας τω ρηματι νοουμεν του θεου, πιστευοντες (καθως φησιν ο αποστολος) εις το . . . (Hom. opif. 24.1.105; Forbes 244, 3-5. VR: τω and του om. mss; put νοουμεν after πιστευοντες ms.; om. νοουμεν ms.; εις το] απο των ms.; εν τω ms.; εκ φαινομενων] εκφαινομενων mss.; εκφαινομενω mss.; εκφαινομενον mss.).

II. There is no evidence for the addition of τω or του, the change of word order, or the substitution of πιστευοντες for πιστει in Hom. opif.

III-222. τα βλεπομενα Greg {A} K L Ψ 0142 0150 0151 223 2423 𝔐] το βλεπομενον rel. (B C G 049 vac., 075 supp.).

(11:6) πιστεῦσαι [γὰρ] δεῖ τὸν προσερχόμενον θεῷ ὅτι ἔστι καὶ τοῖς ἐκζητοῦσιν αὐτὸν μισθαποδότης γίνεται.

I. CIT. πιστευσαι δει τον προσερχομενον θεω, φησιν ο αποστολος, οτι εστιν (C. Eun. 3.8.32; II, 250, 29—251, 1); ALLUS. ουτω και περι του θεου οτι μεν εστι . . . (C. Eun. 2.103; I, 256, 28-30. VR: αυτον om. mss.).

II. γαρ is omitted only by 440. In addition to ℵ* 33, τω is also omitted by Dᶜ I 103 326 489 1241ˢ 1912 Ath Epiph.

III-223. θεω Greg {B} ℵ* 33] pr. τω rel. (B G 049 vac.).

(11:10) ἧς τεχνίτης καὶ δημιουργὸς ὁ θεός.

I. CIT. ης . . . θεος καθως φησιν ο αποστολος (Inscript. Pss. 1.3; V, 32, 17-18); ALLUS. εν ᾗ ἡ πολις εστιν η μεγαλη ης . . . δημιουργος εστιν ο θεος ημων (Mihi fecistis; IX, 127, 1-2. VR: εστιν] Χριστος ms.; ημων om. ms.); ALLUS. ης . . . (V. Gr. Thaum.; X, i, 5, 8).

II. There is no evidence for εστιν or ημων in Mihi fecistis.

(11:25) μᾶλλον ἑλόμενος συγκακουχεῖσθαι τῷ λαῷ τοῦ θεοῦ ἢ πρόσκαιρον ἔχειν ἁμαρτίας ἀπόλαυσιν.

I. CIT. οτε της των Αιγυπτιων βασιλειας υψηλοτερον τον ονειδισμον του Χριστου εποιησατο μαλλον . . . (Cant. 12; VI, 354, 14-16. VR: μαλλον δε mss.; ελομενος] ειλετο ms.; αμαρτιας απολαυσιν εχειν ms.).

II. The first part of the citation alludes to 11:26, but it is too loose to use.

(11:27) τὸν [γὰρ] ἀόρατον ὡς ὁρῶν ἐκαρτέρησεν.

I. CIT. φησι . . . ο αποστολος οτι τον αορατον . . . (C. Eun. 2.93; I, 254, 10-11).

II. There is no evidence for the omission of γαρ.

(11:37) ὑστερούμενοι, θλιβόμενοι.

I. ALLUS. τουτο προστιφησιν οτι υστερουμενοι και θλιβομενοι (*Eccl.* 2; V, 304, 14-15. VR: και θλιβομενοι] κακουχουμενοι ms.; και om. ms.).

II. There is no evidence for the addition of και.

(12:1) ἡμεῖς τοσοῦτον ἔχοντες περικείμενον ἡμῖν νέφος μαρτύρων . . . .

I. CIT. ημεις δε, κατα τον αποστολον, τοσουτον . . . (*Mart.* 2; X, i, 169, 13-15).

(12:2) ἐν δεξιᾷ [τε] τοῦ θρόνου τοῦ θεοῦ κεκάθικεν.

I. CIT. ος εκ της αγαν προσοχης των θεοπνευστον γραφων ουπω ηκουσεν . . . οτι εν δεξια του . . . (*Ref. Eun.* 43; II, 329, 16-19. VR: εν om. mss.; του θεου om. ms.).

II. τε is omitted only by 635 (δε is substituted by L 1319).

(12:4) . . . (μέχρι αἵματος ἀντικατέστητε) πρὸς τὴν ἁμαρτίαν. . . .

I. ALLUS. αντικαταστας προς την αμαρτιαν μεχρι του αιματος (*Steph.*1; X, i, 76, 6. VR: αμαρτιαν] μαρτυριον ms.; του om. mss.).

(12:11) πᾶσα παιδεία πρὸς μὲν τὸ παρὸν οὐ δοκεῖ χαρᾶς εἶναι ἀλλὰ λύπης.

I. CIT. φησι . . . ο θειος αποστολος οτι πασα παιδεια . . . (*V. Moy.* 2; VII, i, 100, 3-5).

II. δε after πασα is omitted by D* 048 104 416 917 (μεν is substituted by ℵ* P 33 226* 256 794 919 1175 1739 1836 1881 (d z) Or). The unit is not treated below because it involves an introductory word.

(12:15) μή (τις ῥίζα) πικρίας ἄνω φύουσα (ἐνοχλῇ).

I. ADAPT. αναγκη μη παρελθειν την ριζαν της πικριας του δογματος, ινα μη, καθως φησιν ο αποστολος, ανω φυουσα διοχλη   (*C. Eun.* 3.6.2; II, 186, 3-5).

II. There is no evidence for any of Gregory's variations.

(12:29) καὶ γὰρ ὁ θεὸς ἡμῶν πῦρ καταναλίσκον.

I. ALLUS. ο γαρ θεος . . .   (*C. Eun.* 3.3.52; II, 126, 14-15. VR: καταναλισκων   ms.); ALLUS. και γαρ και ο θεος καταναλισκον εστιν   (*Hex.* 19; Forbes 32, 1).

II. There is no evidence for any of the variations.

III-224. και   Greg {A} *et rel.*] κυριος   D* (B G 049 075 vac.).

Textual Relationships

The percentage of agreement of the various witnesses with one another in the 224 units of variation in the Pauline Epistles are set forth in Table 18, pp. 254-255.

One can begin to get an impression of Gregory's textual affinities by arranging the witnesses in descending order of his agreement with them. This is done in Table 19.

Table 19

Percentage of Agreement of
Gregory with All Witnesses

Witness	With	Against	Total	% With
075	91	33	124	73.4
0142	163	59	222	73.4
Ψ	162	62	224	72.3
𝔐	159	62	221	71.9

P	147	58	205	71.7
056	91	36	127	71.7
223	157	63	220	71.4
049	111	45	156	71.2
0150	132	60	192	68.8
2423	139	64	203	68.5
L	152	72	224	67.9
0151	148	70	218	67.9
K	136	67	203	67.0
UBS	144	80	224	64.3
C	94	53	147	63.9
A	129	76	205	62.9
33	136	81	217	62.7
ℵ	139	83	222	62.6
1739	126	98	224	56.3
B	112	93	205	54.6
𝔓46	89	87	176	50.6
G	87	116	203	42.9
D	88	134	222	39.6

Merely observing the witnesses in the top half of the list does not help very much. The third (Ψ) is designated as Later Alexandrian by Metzger,[1] and the eighth (049) and eleventh (L) are classified as Byzantine by the same authority. The first (075), third (Ψ), fifth (P), and ninth (0150) are in the Alands' Category III; and the second (0142), sixth (056), seventh (223), eighth (049), tenth (2423), eleventh (L), twelfth (0151), and thirteenth (K) are in their Category V / Byzantine text. The fourth (𝔐) represents the mass of medieval Byzantine minuscule mss. If one had only Table 19 he or she might be tempted to conclude that Gregory has a mixed text and cannot further be classified.

---

[1] As previously indicated, the data in Table 18 show that Ψ has a closer affinity with Byzantine than Alexandrian witnesses. This fact makes Metzger's classification doubtful. The Alands are probably correct in placing Ψ in Category III, which evidently is a mixed text.

Table 18
Percentage of Agreement
of All Witnesses

	Greg	𝔓46	ℵ	A	B	C	D	G	K	L	P	ψ
Greg	–	51	63	63	55	64	40	43	67	68	72	72
𝔓46	51	–	69	61	71	66	44	46	47	49	58	48
ℵ	63	69	–	81	75	78	45	44	58	61	70	60
A	63	61	81	–	70	82	43	37	57	58	65	60
B	55	71	75	70	–	76	41	34	54	55	61	53
C	64	66	78	82	76	–	41	42	65	66	70	67
D	40	44	45	43	41	41	–	71	41	44	51	51
G	43	46	44	37	34	42	71	–	39	43	48	47
K	67	47	58	57	54	65	41	39	–	92	74	77
L	68	49	61	58	55	66	44	43	92	–	77	79
P	72	58	70	65	61	70	51	48	74	77	–	76
ψ	72	48	60	60	53	67	51	47	77	79	76	–
049	71	49	66	61	59	68	46	47	91	96	78	83
056	72	49	59	55	53	67	42	44	85	91	75	75
075	73	52	67	65	63	69	50	44	81	85	83	81
0142	73	51	59	58	55	70	43	43	86	91	76	79
0150	69	54	70	67	65	70	46	44	75	79	79	70
0151	68	50	62	59	57	68	43	41	93	91	75	77
33	63	64	76	77	70	80	42	42	60	64	71	59
223	71	50	61	57	57	68	43	44	85	92	77	78
1739	56	68	75	71	74	76	49	41	64	66	67	61
2423	68	51	65	59	58	68	44	46	88	94	78	79
𝔐	72	51	63	60	58	70	45	45	91	96	79	83
UBS	64	76	87	81	85	85	50	46	63	66	74	66

| | Greg | 𝔓46 | ℵ | A | B | C | D | G | K | L | P | ψ |

Table 18 , continued
Percentage of Agreement
of All Witnesses

049	056	075	0142	0150	0151	33	223	1739	2423	𝔐	UBS	
71	72	73	73	69	68	63	71	56	68	72	64	Greg
49	49	52	51	54	50	64	50	68	51	51	76	𝔓46
66	59	67	59	70	62	76	61	75	65	63	87	ℵ
61	55	65	58	67	59	77	57	71	59	60	81	A
59	53	63	55	65	57	70	57	74	58	58	85	B
68	67	69	70	70	68	80	68	76	68	70	85	C
46	42	50	43	46	43	42	43	49	44	45	50	D
47	44	44	43	44	41	42	44	41	46	45	46	G
91	85	81	86	75	93	60	85	64	88	91	63	K
96	91	85	91	79	91	64	92	66	94	96	66	L
78	75	83	76	79	75	71	77	67	78	79	74	P
83	75	81	79	70	77	59	78	61	79	83	66	Ψ
–	89	87	90	79	90	68	91	69	94	97	71	049
89	–	82	98	78	84	64	89	61	91	92	65	056
87	82	–	84	78	84	68	87	67	88	89	71	075
90	98	84	--	79	86	63	89	63	90	93	65	0142
79	78	78	79	–	79	70	78	69	79	80	74	0150
90	84	84	86	79	–	65	85	65	88	90	68	0151
68	64	68	63	70	65	–	62	71	66	66	78	33
91	89	87	89	78	85	62	–	66	94	95	65	223
69	61	67	63	69	65	71	66	–	67	67	81	1739
94	91	88	90	79	88	66	94	67	–	98	68	2423
97	92	89	93	80	90	66	95	67	98	–	68	𝔐
71	65	71	65	74	68	78	65	81	68	68	--	UBS
049	056	075	0142	0150	0151	33	223	1739	2423	𝔐	UBS	

Gregory's textual relationships become clearer, however, when one considers his average agreement with the groups of Metzger and the Alands.

Table 20

Gregory's Average Agreement
with the Groups of Metzger

Proto-Alexandrian

Witness	With	Against	Total	% With
$\mathfrak{P}46$	89	87	176	50.6
ℵ	139	83	222	62.6
B	112	93	205	54.6
	340	263	603	56.4

Later Alexandrian

Witness	With	Against	Total	% With
C	94	53	147	63.9
A	129	76	205	62.9
Ψ	162	62	224	72.3
33	136	81	217	62.7
1739	126	98	224	56.3
	647	370	1017	63.6

All Alexandrian

With	Against	Total	% With
987	633	1620	60.9

Western

Witness	With	Against	Total	% With
D	88	134	222	39.6

G	_87_	116	203	42.9
	175	250	425	41.2

Byzantine

Witness	With	Against	Total	% With
L	152	72	224	67.9
049	111	_45_	156	71.2
	263	117	380	69.2

The highest percentage of agreement is 69.2 with the Byzantine type, and there is a significant gap of 5.6% between it and the 63.6% agreement with the Later Alexandrian type. The gap would be even larger if Ψ were excluded from the Later Alexandrian group, as suggested above. When all witnesses are considered and not just the constant witnesses used in the present study, there are only four or five units of variation where Gregory supports Alexandrian witnesses against all or most others. They are numbers 17, 36, 89, 169, and perhaps 223.

Again Gregory stands the furthest from the Western text. Table 18 shows that there is no other witness used in this study which has a lower percentage of agreement with D than does Gregory and that only six have a lower percentage of agreement with G. Only in units 37, 162, and 190 does Gregory agree with Western witnesses against most others (in unit 200 he, D, G, and F are joined by about eight non-Western minuscules).

Kurt and Barbara Aland have classified Greek mss. in the Pauline Epistles, and Table 21 shows the average agreement of Gregory with the witnesses in each of their groups.

Table 21

Gregory's Average Agreement
with the Groups of the Alands

Category I

Witness	With	Against	Total	% With
𝔓46	89	87	176	50.6
ℵ	139	83	222	62.6
A	129	76	205	62.9
B	112	93	205	54.6
33	136	81	217	62.7
1739	126	98	224	56.3
	731	518	1249	58.5

Category II

Witness	With	Against	Total	% With
C	94	53	147	63.9
D	88	134	222	39.6
	182	187	369	49.3

Category III

Witness	With	Against	Total	% With
G	87	116	203	42.9
P	147	58	205	71.7
Ψ	162	62	224	72.3
075	91	33	124	73.4
0150	132	60	192	68.8
	619	329	948	65.3

Category V

Witness	With	Against	Total	% With
K	136	67	203	67.0
L	152	72	224	67.9

049	111	45	156	71.2
056	91	36	127	71.7
0142	163	59	222	73.4
0151	148	70	218	67.9
223	157	63	220	71.4
2423	139	64	203	68.5
	1097	476	1573	69.7

The highest agreement is with Category V = Byzantine text, and it is 69.7%. In second place 4.4% behind is Category III. One might expect Gregory to be more closely related to Category II than to Category I. The reason he is not is that the Alands place in Category II Codex Claromontanus (D), which most others classify as Western and with which Gregory has little agreement. Table 22 attempts to show how good a Byzantine witness Gregory is. It includes all the mss. used in this study which are classified as Byzantine by Metzger and / or the Alands.

Table 22

Percentage of Agreement of
Byzantine Witnesses with 𝔐

Witness	With	Against	Total	% With
2423	196	4	200	98.0
049	149	5	154	96.8
L	213	8	221	96.4
223	207	10	217	95.4
0142	204	15	219	93.2
056	115	10	125	92.0
K	182	19	201	90.5
0151	193	22	215	89.8
Greg	159	62	221	71.9

Once again Gregory stands last on the list with 26.1% less agreement than the highest ranking witness (2423) and 17.9% less than the otherwise lowest ranking witness (0151). Even so his 71.9% constitutes substantial agreement.

Therefore quantitative analysis of Gregory's quotations from the Pauline Epistles indicates that they are more closely related to the Byzantine text-type than any other. It follows that, if he is classified at all, he is an early and weak Byzantine witness.

Fee's unnamed method gives similar results. Where 𝔐 and UBS have different readings, Gregory agrees with 𝔐 forty-two times (units 3, 4, 6, 9, 14, 28, 38, 41, 54, 58, 61, 62, 63, 72, 75, 76, 83, 85, 99, 103, 106, 112, 113, 121, 129, 139, 147, 156, 168, 170, 173, 176, 186, 194, 197, 198, 204, 209, 214, 215, 220, and 222) and with UBS only twenty-seven times (units 39, 44, 48, 49, 50, 51, 52, 56, 57, 66, 78, 84, 94, 96, 98, 107, 108, 135, 144, 165, 182, 183, 191, 196, 201, 202, and 208). In these sixty-nine units Gregory agrees with 𝔐 60.9% and with UBS 39.1%. The percentage of agreement is certainly in favor of a Byzantine classification for Gregory, but it is not decisively so and suggests that he is a weak Byzantine witness.

There are only two instances (units 117 and 138) where 𝔐 and UBS differ and Gregory supports a third variant. Notation of the seven witnesses with which he agrees once each would contribute nothing to the study. There are thirty-two instances where 𝔐 and UBS agree but Gregory supports another reading (units 2, 7, 10, 17, 36, 37, 74, 81, 86, 89, 102, 104, 105, 110, 118, 119, 124, 126, 145, 149, 160, 162, 164, 169, 174, 185, 187, 190, 195, 200, 206, and 223). In these units

Gregory agrees with G ten times; with D seven times; with Ψ six times; with ℵ, A, and 0142 five times; and with all the others four, three, two, one, or zero times. One should not think that the comparatively large number of agreements with G and D suggest a Western character for Gregory and therefore contradict the previous results. Ten and seven do not compare favorably with forty-two agreements with 𝔐 and twenty-seven with UBS (above). The most one could say is that on those rare instances when Gregory departs from both the Alexandrian and Byzantine types of text he has a slight tendency to support Western witnesses. In such instances there is also some agreement with isolated Alexandrian witnesses (Ψ, ℵ, and A).

In conclusion therefore, all of the evidence indicates that Gregory's quotations from the Pauline Epistles are orientated toward the Byzantine text-type, and it suggests but does not prove that he is a peripheral member of that type.[1]

---

[1] The readings of 056 appear only in Romans and I and II Corinthians, where they were obtained from K. Junack et. al., *Das Neue Testament auf Papyrus*, Band II:1 *Die Paulinishchen Briefe* (Berlin: de Gruyter, 1989). The writer hoped to obtain a microfilm of the ms. through the Ancient Biblical Manuscript Center, but at the time it was necessary to submit this typescript to Scholars Press it still had not come from Paris.

CONCLUSION

Gregory quotes a sufficient number of times from Matthew, Luke, John, and the Pauline Epistles to determine his textual relationships in these portions of the NT. He does not do so in Mark and Acts and the Catholic Epistles. Therefore, although this study sets forth his actual quotations and a reconstructed text of his NT ms. or mss. in all portions of the NT, it analyzes his textual relationships only in Matthew, Luke, John, and the Pauline Epistles. Simple quantitative analysis has yielded the following results.

Table 23

Gregory's Average Agreement with the Groups of Metzger

	Matt.	Luke	John	Paul
Proto-Alexandrian	54.1	60.8	58.3	56.4
Later Alexandrian	62.3	66.7	65.2	63.6
All Alexandrian	59.7	64.6	62.3	60.9
Western	47.1	52.8	50.5	41.2
Pre-Caesarean	61.4	67.6	70.0	
Caesarean Proper	53.7	66.3	69.1	
All Caesarean	57.5	67.0	69.5	
Byzantine	63.4	66.9	70.7	69.2

Table 24

Gregory's Average Agreement with the Groups of the Alands

	Matt.	Luke	John	Paul
Category I	54.1	61.5		58.5
Category II	58.0	65.6		49.3
Category III	60.8	65.4		65.3

Category IV	51.0	44.6	
Category V	63.1	67.7	69.7

In Matthew, John, and Paul Gregory is most closely related to Metzger's Byzantine type of text, whereas in Luke he is 0.7% closer to the Pre-Caesarean type and 0.1% closer to the All Caesarean group. In every instance he is closest to the Alands' Category V, their equivalent to the Byzantine text. When Gregory is compared with the Bible Societies' text, which is for the most part an Alexandrian type of text, and with the Majority Text, which is the Byzantine type, he has a much larger amount of agreement with the latter in every instance: 58.3% to 41.7 in both Matthew and Luke, 68.2% to 31.8% in John, and 60.9% to 39.1% in the Pauline Epistles.

Virtually all of the evidence therefore indicates that Gregory's quotations from the NT have their greatest affinity with the Byzantine type of text. There is still the nagging question, however, whether Gregory should actually be classified as a Byzantine witness. Obviously every witness is more closely related to one of the text-types than the others, but not every witness belongs to the text-type to which it is most closely related (e. g. the Latin Vulgate).

Perhaps the first question is whether Gregory exhibits block mixture, i. e. belongs to one text-type in one portion of a book but to another in another portion. The present research shows no evidence of block mixture. Gregory's agreement with various Byzantine witnesses seems to be more or less evenly scattered throughout the portions of the NT which have been examined.

Second, are Gregory's percentages of agreement with 𝔐 (62.9% in Matthew, 69.2% in Luke, 72.2% in John, and 71.9% in Paul) and / or his percentages of average agreement with all the Byzantine witnesses used in this study (63.4% in Matthew, 66.9% in Luke, 70.5% in John, and 69.2% in Paul—using Metzger's groups) sufficient to include him among the Byzantine witnesses to the Greek text of those books? He could not be if one accepts Colwell and Tune's definition of a text-type: "a group of manuscripts that agree more than 70 per cent of the time and is separated by a gap of about 10 per cent from its neighbors."[1]   W. L. Richards, however, has shown conclusively that Colwell's definition is too rigid, that its application will eliminate most of the text-types, and that the percentages of agreement of a group must be flexible.[2] Even so it is the members of the Byzantine type of text which exhibit the highest percentages of agreement, usually 80% and above and often 90% or more (see Tables 1, 7, 13, and 18). Gregory's greatest agreement with 𝔐 is 72.2% in Luke and 71.9% in Paul, well short of 80%. Nevertheless it is not likely that any father or version will have as high a percentage of agreement with a Greek ms. or a group of Greek mss. as a related Greek ms. will. This is because of the involved mechanics of quotation and

---

[1]Ernest C. Colwell, *Studies in Methodology in Textual Criticism of the New Testament*, New Testament Tools and Studies, vol. IX, ed. Bruce M. Metzger (Leiden: E. J. Brill, 1969), 59.

[2]*The Classification of the Greek Manuscripts of the Johannine Epistles*, SBL Dissertation Series, vol. 35 (Missoula, MT: Scholars Press, 1977), 43-69. Richards also argues that quantitative analysis alone is insufficient for grouping, that a profile method should be used. As previously indicated, however, a profile method is much more easily applied to a continuous-text ms. than to the random quotations of a father.

translation. Therefore, although a Greek ms. with only 63 to 72% agreement with 𝔐 might not qualify as a Byzantine witness, a father or version might. The truth of the matter is that at this point in the course of textual studies a satisfactory definition of a text-type has not been worked out. Much more needs to be done on the subject. Nevertheless it is the carefully considered opinion of the author of this study that Gregory ought to be treated as a very early and weak Byzantine witness. He stands near the beginning of that text. On the one hand it is evident that the Byzantine stream had begun to flow; on the other it was still just a stream or perhaps several streams and not one great river. This explains the presence of Western, Caesarean (if there is such a thing), and even Alexandrian elements in Gregory's quotations. Nevertheless he is one of the earliest writers whose quotations support the Byzantine text more often than any other. This makes Gregory highly significant in the history of the text.

The present study seems to confirm the results of H. H. Oliver, *The Text of the Four Gospels as Quoted in the* Moralia *of Basil the Great*.[1] He concluded that Basil was most closely related to von Soden's K^1 text (S V W Ω 0211 and five minuscules) in Matthew, Mark, and John and von Soden's K^i text (E F G H) in Luke. All of these are classified as Byzantine by Metzger and / or the Alands. One would expect Gregory and his brother to have similar NT mss.

On the basis of the present study and that of Oliver, one can probably trace the origin of the Byzantine text as far back as the middle

---

[1] Dissertation, Emory University, 1961, published on demand by University Microfilms, Inc., Ann Arbor, MI.

of the fourth century. It remains to be seen if it can be traced back still further (to Asterius the Sophist [d. 341] for example ?). Furthermore the fact that Chrysostom of Antioch and Constantinople,[1] Gregory and Basil of Cappadocia, and possibly Asterius (of Antioch ?) are the first to prefer Byzantine readings strongly suggests that this text had its origin along the Constantinople-Cappadocia-Antioch axis. The axis might also need to be extended southward to Caesarea.

The present writer suspects that the Byzantine stream had its origin in the fifty copies Eusebius was ordered by Constantine to prepare for the churches of Constantinople.[2] It seems highly probable that a large measure of uniformity was required in both text and content. The latter is significant for the development of the canon, the former for the development of the text. It seems likely that decisions were made about variant readings. These decisions no doubt reflected the cosmopolitan, syncretistic nature of the Constantinian settlement. Such things are characteristic of the Byzantine text. Furthermore it is highly probable that the text of the capital soon became the text of most of the empire. Because none of the fifty copies has survived, however, this thesis is beyond proof.

---

[1]Fee, "Text of John and Mark in Chrysostom."
[2]Eusebius, *Life of Constantine* 4.34-37.